AF295167

Martha Shiro,
Patrick Charaudeau
y Luisa Granato (eds.)

Los géneros discursivos desde
múltiples perspectivas: teorías y análisis

LINGÜÍSTICA IBEROAMERICANA
Vol . 52

Martha Shiro,
Patrick Charaudeau
y Luisa Granato (eds.)

Los géneros discursivos desde múltiples perspectivas: teorías y análisis

Iberoamericana · Vervuert · 2012

© Iberoamericana, 2012
Amor de Dios, 1 – E-28014 Madrid
Tel.: +34 91 429 35 22
Fax: +34 91 429 53 97
info@iberoamericanalibros.com
www.ibero-americana.net

© Vervuert, 2012
Elisabethenstr. 3-9 – D-60594 Frankfurt am Main
Tel.: +49 69 597 46 17
Fax: +49 69 597 87 43
info@iberoamericanalibros.com
www.ibero-americana.net

ISBN 978-84-8489-680-7 (Iberoamericana)
ISBN 978-3-86527-743-5 (Vervuert)

Depósito Legal: M-32696-2012

Diseño de la cubierta: Carlos Zamora
Impreso en España
Este libro está impreso integramente en papel ecológico blanqueado sin cloro

ÍNDICE

INTRODUCCIÓN

Martha Shiro
Universidad Central de Venezuela

La noción de género discursivo tiene una relevancia indudable en la lingüística contemporánea y su estudio se hace necesario, desde el punto de vista teórico, porque presenta nuevas tareas y desafíos para los analistas, en la medida en que trata con unidades complejas —los textos, los discursos— cuya naturaleza y posibilidades descriptivas y explicativas son objeto de debate en las distintas corrientes. Desde el punto de vista aplicado, los conocimientos sobre los géneros son esenciales para optimizar los procesos de adquisición y la enseñanza de la lengua materna, de lenguas segundas y extranjeras, y para contribuir con eficiencia y efectividad en los intercambios comunicativos de los más diversos ámbitos del uso lingüístico, como son las instituciones, la traducción, los procesos de redacción especializada, los sistemas de archivo y documentación, los productos informáticos, entre otros.

Partimos del supuesto de que los géneros del discurso equivalen a espacios lingüísticos creados socialmente (Wolf *et al.*, 1994: 291) y, por ello, es necesario rendir cuenta acerca de cómo varían, en su realización, la organización textual, los roles de los interlocutores, la información que se revela o se encubre, las expresiones lingüísticas recurrentes y la intensidad de la emoción y la intimidad en cada uno de estos espacios. Los criterios que se aplican para caracterizar y clasificar los géneros discursivos son diversos (Virtaanen, 1992) y las clasificaciones, en su mayoría, recurren a una combinación de estos tres tipos de criterios:

a) Los criterios intratextuales: recogen las marcas y señales explícitas que se encuentran en el texto. Este tipo de criterios permite caracterizar los rasgos lingüísticos más frecuentes que aparecen en el texto: rasgos léxicos (el uso de ciertos términos), la elección de tiempos y formas verbales (como el pretérito en la narración), el modo, la modalidad y el lenguaje evaluativo (uso de adjetivos, adverbios, verbos, etc.) y los mecanismos de cohesión y de continuidad referencial que le dan textura al conjunto de enunciados. Se incluyen en este rango también las diferentes maneras de identificar la organización de los textos (por ejemplo, inicio, desarrollo y cierre).

b) Los criterios extratextuales: hacen referencia a los rasgos situacionales y permiten especificar los contextos en que pueden aparecer determinados géneros discursivos, los roles y otras características de los participantes y las comunidades de habla que hacen uso y se apropian de los discursos caracterizados. En este campo se ubican también los estudios que se centran en la intertextualidad y la interdiscursividad.

c) Los criterios funcionales: una combinación de criterios intratextuales y extratextuales que permite detectar el propósito comunicativo y la intencionalidad que subyace al texto en su totalidad. Con estos criterios, se enfocan los géneros como práctica social y se revelan los significados generados por medio de las construcciones discursivas, así como las expectativas y las consecuencias que dichas construcciones tienen en las personas que producen y consumen los discursos. Asimismo, los criterios funcionales permiten rendir cuenta, por una parte, del desarrollo de las habilidades de los hablantes para manejar nuevos géneros discursivos y, por la otra, de la evolución de los géneros en las comunidades discursivas: unos géneros desaparecen, otros nuevos aparecen, mientras algunos permanecen a través del tiempo, pero cambian algunas de sus características.

Si bien se ha escrito mucho acerca de los géneros discursivos, principalmente en los ámbitos académicos de habla inglesa (Halliday, 1978; Hasan, 1992; Martin y Rose, 2003, 2008; Swales, 1990, 2004; Eggins y Slade, 1997; Hyland, 2002, 2004; Bhatia, 1993, 2004; Paltridge, 1997), alemana (Adamzik, 2000, 2004; Heinemann, 2000; Heinemann y Viehweger, 1991; Heinemann y Heinemann, 2002) y francesa (Adam, 1992; Bronckart, 1996; Charaudeau, 1983, 1992, 2005a y 2005b; Maingueneau, 1998), son pocas las publicaciones que tratan el tema en el mundo hispanohablante (en español o sobre el español). Los escritos sobre los géneros en el discurso de los hispanohablantes (como, por ejemplo, Calsamiglia y Tusón, 1999; Carranza, 2003; Ciapuscio, 1994, 2005; Loureda Lamas, 2003; Miranda, 2007; Shiro, 2003, 2008; Taboada, 2004; Vilarnovo y Sánchez, 1992) tocan algunos aspectos relacionados con la problemática que aquí presentamos, pero no ofrecen una visión panorámica como la que intentamos abordar aquí. Dada la proliferación de los trabajos investigativos en (y sobre) otras lenguas, las referencias obligadas que se citan en los trabajos de investigadores iberoamericanos sobre los géneros discursivos provienen, en su mayoría, de entornos académicos de otras culturas. Contrario a lo que podría parecer, esta confluencia cultural nos ubica a los estudiosos del español en una posición privilegiada: por una parte, el acceso a los hallazgos de trabajos tan diversos nos amplía la visión del objeto de estudio y, por la otra, nos permite integrarlos y enriquecerlos con los resultados del análisis de nuestras prácticas discursivas que comparten una misma lengua, el español, pero que son de gran diversidad cultural. De esta manera, podemos obtener una visión abarcadora de los géneros y, por ende, plantearnos el reto de contribuir a la construcción de una teoría integradora del discurso.

La idea de publicar un libro sobre géneros discursivos con trabajos que se centran en la lengua española, o sean aplicables a ella, surgió en el seno del VI Congreso Internacional de la Asociación Latinoamericana de Estudios del Discurso (ALED), que se realizó en Santiago de Chile en el año 2005. Algunos de los autores participamos en una mesa plenaria donde nos planteamos reflexionar acerca de dos asuntos aparentemente contradictorios: por una parte, observamos la dificultad de los analistas del discurso en ponerse de acuerdo acerca de los criterios utilizados para clasificar los discursos y para proponer una taxonomía satisfactoria y, por la otra, percibimos la necesidad de explicitar estos criterios para, entre otros fines, facilitar, al mayor número posible de personas, el manejo apropiado de múltiples géneros, orales y escritos, tanto en la lengua materna como en otras lenguas.

Estas inquietudes nos condujeron a plantearnos las siguientes interrogantes, algunas de las cuales subyacen a los trabajos que se incluyen en este libro:

a) ¿Hasta qué punto los términos *géneros discursivos, tipos de discurso, órdenes discursivos, registros,* equivalen al mismo concepto o a conceptos que se solapan?

b) ¿Cómo se delimitan los géneros, subgéneros, macrogéneros? ¿Dónde comienzan y terminan los discursos?

c) ¿Qué tipo de datos empíricos o corpus es necesario analizar para poder caracterizar los géneros discursivos?

d) ¿En qué términos se caracteriza un género discursivo específico? ¿Se identifican sólo los rasgos distintivos o también los rasgos comunes con otros géneros discursivos?

e) ¿Es posible analizar un discurso sin dar cuenta del género al que pertenece?

f) ¿El enfoque para clasificar a los géneros discursivos debería ser descriptivo (recogiendo lo que hacen los usuarios de los discursos y cómo perciben los diferentes géneros) o prescriptivo (instruyendo a los hablantes acerca del mejor manejo de los géneros discursivos)?

El propósito común de los investigadores cuyos trabajos aparecen en este libro es ofrecerle al lector interesado una visión panorámica de múltiples aspectos de la problemática de los géneros discursivos, con el fin de establecer un diálogo entre las distintas teorías examinadas y, de este modo, comenzar a detectar tanto los consensos como las ideas divergentes.

Así, los trabajos que conforman este libro tocan diferentes aspectos de los siguientes objetivos:

(a) Hacer una revisión crítica de algunos de los más recientes enfoques que se centran en la problemática de los géneros discursivos, con el fin de empezar a esbozar una posición teórica que permita integrar, de manera sistemática y consistente, la concepción de géneros con los demás aspectos del análisis lingüístico y discursivo. Nos proponemos así ofrecer una visión de la producción y comprensión de textos, que permita analizarlos tomando en cuenta el entorno comunicativo, los participantes y sus propósitos.

(b) Caracterizar algunos géneros discursivos, siguiendo los enfoques desarrollados en el libro y centrándose particularmente en contextos socioculturales específicos, con especial referencia a los contextos latinoamericanos.

(c) Reflexionar acerca de las implicaciones teóricas, metodológicas y pedagógicas de los enfoques propuestos.

Los once capítulos que conforman este libro presentan reflexiones teóricas y referencias a su aplicación. Se encuentran en ellos nuevas perspectivas de análisis, una mirada crítica a líneas de investigación desarrolladas o en desarrollo, trabajos acerca de la aplicabilidad de los modelos considerados y estudios tendientes a identificar las características genéricas de ciertos tipos de discursos. La separación en dos partes responde al intento de agrupar las contribuciones de acuerdo al predominio de discusiones teóricas, en la primera parte, y de búsquedas empíricas, en la segunda.

En el primer capítulo, Patrick Charaudeau ofrece una visión panorámica de la problemática de los géneros desde una perspectiva socio-comunicativa. En primera instancia, hace una distinción entre, por una parte, modos de organización discursiva (narrativo, argumentativo, descriptivo, explicativo, etc.) y, por la otra, géneros discursivos (anclados en la práctica social y pertenecientes, por tanto, a diferentes ámbitos: político, religioso, científico, etc.). En este marco, los géneros se estructuran a partir de la situación de comunicación global y específica, en el marco de la práctica social en la que circulan los saberes.

Maite Taboada presenta una aproximación a los géneros del discurso dentro de la lingüística sistémico-funcional. En su trabajo, la autora muestra cómo los géneros se entroncan en una tradición del estudio del lenguaje como fenómeno social, ya que son un reflejo del contexto de situación y de cultura. De esta manera, ella presenta un breve resumen histórico del desarrollo del concepto de género discursivo dentro de esta escuela, así como su relación con otros enfoques. Asimismo, ilustra los conceptos de género y registro con ejemplos, para terminar con un resumen de los trabajos más destacados realizados desde esta perspectiva teórica.

Florencia Miranda se aproxima a los géneros discursivos desde la óptica del interaccionismo socio-discursivo (iniciado en los años ochenta en la Escuela de Ginebra dirigida por Jean-Paul Bronckart). Después de delinear las ideas fundamentales que subyacen a este enfoque, la autora comenta las sugerencias de Bronckart (2005), quien indica que los géneros se interrelacionan entre sí (en una nebulosa) y forman un *architexto,* que equivale al conjunto de géneros disponibles para los miembros de una comunidad. Desde esta perspectiva, el género se define en tres planos: en el psicológico (o psico-cognitivo), los géneros constituyen instrumentos disponibles y necesarios para la organización del uso del lenguaje en unidades de comunicación, es decir, en textos; en el plano social, estos instrumentos constitutivos de los géneros son el resultado de las prácticas de lenguaje de las generaciones pasadas y de los contemporáneos; y en el plano semiótico, los géneros son configuraciones de opciones (semio)lingüísticas relativamente estabilizadas y conforman formatos textuales. El hablante debe adoptar y adaptar un género determinado, cuando inicia la producción de un texto. Este modelo profundiza en los procesos de apropiación de los géneros y en las implicaciones didácticas de los mismos.

Guiomar Ciapuscio adopta el enfoque de la lingüística del texto, más específicamente *Textsortenlinguistik* ("la lingüística de los géneros"), para reflexionar acerca de la praxis y la formación del traductor. En primer lugar, la autora describe la conceptualización de *texto* en la aproximación teórica adoptada y señala que "los géneros cristalizan un *sistema de conocimientos* que se adquiere a lo largo de la socialización y las experiencias comunicativas", mientras que "las tipologías de textos son, en este modo de ver las cosas, representaciones del conocimiento genérico, y por lo tanto deben reflejar esa multidimensionalidad". Asimismo, destaca la distinción entre esquemas textuales —los procesos cognitivos basados en las experiencias intelectuales— y géneros —los resultados lingüísticos, es decir, las realizaciones textuales—. En este enfoque, la tipología de los géneros registra varios niveles: la *funcionalidad,* la *situacionalidad,* la *tematicidad,* la *estructura,* y la *adecuación de la formulación,* parámetros que sirven para describir y contrastar los distintos géneros. La autora alega que el traductor debe profundizar sus conocimientos de los géneros y la multidimensionalidad que los caracteriza para poder ejercer su profesión a cabalidad.

Isolda E. Carranza desarrolla un enfoque cuyos fundamentos se originan en la antropología lingüística, el análisis crítico del discurso y la sociología de la práctica, y concibe los géneros como escenarios para la producción de significado social. En este marco, los géneros se constituyen como un tipo de actividad, por lo que no son inmanentes al texto, debido a que la importancia recae en los participantes que producen y reciben los discursos, en el contexto situacional y en el momento histórico en el que ocurren los intercambios verbales. Con esta orientación, la autora hace un análisis de los testimonios en el tribunal penal, un género que se construye bilateralmente, puesto que corresponde a la interacción entre un testigo o perito y un litigante o un juez que lo examina. De esta manera, ella muestra cómo se logra naturalizar las relaciones de poder así como las perspectivas ideológicas imperantes y concluye que, mediante este tipo de análisis, se pueden rastrear sistemáticamente los indicios de los presupuestos culturales o ideológicos compartidos por los participantes en un género discursivo particular.

La segunda parte se abre con un trabajo de Charaudeau, en el que se desarrolla un análisis del discurso de la propaganda desde la perspectiva socio-comunicativa que el autor presentó en el capítulo 1. En la descripción del contexto situacional, presenta los posicionamientos del *Yo* (el emisor) y el *Tú* (el receptor) que caracterizan la interacción en el discurso propagandístico en tres niveles: *i)* el prescriptivo (el *Yo* quiere mandar a hacer (o pensar) algo al *Tú*); *ii)* el informativo (el *Yo* quiere hacer saber algo al *Tú*); y *iii)* el incitativo (el *Tú* debe creer lo que dice el *Yo*). Por medio de estos criterios, el autor distingue varios tipos de discurso propagandístico: el de la publicidad ("un contrato de 'semi-ingenuos': todo el mundo sabe que *hacer creer* es sólo una opción posible, pero todos desearían que fuera un *deber creer,* la única alternativa permitida"); el promocional (que "pretende prevenir una calamidad" y suscribe un contrato de bienestar colectivo); el mediático (que suscribe un contrato de difusión, de información ciudadana, mediante un dispositivo triangular entre instancias de información que están compitiendo con otros órganos de información y una instancia pública); y el político (una actividad de persuasión y seducción en el marco de un contrato de bienestar de la ciudadanía). En relación con el discurso político, Charaudeau ofrece una reflexión sobre la manipulación, sus causas y efectos en la sociedad contemporánea.

Por su parte, Luisa Granato analiza la conversación coloquial desde la perspectiva de la lingüística sistémico-funcional como una práctica social y resalta su carácter heterogéneo, tanto por su variedad temática como también por las distintas composiciones, estilos y expresiones lingüístico-discursivas que presenta. Observa que en la gran variabilidad que caracteriza a la conversación coloquial, la misma puede contener otros géneros incrustados como la narración o la anécdota. Asimismo, la autora hace un análisis de los rasgos de intertextualidad y de interdiscursividad que aparecen en el corpus de conversaciones que ha recopilado, así como de los aspectos compartidos por todos los discursos. Granato reflexiona acerca de la imposibilidad de categorizar la conversación coloquial como un género discursivo desde el modelo base de su trabajo, pero llega a la conclusión de que es posible considerar que está presente en el contexto de cultura como un modelo por reiterar en situaciones comunicativas que lo requieran.

Florencia Miranda retoma la formulación del interaccionismo socio-lingüístico, presentado en el capítulo 3, y profundiza en dos procesos: uno primario, la "textualización", que equivale a la práctica de construir un texto de acuerdo a los parámetros de un género; y otro proceso secundario, la "intertextualización", por medio del cual se combinan rasgos semio-lingüísticos asociados a dos o más géneros diferentes en un mismo texto. La autora presenta los instrumentos y las categorías que el interaccionismo socio-lingüístico ofrece para el análisis de textos y géneros y que permiten abordar ambos procesos de construcción textual.

Desde la óptica de la lingüística textual, combinada con aportes de la Teoría de la Valoración *(Appraisal Theory)*, Susana Gallardo caracteriza la sección "Las tesis doctorales en Biología y Lingüística" como un caso particular del discurso académico. En este sentido, ofrece una descripción detallada de los movimientos retóricos (movidas) y los pasos o submovidas que componen estos textos. Considerando que los elementos evaluativos pueden contribuir a identificar distintos segmentos textuales, la autora indaga acerca de los recursos empleados para evaluar entidades de acuerdo con un sistema de valores o normas aceptadas por la comunidad académica y disciplinar. Sus resultados señalan las diferencias y similitudes, tanto en la organización global de las tesis en ambas disciplinas como en los movimientos retóricos de su "Introducción". Estos hallazgos tienen aplicaciones pedagógicas, ya que ofrecen herramientas para facilitar el aprendizaje de los estudiantes que aspiran a especializarse en estas disciplinas.

Adriana Bolívar adopta una perspectiva interaccional crítica (enfoque que la autora ha elaborado en trabajos previos) para abordar la problemática de los géneros desde una visión dialógica, en su sentido más amplio, y explicar la dinámica social y política que generan las crisis diplomáticas. Estos conflictos políticos tienen como consecuencia que los géneros políticos y mediáticos se confunden para crear un macrodiálogo en el que participan los actores políticos, los medios y los ciudadanos. Así, el foco del analista recae sobre las personas que construyen los textos y el rol que ellos tienen en la construcción dialógica de los macrogéneros en la acción social y política. En este sentido, la autora examina 441 textos vinculados con conflictos entre Venezuela y México, Venezuela y Perú, Venezuela y España, así como también entre Colombia y Ecuador, para revelar la interrelación entre los géneros a la luz de la lucha por el poder entre las personas responsables de su producción.

Finalmente, Martha Shiro se aproxima al desarrollo de los géneros discursivos en el habla infantil y examina el caso particular de la narración. En su reflexión acerca de los procesos evolutivos mediante los cuales los niños desarrollan las habilidades narrativas, la autora resalta la importancia de los contextos situacionales y las características de las comunidades en las que se desenvuelve el niño que gradualmente adquiere las destrezas del hablante adulto. En este sentido, Shiro señala que los niños producen narraciones desde una edad temprana, pero algunas habilidades se siguen desarrollando en la adolescencia. Asimismo, encuentra que las destrezas narrativas no sólo varían con la edad de los niños, sino también con el sexo y el nivel socioeconómico, así como con el tipo de narración que producen (narración de ficción o de experiencia personal). Por ello, la autora resalta la implicación metodológica de este hallazgo: un solo relato no es suficiente para determinar las habilidades narrativas de un hablante.

Este libro está dirigido a investigadores, estudiantes y profesores de pre y postgrado de disciplinas diversas (lingüística, análisis del discurso, psicología, antropología, filosofía), como también a investigadores y docentes de otras áreas que se interesen en la lengua en uso, tutores de tesis y de otras investigaciones académicas, docentes de lengua en los distintos niveles educativos (primaria, secundaria y terciaria).

Sin duda, los objetivos que nos planteamos son exigentes, de largo alcance, y pensamos que la presente publicación constituye un avance en esta dirección. Sin embargo, la tarea no es fácil. Sabemos, por una parte, que no podríamos aprehender el mundo que nos rodea sin recurrir a clasificaciones y sin establecer tipologías. Por la otra, existe una dificultad real en clasificar la multiplicidad de textos que producimos y consumimos a diario, dificultad que se comparte, probablemente, con otras clasificaciones y que el siguiente fragmento de Borges (frecuentemente citado, véanse Vilarnovo y Sánchez ,1992; Granato, 2009) refleja con humor y precisión:

> Los animales se dividen en: a) pertenecientes al Emperador, b) embalsamados, c) amaestrados, d) lechones, e) sirenas, f) fabulosos, g) perros sueltos, h) incluidos en esta clasificación, i) que se agitan como locos, j) innumerables, k) dibujados con un pincel finísimo de pelos de camello, l) etcétera, m) que acaban de romper el jarrón, n) que de lejos parecen moscas (Borges, 1974: 708).

Referencias bibliográficas

ADAM, Jean Michel. 1992. *Les textes: types et prototypes.* Paris: Nathan-Université.

ADAMZIK, Kirsten. 2000. *Textsorten: Reflexionen und Analysen.* Tübingen: Stauffenburg.

—. 2004. *Textlinguistik: eine einführende Darstellung.* Tübingen: Niemeyer.

BHATIA, Vijay. 1993. *Analysing genre. Language use in professional settings.* London: Longman.

—. 2004. *Worlds of written discourse.* London: Continuum.

BORGES, Jorge Luis. 1974. *Obras completas.* Buenos Aires: Emecé.

BRONCKART, Jean Paul. 1996. *Activité langagière, texte et discours.* Lausanne: Delachaux et Niestlé.

—. 2004. «Les genres de textes et leur contribution au développement psychologique». *Langages,* 153: 98-108.

CALSAMIGLIA, Helena y Tusón, Amparo. 1999. *Las cosas del decir*. Barcelona: Ariel.

CARRANZA, Isolda E. 2003. "Genre and institutions. Narrative temporality in final arguments". *Narrative Inquiry*, 13 (1): 41-69.

CHARAUDEAU Patrick. 1983. *Langage et discours. Eléments de sémiolinguistique*. Paris: Hachette.

—. 1992. *Grammaire du sens et de l'expression*. Paris: Hachette.

—. 2005a. *Les médias et l'information. L'impossible transparence du discours*. Bruxelles: De Boeck-Ina.

—. 2005b. *Le discours politique. Les masques du pouvoir*. Paris: Vuibert.

CIAPUSCIO, Guiomar. 1994. *Tipos textuales*. Buenos Aires: Eudeba.

—. 2005. "La noción de género en la lingüística sistémica funcional y en la lingüística textual". *Signos*, 38 (57): 31-48.

EGGINS, Suzanne y SLADE, Diana. 1997. *Analysing casual conversation*. London: Equinox.

GRANATO, Luisa. 2009. "Consideraciones acerca de la conversación coloquial". Conferencia plenaria presentada en el *VIII Congreso Latinoamericano de la Asociación Latinoamericana de Estudios del Discurso (ALED)*, 11-16 de octubre de 2009, Monterrey, México.

HALLIDAY, Michael A. K. 1978. *Language as social semiotic: The social interpretation of language and meaning*. London: Edward Arnold.

HASAN, Ruqaiya. 1992. "Speech genre, semiotic mediation and the development of higher mental functions". *Language Sciences*, 14 (4): 489-528.

HEINEMANN, Margot y HEINEMANN, Wolfgang. 2002. *Grundlagen der Textlinguistik*. Tübingen: Niemeyer.

HEINEMANN, Wolfgang. 2000. "Textsorten. Zur Diskussion um Basisklassen des Kommunizierens. Rückschau und Ausblick". En Kirsten Adamzik (ed.), *Textsorten. Reflexionen und Analysen*, Tübingen: Stauffenburg, pp. 9-29.

HEINEMANN, Wolfgang y VIEHWEGER, Dieter. 1991. *Textlinguistik: Eine Einführung*. Tübingen: Niemeyer.

HYLAND, Ken. 2004. *Disciplinary discourses. Social interactions in academic writing*. Harlow: Longman.

—. 2002. "Activity and evaluation: reporting practices in academic writing". En John Flowerdew (ed.), *Academic discourse*, London: Longman, pp. 115-130.

LOUREDA LAMAS, Óscar. 2003. *Introducción a la tipología textual*. Madrid: Arco Libros.

MAINGUENEAU Dominique. 1998. *Analyser les textes de communication*. Paris: Dunod.

MARTIN, James Robert y ROSE, Dave. 2003. *Working with discourse*. London: Continuum.

—. 2008. *Genre relations. Mapping culture.* London: Equinox.

MIRANDA, Florencia. 2007. *Textos e géneros em diálogo – uma abordagem linguística da intertextualização.* Tesis doctoral presentada a la Faculdade de Ciências Sociais e Humanas de la Universidade Nova de Lisboa.

PALTRIDGE, Brian. 1997. *Genre, frames and writing in research setting.* Amsterdam: John Benjamins.

SHIRO, Martha. 2003. "Genre and evaluation in narrative development". *Journal of Child Language,* 30 (1): 165-194.

—. 2008. *La construcción del punto de vista en los relatos orales de niños en edad escolar: un análisis discursivo de la modalidad.* Caracas: Universidad Central de Venezuela.

SWALES, John. 1990. *Genre analysis. English in academic and research settings.* Cambridge: Cambridge University Press.

—. 2004. *Research genres. Explorations and applications.* Cambridge: Cambridge University Press.

TABOADA, María Teresa. 2004. *Building coherence and cohesion.* Amsterdam: John Benjamins.

VILARNOVO, Antonio y Sánchez, Juan Francisco. *Discurso, tipos de texto y comunicación.* Pamplona: EUNSA.

VIRTANEN, Tuija. 1992. "Issues of text typology: narrative - a 'basic' type of text?". *Text,* 12 (2): 293-310.

WOLF, Dennie, MORETON, Joy y CAMP, Linda. 1994. "Chidlren's acquisition of different kinds of narrative discourse: genres & lines of talk". En Jeffrey Sokolov y Catherine Snow (eds.), *Handbook of research in language development using CHILDES,* Hillsdale, NJ: Lawrence Erlbaum, pp. 286-323.

LAS TEORÍAS

LOS GÉNEROS: UNA PERSPECTIVA SOCIO-COMUNICATIVA[*]

Patrick Charaudeau
CNRS

1. Una cuestión terminológica: distintos enfoques

La noción de *género* es indispensable en el ámbito del análisis del discurso. Es un concepto de larga tradición, pero de gran complejidad, debido a la superposición de numerosas definiciones a lo largo del tiempo. Asimismo, el uso común de este término se aplica a prácticas lingüísticas muy diversas, que generalmente tienen variadas funciones y que probablemente no obedecen a los mismos criterios. Se habla, por ejemplo, del género literario así como del poético, del periodístico así como del mediático, del epistolar así como del expositivo, del didáctico así como del administrativo, del publicitario así como del político, del descriptivo así como del narrativo o argumentativo, del escrito así como del oral o conversacional. Incluso, se intenta distinguir en el interior de un mismo género —como, por ejemplo, el periodístico— un subconjunto de géneros como reportaje, sucesos, editorial, análisis, noticia breve, humor, etc. Se hace necesario, entonces, aportar algunas aclaraciones sobre la naturaleza del fenómeno para, luego, proponer una posible definición.

Son numerosas las obras (tratados o diccionarios) o artículos de revistas consagrados a la cuestión de los géneros y, a pesar de su referencia común a la retórica, es llamativa la diversidad de términos empleados *(género, tipo de texto, modo, registro)* sin que remitan necesariamente a nociones diferentes. Ciertamente, la problemática del género se aborda regularmente en el campo de la tradición literaria, pero, en el marco de los estudios del discurso, se hace necesario tratar tanto los géneros literarios como los no literarios.

Entre todos los problemas que se plantean para abordar esta cuestión, el analista del discurso debe intentar responder previamente a dos preguntas: ¿hasta qué punto se puede aplicar la definición de los géneros literarios para definir los

---

[*] Agradecemos la gentil colaboración de Karina Ibáñez, quien tradujo este capítulo del original en francés.

géneros no literarios? y ¿puede decirse que las nociones de *género, tipo* y *modo discursivos* corresponden al mismo concepto?

1. 1. ¿Es posible apoyarse en la tradición literaria?

Las repercusiones de las diferentes concepciones de lo que debe ser el arte de la escritura literaria han tenido un gran impacto en la tradición literaria a través de los siglos. Esto explica que la noción de género, como tentativa de distinguir varias formas de escritura, sea el resultado de una categorización compleja proveniente de la diversidad de criterios que se han ido acumulando al gusto de las teorías literarias. En efecto, se aplican criterios relacionados con las *formas,* que permiten distinguir lo que se llamaría actualmente dispositivos como la "novela", la "poesía" y el "teatro". Otros criterios recurren a las "reglas" que permiten distinguir las categorías "naturales" —como el texto *lírico,* el *épico,* el *drama,* la *tragedia* y la *comedia*— de las categorías "convencionales", que incluyen textos como el *soneto,* la *oda* o la *balada.* En estas categorías se combinan también criterios de "contenido", que especifican las temáticas propias del *drama,* la *tragedia* y la *comedia.* Otros postulados remiten a "períodos históricos" y a cierta concepción del arte literario que, según el tipo de relación o el grado de distancia que debe instaurarse entre la realidad y su representación en el texto literario, dan lugar a una denominación de los géneros de tipo *clásico, romántico, realista, naturalista, surrealista,* etc. Por último, los criterios vinculados con el "agenciamiento", con la estructura y la organización enunciativa de los textos, sirven para distinguir los géneros *fantástico, autobiográfico, policial, histórico,* etc.

La dificultad de una clasificación de los géneros se debe a que, en la mayoría de los casos, estos criterios se superponen e incluso se mezclan. Es lo que ocurre, por citar sólo dos ejemplos, con la tragedia y la novela moderna. Por una parte, la tragedia que, en Francia, corresponde a un período histórico preciso (el siglo XVII), se basa en una teorización del género, porque se categoriza en función de las situaciones y los valores que deben ser su objeto (criterio de contenido) y, al mismo tiempo, debe obedecer las reglas estrictas de forma y estructura teatral particulares, como la regla de las tres unidades (Todorov, 1972: 193). Por otra parte, la novela moderna (postsartreana) mezcla constantemente las pistas, puesto que integra, en una misma obra, la ficción con el reportaje, lo fantástico con lo real, etc.

Los teóricos de la literatura han cuestionado a menudo e incluso han puesto en tela de juicio la pertinencia de estos criterios[1] (Genette, 1979; Schaeffer,

---

[1]   Véanse Genette, 1979 y Schaeffer, 1989, quienes distinguen cuatro tipos de criterios: normativista-esencialista, clasificatorio, histórico y estilístico.

1989), razón por la cual se crean dos tendencias que adoptan posiciones divergentes. Para algunos, la distinción de géneros es valedera hasta los umbrales del siglo XIX, precisamente porque los mismos se identifican y se teorizan a través de formas muy codificadas. En cambio, en la modernidad, proliferaron obras que perseguían incansablemente la mezcla de todos los criterios de género, motivo por el cual la categorización se hace más difusa. Se defiende aquí una posición de singularidad de la obra literaria (similar al de Blanchot citado por Todorov, 1978: 45). Sin embargo, para otros, los géneros constituyen una orientación necesaria para pensar y reconocer la obra, para distinguirla (en el sentido de Bourdieu, 1979) entre un conjunto de producciones literarias, aun cuando sea conveniente revisar los criterios que los definen. Esta orientación sirve de esquema de lectura al lector, de modelo de escritura al escritor —aunque éste se posicione a favor o en contra del modelo en cuestión—, de soporte al analista para producir un metadiscurso fundador (por ejemplo, el surrealismo) o teórico (por ejemplo, la semiótica literaria). Se defiende aquí una posición de "estructuralidad" del texto, como un "ser lo que no es el otro", sin que por ello se niegue la posibilidad de una singularidad de la obra (Todorov, 1978; Lejeune, 1975).

Actualmente se observan dos tendencias en la tentativa de definir los géneros: una que, sin dejar de apoyarse en la tradición literaria, intenta poner orden (Genette y Todorov, 1986; Schaeffer, 1989; Rastier, 2001); y otra representada por quienes toman, como objeto de descripción, un corpus de textos no literarios, para intentar encontrar constantes y clasificarlos en tipos o géneros.

Mi posición consiste en desprenderme de esta tradición, dado que ella constituye el ámbito específico de la poética, lugar de significación del mundo a través de actos de creación artística y estética en el que se entrecruzan componentes de diferentes órdenes que no se encuentran (o son escasos) en el ámbito de los discursos no literarios. Por otra parte, cada vez que intentan aplicarse criterios de esta tradición a textos no literarios, se constata su inoperancia. Y es que, en el fondo, en el ámbito de la poética, es siempre la singularidad del texto lo que se persigue, tanto por parte del escritor como del analista. El género literario no es más que una reconstrucción *a posteriori,* mientras que, en el ámbito no literario, el género es una necesidad primaria, puesto que el hablante se construye como sujeto en ese marco. Aun cuando los criterios que se aplican al clasificar los textos literarios no siempre son de gran utilidad para caracterizar textos no literarios, es posible obtener algunas enseñanzas de la discusión que la tradición literaria ha suscitado acerca de la noción de género.

Una idea fundamental que se deriva de la tradición literaria es que el concepto de género es necesario para la inteligibilidad de los objetos del mundo. Es necesario poder identificar similitudes y diferencias con el fin de configurar el sentido, las similitudes y diferencias que culminan en el establecimiento de categorías que sirven de modelo o de contramodelo de producción y de lectura de los discursos. En consecuencia, los géneros se inscriben siempre en una relación social en tanto testimonios de una codificación que puede variar en el espacio (diferencias culturales) y en el tiempo (cambios históricos).

Otra idea nos muestra que los criterios de determinación de los géneros pueden ser de distintos órdenes y transversales, es decir, que un mismo género se compone de varios criterios y que un mismo criterio puede encontrarse en diferentes géneros. Lejos de inquietarnos, debemos distinguirlos según principios de homogeneización y determinar el campo de aplicación de cada uno de ellos.

1. 2. TIPOLOGÍA Y GÉNERO, ¿UN MISMO CONCEPTO?

A menudo, se plantea la cuestión de los géneros desde la perspectiva de las tipologías. En numerosos escritos se mezclan las dos nociones, al punto de que no es posible saber si se trata de definir los géneros en tanto tales o una tipología de los géneros. Nos parece necesario, sin embargo, distinguir estas dos nociones.

Un *género,* o un tipo, es una categoría determinada luego de un procedimiento *inductivo,* según las propiedades internas que caracterizan a ciertos objetos, y cuyas similitudes y diferencias permiten establecer agrupamientos y diferenciaciones. Por ejemplo, dado que algunas especies animales (lo cual es ya una caracterización) tienen varias propiedades comunes —que son vertebrados, que respiran por los pulmones, que amamantan a sus cachorros—, se las clasifica como mamíferos. Asimismo, dado que las categorías fonéticas, morfológicas y sintácticas de algunas lenguas comparten ciertos rasgos, se decide que pertenecen a la familia (o el tipo) de las lenguas romances.

Una *tipología,* por tanto, es un principio de clasificación que resulta de un procedimiento *deductivo.* En vez de partir de una descripción de los objetos existentes, se parte de un conjunto de características que los definen como categoría y se hacen comparaciones con otros objetos que forman otras categorías, para proceder a un agrupamiento y a una distribución de las mismas según parámetros diferenciadores. Por ejemplo, se clasifica a los tipos humanos según un conjunto de características físicas y psicológicas; o se clasifica a las lenguas según categorías fonéticas, morfológicas o sintácticas, tipología propia de una época determinada *(sincronía)* que contrasta con una clasificación histórica comparando épocas distintas *(diacronía)* o espacial comparando zonas geográficas *(dialectología).*

Toda tipología presupone así la existencia de objetos definidos en categorías. Son estas últimas las que se clasifican luego, según sus propiedades y en función de la finalidad que se elige. Esto hace que un mismo objeto pueda encontrarse en diferentes clasificaciones: la ballena se encontrará tanto en una tipología de especies acuáticas, si es eso lo que se quiere dar a conocer, o en la especie de los mamíferos. Una tipología es una cuestión de relación que depende de los criterios elegidos.

Lo mismo ocurre con los géneros y los tipos de lengua. Toda tipología de discursos o de textos presupone la existencia de una categoría de género y, en consecuencia, un mismo género puede encontrarse clasificado en tipologías diferentes: una conversación, por ejemplo, puede encontrarse en una tipología que distingue *géneros orales* y *géneros escritos,* o en una tipología que distingue *géneros locutivos* (*monolocutivo* frente a *interlocutivo*) o, para retomar la distinción propuesta por Bakhtine (1984), en una tipología que distingue *géneros primarios* de *géneros secundarios.* Es posible entonces tener tipologías diversas y variadas, construidas de acuerdo con criterios institucionales, funcionales, enunciativos, cognitivos, etc.[2]

Dada esta relación de presuposición entre tipología y género, se hace necesario definir los géneros antes de proponer diversas tipologías. Para ello, se requiere que el procedimiento inductivo preceda al procedimiento deductivo, aun cuando, a fin de cuentas, todo análisis que desemboque en una taxonomía procede de un doble movimiento inductivo-deductivo. Si se procede a la inversa, haciendo que la clasificación tipológica preceda a la determinación de los géneros, se corre el riesgo de encontrarse con la heterogeneidad de la tradición literaria, en la cual se superponen los criterios de tipologización a los criterios de los géneros. Nos abocaremos entonces a definir, en primer lugar, los géneros del discurso antes de abordar la construcción de tipologías, lo cual se hará en una segunda instancia. Más adelante, luego de nuestras propuestas, retomaremos esta cuestión.

La cuestión de los géneros no literarios ha sido abordada de diversas formas, desde las más lingüísticas hasta las más sociológicas. Sin pretender realizar aquí una revisión detallada de los diferentes enfoques de esta noción, es posible decir que los géneros se agrupan alrededor de grandes tipos de *actividad de lenguaje* que sirven como polos de producción de textos. Se trata de determinar las *funciones del lenguaje* que operan en el reagrupamiento de textos, o bien se trata de precisar las *recurrencias formales* que sirven como criterio para la identificación del género. Veremos que cada una de estas perspectivas aporta criterios interesantes, pero presenta a su vez problemas, si se las considera en forma exclusiva.

---

[2]   Véase a este respecto la reseña de Desquinabo 2005.

1. 3. LOS GÉNEROS COMO ACTIVIDAD DE LENGUAJE: UNA AMBIGÜEDAD

La perspectiva más clásica, al menos la que ha prevalecido en la tradición académica, se centra principalmente en lo que denominaremos "tipos de actividad
de lenguaje" como el *narrativo,* el *argumentativo,* el *descriptivo,* el *explicativo,*
etc., que se definen según características de organización lingüístico-discursiva
propias de cada tipo. El aspecto formal no está ausente en esta tendencia, pero
no se trata aquí de una recurrencia sino de marcas, con un carácter más o menos
prototípico, que están presentes en la construcción de la frase y del texto.

Se plantea, sin embargo, el problema de saber a qué corresponden estas actividades desde el punto de vista de la producción del lenguaje: ¿corresponden a
operaciones mentales de producción del lenguaje o son características intrínse-
cas a los textos? En efecto, tres tendencias parecen desprenderse de la lectura de
los trabajos que han abordado el tema.

a) La primera, a la que denominaremos *cognitiva,* por cuanto se asocia a una teoría
cognitiva general del lenguaje. Esta tendencia consiste en describir las operaciones del
pensamiento que corresponden a alguna organización textual. Esta posición postula que
existen en la mente esquematizaciones abstractas ordenadas *(scripts)* que funcionan como
prototipos originales, a partir de los cuales se ordena un mecanismo de proyección en discursos *(top down),* cuando se trata de dar cuenta del proceso de producción de textos. En
cambio, cuando se trata de dar cuenta del proceso de comprensión, se supone que se activa un mecanismo de reconstrucción de esas esquematizaciones *(bottom up).* Es por eso
por lo que los psicolingüistas basan sus descripciones o experimentaciones en marcas formales (la "marcación morfológica"), a pesar de que esas marcas no tienen aquí el papel de
huellas reveladoras de esas operaciones (Caron, 1989; Richard, 1990).

b) La segunda tendencia, que podría llamarse *semio-textual,* toma como punto de
partida al texto. La misma considera que todo texto es heterogéneo y que, por lo tanto, no es el texto el que puede clasificarse sino aquello que, a un nivel más abstracto,
constituye su estructura. Por consiguiente, aunque las esquematizaciones en cuestión
están ligadas a operaciones mentales, las mismas no constituyen procesos de creación
o de comprensión de un texto sino, como dice J. M. Adam (1992), de reflejo de su "armadura". Para este autor, esta armadura, que se sitúa en un nivel intermedio entre la
frase y el texto, está constituida por categorías prototípicas homogéneas que son a su
vez secuencias autónomas *(relato, descripción, explicación, argumentación* y *diálogo)*
cuya configuración se identifica por haces de regularidades que se encuentran en el
texto y por medio de los cuales se definen los tipos de textos.

c) La tercera tendencia consiste en describir las operaciones discursivas sin postular necesariamente que las mismas correspondan a un mecanismo cognitivo, en el
sentido de la psicología cognitiva. Esto podría ser así pero, dado que no se cuenta con
la prueba experimental (que es, hasta tener evidencia de lo contrario, la única garantía
del funcionamiento cognitivo), no deberán confundirse estas operaciones discursivas
con categorías psico-cognitivas.

Estas operaciones, a las que denominé "modos de organización del discurso" (*enunciativo, descriptivo, narrativo, argumentativo,* véase Charaudeau, 1992b), constituyen en cierta forma las herramientas de las cuales dispone el sujeto hablante para, en un movimiento onomasiológico, organizar su intención discursiva. Los modos de organización no son precisamente secuencias textuales sino sus condiciones de construcción y pueden, de acuerdo con tal o cual configuración, coincidir con tales secuencias.

Esto permite comprender que, para producir un texto, es posible recurrir a varios modos de organización que se combinan con grados de predominio más o menos marcados, según las intenciones del sujeto. Igualmente, los interlocutores deben realizar un trabajo de interpretación de los textos para identificar estos recursos. Los modos de organización no son entonces géneros, sino procedimientos de puesta en discurso. Un relato no es sólo narrativo; en algunos momentos puede ser objeto de una organización descriptiva y/o argumentativa. Un artículo científico no es sólo argumentativo; contiene igualmente momentos descriptivos y/o narrativos cuando, por ejemplo, se describe un proceso metodológico. Ciertamente, puede haber textos que exhiben un modo de organización predominante, pero esta característica todavía no es suficiente para determinar el género al cual pertenecen. De lo contrario, un artículo científico, un texto legal y un texto administrativo estarían clasificados dentro de un mismo género debido a que en todos ellos predomina el modo de organización argumentativo.

Estas dos tendencias, una textual, la otra discursiva (Charaudeau y Maingueneau, 2002), se combinan en nuestro posicionamiento con respecto a la noción de género. En efecto, ambas se sitúan en un nivel de abstracción que no se confunde con el género replegado sobre sí mismo, ni con las marcas formales de los textos. Por una parte, la abstracción de los géneros refiere a las secuencias textuales que permiten reconocer los componentes de la estructura de un texto en un movimiento semasiológico. Por la otra, la abstracción de las marcas formales se relaciona con los esquemas procedimentales que permiten organizar la puesta en discurso en un movimiento onomasiológico. La diferencia consiste, sin embargo, en que una está más orientada hacia el reconocimiento de lo que constituye la estructuración de un texto, mientras que la otra está orientada hacia el proceso de puesta en obra del discurso.

En cualquier caso, ninguna de las dos tendencias permite definir un género. Resta saber cómo esos tipos de discursos o de textos se vinculan con los ámbitos de práctica social.

1. 4. Las funciones del lenguaje, categorías poco distintivas

Otra forma de aproximarse a la noción de género consiste en agrupar los textos según sus grandes funciones, basándose en los actos de lenguaje que orientan el texto hacia un polo del acto comunicativo. En este enfoque se ubica la categorización bien conocida de Jakobson (1963), quien propone distinguir entre las funciones *emotiva, conativa, fática, poética, referencial* y *metalingüística*. En este enfoque se enmarca también, desde una perspectiva más globalizadora, la clasificación de Halliday (1975) con las funciones *instrumental, interaccional, personal, heurística, imaginativa, ideacional* e *interpersonal*. Las producciones del lenguaje se clasificarían entonces según la función dominante que las caracteriza.

En esta misma línea funcional del acto de lenguaje, pero centrándose principalmente en la situación en la que el mismo se produce, se encuentra la proposición de Bakhtine (1984), quien se basa en la "naturaleza comunicacional" del intercambio verbal, la cual puede ser simple, natural o espontánea en los *géneros primarios,* o bien construida o hasta institucionalizada en los *géneros secundarios,* vinculados con los discursos sociopolíticos, administrativos, artísticos. Para Bakhtine (1984), los géneros son el resultado de un cruce entre las características de la situación de intercambio, monologal o dialogal, y la materialidad de la expresión lingüística,[3] oral o escrita.

El problema con este enfoque es que las características textuales tienen tal nivel de generalidad que su poder distintivo se hace muy débil. Se trata de propiedades presentes en todo acto de lenguaje. Esto ocurre con las grandes funciones del lenguaje de Jakobson (1963) y de Halliday (1975). Estas propiedades no son recuperables para la determinación del género más que en términos de características dominantes: todo texto responde a las seis funciones, pero algunos utilizan predominantemente tal o cual función. Pese a que el principio de distinción que propone Bakhtine (1984) entre textos dialógicos primarios, simples, y textos monológicos secundarios, complejos, podría tenerse en cuenta para determinar las categorías de género, estas funciones son aún muy amplias y poco distintivas. De la misma manera, es demasiado amplia la distinción fundada en la diferencia entre una situación de intercambio interlocutivo que incluye un derecho a la alternancia de habla y una situación monolocutivo que no la incluye (Charaudeau 1984), como lo es también la distinción fundada en la oposición entre oralidad y escrituralidad.

La cuestión que se plantea aquí consiste en saber si estas características conforman propiedades *constituyentes* o *específicas*. Como propiedades constituyentes, las mismas definen grandes clases antropológicas (el acto de lenguaje humano por oposición a otros lenguajes o a otros comportamientos humanos); como propiedades específicas, pueden cumplir el papel de rasgos definitorios de un acto de lenguaje o de un texto cuya conjunción podrá especificar el tipo: un tipo de texto se caracterizaría, por ejemplo, por los rasgos 'oralidad' + 'dialogismo' + 'característi-

---

[3]   Lo que Hjemslev (1975) llama la "forma de la expresión".

ca dominante conativa' + 'en situación espontánea' + etc. Sin embargo, no es seguro que una suma de rasgos definitorios baste para constituir un género.

1.5. ¿ES POSIBLE DEFINIR EL GÉNERO POR LA RECURRENCIA DE LAS MARCAS FORMALES?

Intentar clasificar los textos a partir de la recurrencia de las marcas formales plantea otro tipo de problemas. Es posible que las regularidades resaltantes (el empleo de giros impersonales, de conectores, de formas temporales, de pronombres, etc.) que se encuentran en un texto se puedan identificar en otros textos también. En este sentido, dichos textos parecen pertenecer al mismo género. Es posible constatar también que de un texto al otro algunas formas son diferentes y otras son similares. Se llegará entonces a la conclusión de que este conjunto de textos se caracteriza por algunas recurrencias formales, lo que permitirá conformar una clase, o un tipo o un género. Para hacerlo, se recurre a menudo a autores que han propuesto modos de articulación entre las marcas formales y el mecanismo enunciativo. El modelo al que se hace referencia con mayor frecuencia es el de aparato formal de enunciación, tal como lo definió Émile Benveniste (1989) a propósito de la oposición discurso / relato (o historia). Según el autor, uno de los polos produce una enunciación alocutiva y elocutiva y el otro, una enunciación delocutiva, lo cual tiene por efecto el recurso a un juego de marcas pronominales, verbales y modales diferentes en cada caso. Los diálogos alternan los *Yo* y *Tú* y un empleo de tiempos centrado en el presente; en contraste, en los relatos predominan los *él, ella* o *ellos, ellas* y los tiempos del pasado. Es, asimismo, el caso de las descripciones que se inscriben en la línea de Antoine Culioli, quien propone que las clasificaciones se distinguen en función de cierto número de marcas enunciativas. Se desarrollan de esta forma trabajos que describen las características formales de los textos, reúnen las marcas más recurrentes y, relacionándolas con mecanismos de enunciación, concluyen en la determinación de un género textual (Moirand, 1992).

Pero aparecen entonces dos problemas:

a) El primero es relativo al sentido que estas formas pueden acarrear. Es conocido el fenómeno de la polisemia de las formas tanto léxicas como gramaticales que hacen que nunca se esté seguro de que una misma forma presente en varios textos tenga la misma significación. La "interrogación" puede corresponder a una categoría de *pedido de decir* o de *pedido de hacer,* de *pedido* o de *conminación,* de *pedido de información* o de *pedido de validación.* Las construcciones impersonales y las nominalizaciones pueden tener una función de *neutralización* de la subjetividad del sujeto hablante (en los textos administrativos o científicos), pero también en los textos políticos o en los títulos de diarios. Esta poli-pertenencia de las formas a categorías diferentes constituye un primer obstáculo —ciertamente, no infranqueable— para una definición de los géneros a partir de las recurrencias formales de los textos.

b) El segundo problema, correlativo al precedente, reside en el hecho de que no es posible saber si esas recurrencias garantizan que se está frente a un tipo de texto. Lo que está en juego aquí es saber si las recurrencias formales son exclusivas o sólo específicas de un tipo de texto. Si son exclusivas, tendremos justas razones para determinar un género textual, con la condición de probar la exclusividad mediante un trabajo de comparación sistemática con otros tipos de textos. Si son específicas —es decir, propias de un tipo de texto, pero no exclusivas del mismo—, entonces existe la posibilidad de que los textos agrupados en nombre de esta especificidad constituyan una clase heterogénea con respecto al contexto situacional en el que aparecen. Esto nos conduciría, por ejemplo, a agrupar en una misma clase un texto llamado *administrativo,* un texto llamado *didáctico,* un texto llamado *científico* o un texto llamado *periodístico* por el hecho de que tendrían en común idénticas características formales (nominalización, giros impersonales, presencia de *se,* construcción apositiva de las frases, etc.).

Sin duda, podría responderse que esto no impide considerar que cada uno de estos tipos de textos se caracteriza por las regularidades textuales a las cuales se agregan otras y que es esta suma lo que constituye la especificidad del género. Pero esto nos lleva al mismo tiempo a una última pregunta: ¿a qué criterios se recurre para decir que un texto es administrativo, político, didáctico o científico?, ¿no se considera acaso como adquirido algo que debe demostrarse? Se presupone que se trata de un conjunto de textos administrativos, luego se proveen sus características formales recurrentes (sin precisar si son específicas o exclusivas) y se dice que se trata de un género de discurso administrativo. Pero, justamente, la cuestión es saber por qué ese texto puede ser llamado *administrativo.* En ese caso, las características formales no son más que rasgos *caracterizantes* que aportan a los textos propiedades *específicas,* y no rasgos definitorios que les aportan propiedades *constitutivas.*

1.6. El anclaje social del género

La cuestión del género se aborda aquí desde el otro lado de la lupa. Ya no se trata de partir de las configuraciones textuales ni de los procedimientos de puesta en escena del discurso, sino de hacerlo desde los diferentes ámbitos de la práctica social que se instauran en una sociedad, para observar luego cómo las prácticas lingüísticas se vinculan con ellos. En efecto, para los actores del lenguaje, los ámbitos de la práctica social tendrían una función empírica de puntos de referencia sin los cuales, como afirma Bakhtine (1984), "el intercambio verbal sería imposible", ya que se trata de considerar la actividad de lenguaje en toda su dimensión social; se producen así textos empíricos orales y/o escritos que se definen de acuerdo con especificidades externas y cuyo fundamento, por un juego de "indexación social", sería comunicativo y ya no (solamente) lingüístico.

Es posible entonces llegar incluso a considerar que el espacio social está estructurado en diversos *campos* que, según Bourdieu (1982), son ámbitos de relaciones de fuerzas simbólicas, relaciones de fuerzas más o menos jerarquizadas e institucionalizadas de acuerdo con el campo en cuestión. Esos campos —que yo prefiero denominar "ámbitos de práctica del lenguaje" porque esta denominación refiere en mayor medida a la experiencia comunicativa (Bourdieu 1982)— determinan entonces de antemano la identidad de los actores que se encuentran en él, los roles que deben cumplir, lo cual hace que las significaciones que circulan allí sean fuertemente dependientes de las posiciones de sus enunciadores. Si se radicaliza este punto de vista, se podría decir que el estatus del actor social y el papel que éste cumple son los determinantes que permiten juzgar la conformidad de un discurso de acuerdo con el ámbito en el cual se produce. Esta posición —al menos en su radicalidad— es problemática, ya que al hacer depender la significación de un discurso del estatus del actor productor del acto de lenguaje, de su posición de legitimidad más que de su papel de sujeto enunciador, implicaría que, sea cual fuere su forma de hablar, produciría un discurso típico del ámbito en cuestión. En consecuencia, todo discurso estaría marcado con el sello de cierta "performatividad", dado que dependería únicamente de la posición social del actor que da origen a la enunciación: ya no es lo dicho lo que cuenta, sino el origen enunciativo externo de lo dicho. El sacerdote que bautiza podría pronunciar tanto "Yo te condecoro" como "Yo te bautizo", lo que implicaría que no existen características discursivas propias de un ámbito (Bourdieu, 1982: 103).[4] De la misma manera, pertenecería al género político todo discurso producido en el ámbito de la práctica política; al género mediático, todo discurso producido en el ámbito de práctica de los medios masivos de comunicación; al género científico, todo discurso producido en el ámbito de práctica de las ciencias, etc.

Ahora bien, es posible establecer razonablemente la hipótesis de que todo ámbito de práctica social tiende a regular sus intercambios y, como consecuencia de ello, a instaurar regularidades discursivas o incluso, como lo expuso la etnometodología, ritualizaciones lingüísticas de las que se podría incluso decir que son una de las marcas (en el sentido en el que se marca un territorio) del ámbito.[5] Queda

---

4   Esto es, a fin de cuentas, llevar al extremo la proposición de Bourdieu, quien dice que "el poder de las palabras no es otra cosa que el *poder delegado* del portavoz" por el hecho de que el poder no se encuentra en las palabras sino en las "condiciones sociales de utilización de las palabras" (Bourdieu, 1982: 103).

5   Los antiguos habían formulado esta hipótesis con una radicalidad un tanto excesiva en la medida en que uno no podía ser reconocido y legitimado en un "lugar social" más que si coincidían el rol lingüístico que se tenía y la forma lingüística que lo producía. Esto implica que la forma, al ser legitimante, pueda ser categorizada (como sugiere Aristóteles, 1991). Sonia Branca-Rossof (2000: 115-129; 2007: 110-127) recuerda, al citar trabajos de

pendiente la necesidad de encontrar la forma de articular esos ámbitos de práctica social con la actividad discursiva para hacer de ellos ámbitos de práctica lingüística tales como *el político, el religioso, el jurídico, el científico, el educativo,* etc., que no sean demasiado extensivos a fin de poder identificar en ellos regularidades discursivas que permitan definir géneros. Es posible, de hecho, vincular este enfoque con la noción de "discursos constituyentes" que propone Maingueneau (Maingueneau y Cossuta, 1995), ya que los mismos agrupan discursos que ponen en juego una misma función en la producción simbólica de una sociedad. Así se delimitan los ámbitos de producción de discursos según textos fundadores cuya finalidad es determinar los valores de esos ámbitos, como pueden serlo el discurso filosófico, el discurso científico, el discurso religioso, el discurso literario, etc.

Dicho de otro modo, se afirma el hecho de que, si se quiere estudiar los discursos que se despliegan y circulan en lugares sociales, no es posible evitar una categorización de los mismos. Por lo tanto, es necesario abordar una teoría de la *situación de comunicación.*

2. La estructuración del género a partir de la situación de comunicación

Partamos de la hipótesis de que el lenguaje es un fenómeno psico-social resultante de los intercambios que se instauran en el interior de un grupo social entre individuos que tienen que resolver un doble problema: existir en tanto sujeto, pero existir en relación con el otro; existir como un ser a la vez individual y colectivo. Esto nos conduce a considerar un modo de estructuración de las situaciones de comunicación en las cuales los individuos deben intercambiar.

El término *situación de comunicación* es utilizado frecuentemente en el análisis de discursos pero, para poder describirla, es necesario además describir su composición. Se propondrá una distinción, a partir de lo que puede denominarse un "ámbito de práctica social" (el político, el jurídico, el mediático, el religioso, el educativo, etc.), de dos lugares de estructuración: el lugar de la situación global de comunicación (SGC) y el lugar de la situación específica de comunicación (SEC).

2.1. LA SITUACIÓN GLOBAL DE COMUNICACIÓN (SGC)

La situación global de comunicación (Maingueneau y Cossuta, 1995) es un primer lugar de constitución del ámbito de práctica social en el ámbito de inter-

---

A. Cullinot, F. Mazière y F. Douay-Soublin, que éste es el modelo que los jesuitas mantuvieron en tanto clases de retórica hasta el siglo XVIII.

cambio comunicacional. Es aquí donde los actores sociales se constituyen en *instancias de comunicación,* alrededor de un *dispositivo* que determina su *identidad,* la (o las) *finalidad(es)* que se instaura entre ellas y el *ámbito temático* que constituye su basamento semántico.

La identidad se construye en términos de *estatus* y de *roles* lingüísticos, de acuerdo con la posición de las instancias en el dispositivo y en relación con la finalidad, la cual se define en términos de *objetivos discursivos* (Charaudeau, 2001): el objetivo de *prescripción,* que instaura una relación de *deber hacer;* el objetivo de *solicitación,* que instaura una relación de *querer/deber saber;* el objetivo de *incitación,* que instaura una relación de *persuasión-seducción;* el objetivo de *información,* que instaura una relación de *hacer saber;* el objetivo de *instrucción,* que instaura una relación de *hacer saber-hacer;* el objetivo de *demostración,* que instaura una relación de saber centrada sobre la *verdad.*

Si en un ámbito de práctica social se presenta una división poco clara de lo político, lo jurídico, lo educativo, lo mediático, etc., en la SGC se encuentran dispositivos conceptuales de la comunicación política, jurídica, de enseñanza, de información, etc., sin que se precise todavía, en ese nivel, la situación de comunicación específica, como podría ser una situación electoral para el dispositivo político, un juicio para el dispositivo jurídico, un manual escolar para el dispositivo de enseñanza, etc.

Por ejemplo, la situación global de comunicación política se caracteriza por cuatro instancias: instancia *política,* instancia *adversativa,* instancia *ciudadana* e instancia de *mediación;* la finalidad discursiva es de incitación a compartir un proyecto ideal de vida en sociedad (Charaudeau, 2005a). La SGC del dispositivo publicitario presenta una instancia publicista y una instancia consumidora (no hay instancia de mediación, ya que ella misma es su mediación), con una finalidad discursiva de *incitación* a apropiarse de un producto de consumo (Charaudeau 2005b). En cuanto a la SGC del dispositivo de los medios masivos de comunicación, la misma presenta una instancia de *información,* una instancia de *público* (ella constituye también su propia instancia de mediación) y tiene una finalidad discursiva de *hacer saber* a propósito de acontecimientos del mundo (Charaudeau, 2005b).

Cada SGC se caracteriza por uno o varios objetivos pero, en ese caso, uno (a veces dos) de ellos es predominante (Jakobson, 1963).[6] De esta forma, la SGC mediática puede comprender diversos objetivos: de *instrucción* (en las secciones de consejos), de *información* (en el anuncio de noticias), de *incitación seductora* (en los títulos dramatizantes), de *demostración* (en los artículos de análisis), pero el objetivo predominante, al menos en su contrato, es el de *información*

---

[6]   Se retoma aquí la idea de predominio sugerida por Jakobson (1963) con referencia a las funciones del lenguaje.

(Charaudeau, 2005a). Por el contrario, la situación de comunicación publicitaria es indiferente al objetivo informativo y no se justifica sino a través de un objetivo de *incitación*. No existe entonces una correspondencia unívoca entre objetivo comunicativo y situación de comunicación, puesto que en una situación se pueden combinar varios objetivos o se puede encontrar un mismo objetivo en diferentes situaciones. Por ejemplo, el objetivo de *prescripción* se encuentra en situaciones que deben dar a conocer las normas de conducción de vehículos (código de tránsito), las leyes que rigen el comportamiento cívico (código civil) o las reglas que rigen la vida interna de las empresas (reglamento interno); el objetivo de *incitación* se encuentra en situaciones en las que se busca orientar el comportamiento de las personas (cartelera publicitaria, reuniones electorales, campañas de prevención); el objetivo de *información* se halla en situaciones en las que se busca guiar al ciudadano o usuario (diarios, centros de atención, boletines y circulares, cartelería pública).

2.2. La situación específica de comunicación (SEC)

La situación específica de comunicación es la que determina las condiciones físicas del intercambio lingüístico y, en consecuencia, especifica los términos de la situación global de comunicación. Mientras que en la SGC se encuentran las instancias de comunicación definidas globalmente, en la SEC se hallan los interlocutores con una identidad social y roles comunicacionales bien precisos. Asimismo, la finalidad del intercambio se encuentra precisada en función de las circunstancias materiales concretas en las que el mismo se realiza. Por consiguiente, el dispositivo conceptual de la SGC está transformado en dispositivo "metodologizado" (Debray, 1994). Esta "metodologización" concierne tanto a la materialidad del sistema semiológico (gráfico, fonético, icónico, visual, gestual, etc.), como a la de la situación de intercambio (monolocutiva o interlocutiva), y también a la del soporte de transmisión (papel, audio-oral, audio-visual, electrónico, etc.).

Este lugar[7] es un lugar de tipificación de situaciones de comunicación como variantes de la SGC. Se dirá así que un político candidato en una elección se inscribe en una situación específica de "candidatura electoral" asumiendo la identidad de candidato en una elección que se dirige a sus electores. El candidato debe producir un discurso de seducción-persuasión en las diferentes subsituaciones que constituyen un mitin político, un panfleto de propaganda electoral, declaraciones frente al personal de una gran empresa, etc., cambiando cada vez de registro discursivo. Pero el mismo político, ya electo, se inscribe en otras SEC que

---

[7] Llamado también *escenografía* por Maingueneau (1995).

varían según la audiencia: si se dirige a sus conciudadanos en declaraciones televisadas, a los periodistas en conferencias de prensa, a sus ministros en el gabinete de ministros, etc. Ciertamente, los discursos producidos en cada una de estas situaciones específicas serán diferentes.

Por lo tanto, si la SGC es el lugar de los dispositivos conceptuales, la SEC es el lugar de los dispositivos materiales de comunicación, como así también de los subconjuntos de los primeros: situaciones específicas de "candidatura", de "mitin", de "conferencia de prensa", de "preguntas al congreso", etc., como subconjuntos del dispositivo conceptual del político; situaciones específicas de "clase", de "manual escolar", de "programas y disposiciones pedagógicas", etc., como subconjuntos del dispositivo conceptual de enseñanza; situaciones específicas de "boletín de información radiofónica", de "noticiero televisivo", de "título de diario", de "editorial de prensa", de "reportaje", etc., como subconjuntos del dispositivo conceptual de información mediática.

FIGURA 1

**Esquema de la estructuración de los géneros a partir de la situación
de comunicación**

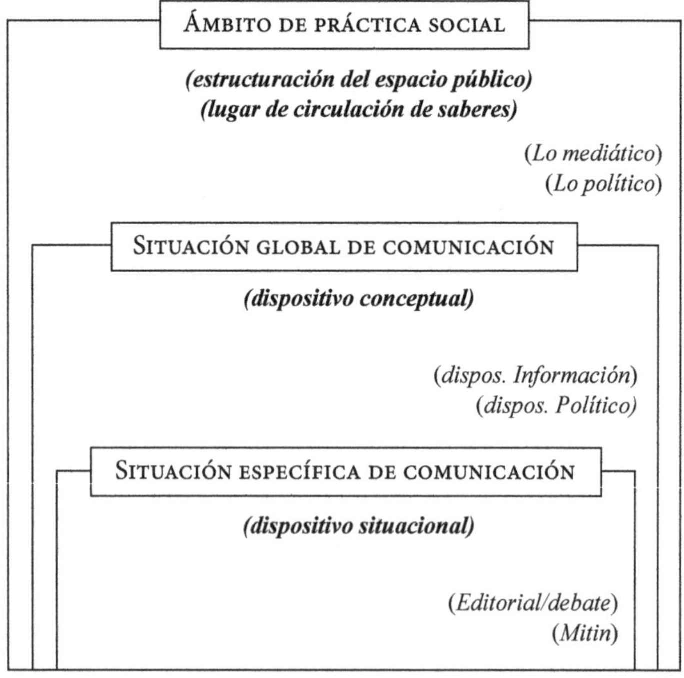

2.3. La interacción entre situación global y específica de comunicación

Los intercambios lingüísticos se realizan siempre en una situación específica. No hay entonces ninguna situación global que no se concretice en una situación específica; pero sostenemos, asimismo, que no hay situación específica que no dependa de una situación global. Esta distinción, que no tiene pretensión ontológica (aunque podría aspirar a tenerla), tiene al menos una virtud operatoria que permite responder a la triple cuestión del anclaje social de un género, de los subgéneros y de sus posibles cambios a través del tiempo.

El anclaje social se torna identificable por su doble estructuración en SGC y SEC, en la cual una determina el dispositivo conceptual y la otra, el dispositivo material del género.

Los subgéneros se constituyen por características propias de cada situación específica; las mismas conforman entonces distintos tipos de variantes en el interior de una misma situación global. Por lo tanto, a la pregunta planteada a menudo de si se debe hablar de uno o de varios géneros del discurso político, se responderá que existen varias situaciones específicas de este discurso que obedecen de igual forma a la definición del mismo dispositivo conceptual de una situación global de comunicación política en el interior de un ámbito de práctica social política, situaciones electoralistas de mitin, propagandas electorales, declaraciones televisadas, constituyen subgéneros de un género determinado por la situación global de comunicación política. Lo mismo ocurre con otros tipos de discursos.

Correlativamente, esta distinción en dos niveles de situación permite comprender que lo más sensible al cambio se sitúa en el nivel de la SEC. En efecto, si hay modificación de las circunstancias materiales de comunicación, la situación específica puede cambiar. Y según la importancia de esas modificaciones, el dispositivo global puede a su vez ser alterado o permanecer intacto. Es lo que ocurre con las nuevas condiciones específicas de información determinadas por la aparición de la tecnología Internet, de las cuales puede pensarse que modificarán tarde o temprano el género información. Es en este vaivén entre SEC y SGC donde se producen a la larga los cambios de género. Pero eso ocurre por las intervenciones de los sujetos que ponen discursos en escena.

2.4. El género de las instrucciones discursivas

Situación global y situación específica de comunicación constituyen el marco que sobredetermina las instancias de intercambio lingüístico. Los condicionamientos situacionales del acto de comunicación deben ser considerados como características externas, pero no tienen razón de ser más que por el hecho de que tienen como finalidad construir discurso; los mismos responden a la pregunta "estamos aquí para decir qué" y, al hacerlo, engendran instrucciones que deben encontrar su correspondencia en un "cómo decir". Estos condicionamientos se imponen a los sujetos comunicantes proporcionándoles las *instrucciones discursivas* que necesitan para producir e interpretar el acto de lenguaje.

Estas instrucciones son llamadas *discursivas* porque determinan comportamientos lingüísticos sin prejuzgar necesariamente las formas lingüísticas específicas que puedan emplearse. No se trata de instrucciones lingüísticas o semiológicas que dictarían qué palabras o qué construcción gramatical emplear, qué imagen, qué grafismo, qué color o qué gestualidad utilizar, dado que eso corresponde a la elección del hablante, sino qué modos de organización del discurso (descriptivo, narrativo, argumentativo). Determinan lo que debe ser el marco del tratamiento lingüístico en el cual ellas mismas se van a ordenar. Se observará entonces que la información de la finalidad determina, a través de sus objetivos, cierta elección de *modos enunciativos* (descriptivo, narrativo, argumentativo);[8] la información de la identidad (lugares y roles) de los participantes determina algunos *modos enunciativos* (alocutivo, elocutivo, delocutivo); la información del ámbito temático determina ciertos *modos de tematización;* la información de las circunstancias materiales determina ciertos *modos de semiologización,* la organización de la puesta en escena material (verbal y/o visual) del acto de comunicación. Los condicionamientos discursivos no corresponden a una obligación de empleo de tal o cual forma lingüística, sino a un conjunto de comportamientos discursivos posibles entre los cuales el sujeto comunicante elige los que son capaces de satisfacer las condiciones de las características externas.

Para ilustrar el orden de los condicionamientos discursivos, tomaré en forma simplificada los que ya describí a propósito del contrato mediático (Charaudeau, 2005a). Los objetivos de información y de incitación que lo caracterizan determinan un marco de tratamiento en el cual la instancia mediática está constreñida a: dar cuenta de un acontecimiento para transformarlo en noticia ("hecho informado") utilizando procedimientos descriptivos y narrativos en ocasiones objetivizantes (credibilidad) y en ocasiones dramatizantes (captación);

---

[8] El modo *descriptivo* sirve para describir un estado de los seres y del mundo; el modo *narrativo* sirve para describir las acciones humanas, o las que se consideran como tales, que se originan en un proyecto de búsqueda; el modo *argumentativo* sirve para describir los razonamientos, que se descomponen a su vez en "explicativos", cuando la verdad ya está establecida y hay que explicar la razón de los fenómenos, y en "demostrativos", cuando se trata de establecer y de probar la verdad (Charaudeau, 1992). No debe confundirse esta última categoría con el objetivo, aun cuando es objeto de la misma definición. Se trata aquí de un procedimiento, mientras que el objetivo es una intención pragmática.

explicar el acontecimiento ("análisis" y "comentario") utilizando procedimientos argumentativos; producir acontecimiento ("acontecimiento provocado") utilizando procedimientos de puesta en interacción (debates, reportajes, entrevistas). Los lugares atribuidos a los participantes de este contrato (la identidad) determinan un marco de tratamiento enunciativo en el cual la instancia mediática debe construirse una imagen de enunciador neutro, no implicado y distante, y debe construir una imagen de la instancia destinataria que debe estar implicada (en nombre de la ciudadanía), tener afectos (en nombre de la naturaleza humana) y buscar comprender (en nombre del espíritu de simplicidad). El ámbito temático determina un tratamiento de las noticias alrededor de acontecimientos seleccionados en función de su potencial de "actualidad", de "proximidad" y de "desorden social".

El lugar de los condicionamientos discursivos es entonces un lugar intermedio entre las particularidades de los condicionamientos situacionales y la configuración textual. El mismo permite resolver el problema evocado más arriba de las varianzas de formas dentro de una misma situación de comunicación. Si la situación de comunicación mediática diera directamente instrucciones de forma, todos los diarios serían en cierto modo similares. Si son diferentes, es en razón de la elección de formas (reveladoras, al mismo tiempo, de ciertos posicionamientos). Pero si de todos modos son reconocidos como diarios de noticias, es porque respetan lo esencial de los condicionamientos discursivos de descripción y de comentario del acontecimiento a través de una implementación que utiliza los procedimientos de organización narrativo, descriptivo y argumentativo adecuados.

2.5. El género y las restricciones formales

El aprendizaje del lenguaje no puede realizarse más que por la apropiación progresiva de las formas de uso, formas repetitivas que se transforman en rutinarias y se fijan en las maneras de decir. Partiendo de la hipótesis de que estas maneras de decir dependen de la situación de comunicación, la *rutinización* de las mismas se configura en formas que responden a las exigencias de las restricciones situacionales por medio de las restricciones discursivas. No se trata, en este nivel, de considerar que el ordenamiento de estas formas obedece a reglas, sino más bien a normas de uso más o menos codificadas en formas que las expresan y que pueden ser objeto de variaciones. En consecuencia, dados sus condicionamientos formales y discursivos, todo discurso publicitario debe presentar las cualidades del producto promocionado bajo la forma de un eslogan que debe ser enunciado en forma breve. Evidentemente, las condiciones drásticas en las que se formulan los enunciados pueden variar considerablemente, pero esto no invalida que, en este nivel, una forma predomina ampliamente: el eslogan. Debido a las restricciones situacionales y discursivas, el discurso de la información debe anunciar la noticia en la prensa en forma de títulos relativamente cortos. Los mismos aparecen en condiciones *frásticas* diversas —su comparación lo demuestra—, sin que sea posible decir siquiera que exista una construcción predominante, puesto que ésta depende de los diarios y del tipo de noticia anunciada. Sin embargo, se trata en este caso de una forma que imponen las instrucciones discursivas.

2.6. La realización formal de las instrucciones discursivas

Todos los componentes de la situación de comunicación condicionan las formas discursivamente, pero las circunstancias materiales de la situación específica de comunicación son quizá las que influyen más directamente sobre las formas, lo cual se explica por el hecho de que estas circunstancias introducen los dispositivos materiales. Se ve entonces aparecer los diferentes lugares de la organización formal del acto de lenguaje:

a) Los vinculados a las formas de oralidad o de escritura que impone el dispositivo al poner a los participantes del intercambio en co-presencia física en una situación interlocutiva o monolocutiva, dialogal o monologal, siendo entonces el canal de transmisión de orden fónico o escritural.

b) Los vinculados a los papeles que deben cumplir los diferentes participantes del intercambio, papeles que no son los mismos en una situación dialogal de entrevista, de reportaje o de debate (Charaudeau, 1986 y 1992a), y en una situación monologal sin co-presencia física de los participantes; a lo cual hay que agregar las características de la materialidad del soporte de transmisión, que puede ser un soporte papel, mural (afiche), electrónico (correo), etc. Es a partir de la consideración de estas circunstancias cuando pude proponer, en mi trabajo de análisis del discurso de la información mediática (Charaudeau, 1992a), una distinción entre el medio masivo como la radio, que es esencialmente un dispositivo de *espectáculo,* y el de la prensa escrita, que es un dispositivo de *legibilidad.*

c) Los vinculados a la composición textual: *i)* composición externa, que corresponde a la situación de comunicación a través de su paratexto (Genette, 1982), como, por ejemplo, la composición de las páginas de un diario y su organización en secciones, rúbricas y subrúbricas); *ii)* composición interna, que se relaciona con la organización en partes, la articulación entre ellas y los juegos de reiteraciones y referencias de una a la otra (como, por ejemplo, la composición de las partes de la sección de sucesos, que varían según los diarios) (Todorov, 1972).

d) Los vinculados con la *configuración lingüística* a través de la *construcción gramatical: i)* a través de la recurrencia de tipos de construcción (activa, pasiva, nominalizada, impersonal), de marcas lógicas (los conectores), de la pronominalización, de la anaforización, de la modalidad y de todo lo que implica el aparato formal de enunciación; *II)* a través de la *fraseología* recurrente, a saber, el empleo de locuciones, fórmulas breves y otras expresiones fijas;[9] y *III)* a través de *recurrencias léxicas,* aunque este aspecto de las características formales es más aleatorio, ya que la repetición y la isotopía léxica son muy dependientes de la temática y de las elecciones del sujeto y no son prácticamente determinantes de un tipo de texto.[10]

Es entonces en este nivel donde se construye el *texto,* si se entiende por texto el resultado de un acto de comunicación producido por un sujeto dado en una situación de intercambio social dada. El texto se caracteriza por las propiedades generales de todo hecho lingüístico: por una parte, por las condiciones de la situación contractual en la cual aparece con sus instrucciones discursivas y las características de su materialidad significante (oral, gráfica), así como con sus normas de construcción lingüística (morfológica, sintáctica); y, por la otra, por el hecho de que todo texto tiene como origen un sujeto, se presenta con las propiedades de la situación que lo sobredetermina en parte y con propiedades singulares dadas por la intervención *individuante* de ese sujeto. Es por ello por lo que puede decirse que todo texto es a la vez colectivo y singular, cerrado por sus condiciones de producción comunicacionales, abierto por el acto individual del sujeto, todo en una coherencia interna que le da su estructura y con una existencia más o menos autónoma. Resulta de un contrato comunicacional y de la estrategia individual del sujeto.

2.7. EL GÉNERO COMO RESULTADO DE UNA COMBINACIÓN

Ninguno de estos niveles (situacional, discursivo, formal), considerado en forma aislada, puede por sí mismo constituir el lugar de determinación del género, ya sea porque determina categorías demasiado generales, ya sea porque se apoya en características demasiado polivalentes. Pero cada uno de estos niveles participa en la definición del género y, por lo tanto, debe ser tenido en cuenta.

Si se sigue este modelo, conviene primero preguntarse cuál es el objetivo del contrato situacional en el cual aparecen estos diferentes textos. Se observará entonces que la receta de cocina pertenece a una situación cuyo objetivo es el de *instrucción,* suponiendo que el locutor tiene una autoridad de "saber hacer" y que se realiza con vistas a que el destinatario "sepa hacer" siguiendo un mode-

---

9   Por ejemplo, las expresiones denominadas de *estilo administrativo,* como "visto…", "en vista de que…", o las formas que, en los textos periodísticos, preceden a las citas, como "según…", "de fuente confiable…", "en palabras de…", etc.

10   Salvo quizá en algunos casos como las recetas de cocina, los prospectos técnicos y farmacéuticos, algunos textos administrativos o de reglamentación.

lo de "hacer". Por una parte, un folleto de empresa o de un organismo de servicio público, un catálogo de museo o una guía turística pertenecen a una situación cuyo objetivo es el de *información,* suponiendo que el locutor tiene una autoridad de saber y que actúa con vistas a que el destinatario "sepa". Por otra parte, las disposiciones oficiales que determinan los programas de enseñanza pertenecen a una situación cuyo objetivo es de *prescripción,* estando el locutor institucional en posición de poder para "hacer hacer" (o "no hacer") que ubica al destinatario en una posición de "deber hacer". Este primer nivel de distinción permite, entre otras cosas, evitar poner en una misma categoría (bajo el término de "instrucciones") textos que pertenecen a situaciones diferentes: "disposiciones ministeriales" (objetivo de *prescripción*), "instrucciones de instalación de una computadora" (objetivo de *instrucción*). Sin embargo, esto no impide aceptar que se pueda tener en una misma producción textos o secuencias de textos que obedecen a distintos objetivos. Por ejemplo, en un manual para la instalación y el mantenimiento de una computadora, algunos textos corresponden a un objetivo de *información* (la descripción de las partes del equipo) y otras, a un objetivo de *instrucción* (presentación de las manipulaciones posibles). En un manual escolar, se encuentran textos que responden a un objetivo de *información* (la lección), de *instrucción* (según las disciplinas) e incluso de *prescripción* (las consignas de trabajo).

Si se mira luego lo que ocurre en el nivel de los modos discursivos, se constatará que: las recetas de cocina se presentan como una sucesión de acciones por cumplir a través de un *modo descriptivo-narrativo;* las guías y los catálogos identifican y describen los lugares, los objetos y las personas también por medio de un *modo descriptivo;* los manuales de instrucciones exponen objetivos o problemas y las formas de resolverlos con un *modo explicativo;* las disposiciones oficiales describen procedimientos a seguir que son obligaciones, instancias de "deber hacer" a través del uso de un *modo descriptivo* (estas instrucciones son especies de imposiciones que no explican). Es imposible entonces limitarse a estas categorías que se cruzan con los objetivos situacionales.

Finalmente, al ubicarse en el nivel de la configuración textual, se podrán constatar, como ya se ha dicho, regularidades más o menos marcadas y sistemáticas en función de lo que son los condicionamientos discursivos. Por ejemplo, en el modo *descriptivo-narrativo* de un objetivo de *instrucción,* corresponderán marcas de designación que sirven para identificar objetos y lugares y marcas de calificación más o menos objetivas, todo en forma de lista, con una organización más o menos jerarquizada de la sucesión de acciones por cumplir y bajo una modelización enunciativa elocutiva ("tome") o delocutiva ("tomar"). En el modo *explicativo* de un mismo objetivo de *instrucción* o de *información* corresponde-

rá una fraseología *logicizante* (cuya base es siempre un "si... entonces..."), delocutiva de obligación ("se debe...", "hay que...", "basta con...", "conviene").
Asimismo, el léxico será más o menos recurrente según el ámbito temático tratado: a veces definido como un auténtico campo léxico, como en las recetas de cocina o en los manuales técnicos, mucho menos marcado en otros casos.

Para volver a la cuestión planteada al principio, es posible ver que ni los objetivos comunicacionales, ni los modos discursivos y menos aún las marcas formales pueden constituir por sí mismos un principio de clasificación. Lo que propone este modelo es evitar que se plantee la cuestión de los géneros a partir de
un único nivel y que se considere el resultado de la combinación entre distintos
niveles combinados: *i)* la situación con *objetivo de instrucción + modo descriptivo-narrativo + marcas del hacer* (listado y léxico especializado), en la cual se
asocian textos del tipo "recetas de cocina", "instrucciones de instalación", "prospectos farmacéuticos (posología)", etc.; *ii)* la combinación *objetivo de instrucción + modo explicativo + marcas gramaticales* (conectores lógicos), en la cual
se encuentran los "manuales y guías de enseñanza"; *iii)* la combinación *objetivo
de prescripción + modo descriptivo + marcas de despersonalización y de obligación* (pronombre *se,* giros impersonales, verbos de modalidad), en la cual se ubican textos del tipo "leyes", "códigos", "disposiciones oficiales", etc. Evidentemente, este modo de clasificación subraya la complejidad de algunos casos, pero
tiene al menos el mérito de mostrar, por este juego de combinaciones, los componentes de cada género.

3. Respuesta a algunas preguntas[11]

3.1. ¿SON LOS GÉNEROS DISCURSIVOS SUFICIENTEMENTE ESTABLES PARA ELABORAR UNA TAXONOMÍA?

Puede responderse a esta pregunta en forma afirmativa, dado que los géneros son
un lugar de reconocimiento social de las actividades lingüísticas. Sin embargo,
aparecen numerosos problemas que pueden dar la impresión de que los géneros
no son estables: el de la *jerarquización de los géneros,* el del *entrecruzamiento
de los géneros* y el del *cambio de los géneros.*

---

[11] Las preguntas que encabezan los apartados siguientes surgieron en una mesa plenaria
(Shiro, Charaudeau, Granato, 2005) en el seno del VI Congreso Internacional de la Asociación Latinoamericana de Estudios del Discurso que tuvo lugar en Santiago de Chile en
el año 2005.

La respuesta al problema de la *jerarquización de los géneros* depende del nivel en el que uno se sitúa. Si se toma como referencia de base la situación global de comunicación, se podrá entonces decir que la situación específica determina subgéneros con respecto a la situación global. Se dirá entonces que en la situación global de la información mediática se encuentran diferentes situaciones específicas caracterizadas ya sea por circunstancias materiales (escrituralidad de la prensa, oralidad de la radio, audiovisualidad de la televisión), ya sea por condicionamientos discursivos (informar de un acontecimiento, comentar un acontecimiento), ya sea por cierta organización formal (anunciar una noticia con títulos, repartir las noticias en las secciones). De esta manera, se podrán distinguir, en el interior de la situación global de la comunicación política, situaciones específicas de mítines, panfletos de programa electoral, declaraciones televisadas, intervenciones en el congreso nacional, escritos teóricos y propagandas de campaña. Éstos serían los subgéneros para este caso.

Pero es posible, asimismo, situarse en el nivel de la situación específica de comunicación y constatar que se encuentra allí cierto número de variantes que respetan lo esencial de las características de la situación, pero que proponen características suplementarias. Dicho en términos de la propuesta aquí sostenida, la situación se comprende más fácilmente: una variante no cambia en nada las características situacionales básicas del contrato, pero determina algunos de sus componentes. Por ejemplo, en el contrato del debate televisado (que es a su vez un subconjunto del contrato de información mediática), se encuentran variantes de *talk show* según el dispositivo y la manera de organizar el debate. Sería posible, asimismo, considerar que el reportaje y la entrevista son dos variantes de una misma situación específica de interacción diádica radiofónica, siendo la posición de los dos interlocutores diferente en cada uno de los casos: no jerarquizada en la entrevista, jerarquizada en el reportaje. Aquí también podría hablarse entonces de subgéneros de este género de interacciones.

La respuesta al problema del *entrecruzamiento de los géneros* radica en la observación del entrecruzamiento de las características de los diferentes niveles de situación. Por ejemplo, las situaciones de lo político se entrecruzan con las de lo mediático, ya sea en el debate, en el reportaje, en la declaración breve televisada. La dificultad consiste aquí en saber cuál es la situación que domina las otras: ¿es el debate político el que subsume todas las otras formas de debate (incluido el mediático)?, ¿es el debate mediático el que se especifica en tanto debate político?, ¿o bien es la idea que nos hacemos, en una determinada sociedad, del debate en general la que predomina sobre el resto? En lo que nos concierne, preferiremos hablar de subgéneros cuando se trata de lo que se desprende de las situaciones específicas de la comunicación con respecto a situaciones globales, y de variantes de género (o de subgénero) cuando se trata de especificaciones que se suman a las determinaciones de la situación específica. Desde esta perspectiva, el debate televisado (situación específica) será considerado como un subgénero del género información mediática (situación global) y los diferentes tipos de debates televisados, como variantes de este subgénero. El discurso electoralista (situación específica), como un subgénero del género político (situación global), y los diferentes tipos de discursos electoralistas, como variantes, a su vez, de este subgénero.

La respuesta al problema del *cambio de los géneros* implica la observación de lo que puede ser una transgresión del género. Se tomará el ejemplo de las campañas publicitarias de Benetton. Toda publicidad comercial excluye, en una situación global de comunicación, que se traten acontecimientos de actualidad referidos a la vida política o críticos de la moral social. Sin embargo, es eso lo que han hecho las campañas de Benetton al tratar temas no previstos por el contrato publicitario.[12] El problema planteado por esta transgresión no es que haya abordado la guerra en Bosnia, el SIDA o el racismo, sino que lo haya hecho en el marco de una publicidad comercial. Dicho de otra forma, lo que puede reprocharse a estas campañas es haber transgredido uno de los componentes del contrato publicitario: el ámbito temático impuesto por la situación global publicitaria. Dichas campañas se presentan con una finalidad humanitaria que responde a un contrato de comunicación cívico: "Informar para hacer actuar en forma solidaria", mientras que la finalidad situacional es de incitación comercial: "Seducir para hacer comprar". Si este tipo de transgresiones se generalizara e invadiera toda la producción publicitaria, se podría concluir entonces que hay un cambio en las condiciones del contrato publicitario. Aparece así la posibilidad de que los géneros evolucionen y sean diferentes de una sociedad a otra, como producto de un juego de influencias recíprocas entre *contrato comunicacional 1* → individuación → transgresión o variante → *contrato 2*. Es lo que ocurrió con los subgéneros títulos de diarios y *faits divers* por la influencia del diario *Libération* que, en los años ochenta del siglo pasado, tomó la iniciativa, juzgada transgresora en ese momento, de publicar títulos con juegos de palabras más o menos insólitos y de incluir los *faits divers* como verdaderos hechos de sociedad, lo cual terminó por generalizarse. Fue igualmente el caso de los debates televisados en Francia, luego de un programa innovador, juzgado iconoclasta en su momento, y que cambió las características situacionales y discursivas de ese género.[13]

---

[12] Se trata de la publicidad de productos comerciales y no de la publicidad de servicios ni de campañas de prevención.

[13] Se trata del programa *Droit de réponse*, en el que los participantes toman la palabra libremente, de manera polémica y, a veces, violenta, sin que se les censure.

3.2. ¿Es posible analizar el discurso sin dar cuenta del género discursivo al cual pertenece?

Para mí es obvio que no. Muchas veces se presupone, sin decirlo, la pertenencia del texto a un género, pero no se toman en cuenta sus características. Al no hacerlo, se llega a describir las características de un texto sin que se sepa si son las del género al cual pertenece o las propias. El caso se da frecuentemente en el discurso político. Se habla de dicho discurso de manera global, sin tomar en cuenta que las condiciones de producción situacionales determinan en parte las características de las producciones verbales. Así, no se puede analizar de la misma manera un discurso perteneciente a una situación electoral, a una situación parlamentaria, a una situación televisiva o a una situación de debate en el espacio público.

Así que una de las tareas previas a todo análisis de un discurso es poder decir cuáles son las características del género que lo sobredetermina.

Referencias bibliográficas

ADAM, Jean-Michel. 1992, *Les textes: types et prototypes. Récit, description, argumentation, explication et dialogue*. Paris: Nathan Université.

ARISTOTE. 1991. *Rhétorique*. Paris: Gallimard.

BAKHTINE, Mikhaïl. 1984. *Esthétique de la création verbale*. Paris: Gallimard.

BENVENISTE, Emile. 1969. *Problèmes de linguistique générale*. Paris: Gallimard.

BOURDIEU, Pierre. 1982. *Ce que parler veut dire*. Paris: Fayard.

—. 1979. *La distinction*. Paris: Éditions de Minuit.

BRANCA-ROSSOF, Sonia 2000. "Types, modes et genres: entre langue et discours". *Langage et Société*, 87: 115-129.

BRANCA-ROSSOF, Sonia 2007. "Normes et genres de discours". *Langage et Société* 119. 110-127.

CARON, Jean. 1989. *Précis de psycholinguistique*. Paris: PUF.

CHARAUDEAU, Patrick. 1984. "L'interlocution comme interaction de stratégies discursives". *Verbum*, 7 (2-3): 165-183.

—. 1986. "L'interview médiatique: qui raconte sa vie?". *Cahiers de Sémiotique Textuelle*, 8-9: 129-137.

—. 1992a. *La télévision. Le débat culturel. "Apostrophes"*. Paris: Didier Erudition.

—. 1992b. *Grammaire du sens et de l'expression*. Paris: Hachette.

—. 2001. "Visées discursives, genres situationnels et construction textuelle". En Michel Ballabriga (ed.), *Analyse des discours. Types et genres,* Toulouse: Éditions Universitaires du Sud, pp. 45-73.

—. 2005a. *Analyse du discours politique. Les masques du pouvoir*. Paris: Vuibert.

—. 2005b. *L'information et les médias. L'impossible transparence du discours*. Paris: De Boeck-INA.

CHARAUDEAU, Patrick y MAINGUENEAU, Dominique. 2002. *Dictionnaire d'analyse du discours*. Paris: Le Seuil.

DEBRAY, Régis. 1994. *Manifestes médiologiques*. Paris: Gallimard.

DESQUINABO, Nicolas. 2005. *Caractéristiques et contraintes des genres interlocutifs dans les émissions de plateaux télévisés: analyses pragma-discursives & réception*. Manuscrito inédito. Paris: Université de Paris 3-Sorbonne Nouvelle.

GENETTE, Gérard. 1979. *Introduction à l'architexte*. Paris: Le Seuil.

—. 1982. *Palimpsestes*. Paris: Le Seuil.

GENETTE, Gérard y Todorov, Tzevan. 1986. *Théorie des genres*. Paris: Le Seuil.

HALLIDAY, Michael A. K. 1975. *Explorations in the functions of language*. London: Edward Arnold.

HJELMSLEV, Louis. 1975. *Résumé of a theory of language*. Madison, WI: University of Wisconsin.

JAKOBSON, Roman. 1963. *Essais de linguistique générale*. Paris: Editions de Minuit.

LEJEUNE, Philippe. 1975. *Le pacte autobiographique*. Paris: Le Seuil.

MAINGUENEAU, Dominique y COSSUTA, Frédéric, 1995. "L'analyse des discours constituants". *Langages,* 117: 112-125.

MOIRAND, Sophie (ed.). 1992. *Les carnets du Cediscor n° 1. Un lieu d'inscription de la didacticité*. Paris: Presses de la Sorbonne Nouvelle.

RASTIER, François. 2001. *Art et science du texte*. Paris: PUF.

RICHARD, Jean François. 1990. "La représentation de l'action". *Langages,* 100: 69-73.

SCHAEFFER, Jean-Marie. 1989. *Qu'est-ce qu'un genre littéraire?* Paris, Le Seuil.

TODOROV, Tzvetan. 1972. "Genres littéraires". En Oswald Ducrot y Tzvetan Todorov (eds.), *Dictionnaire encyclopédique des sciences du langage,* Paris: Le Seuil, pp. 193-218.

—. 1978. *Les genres du discours*. Paris, Le Seuil.

LOS GÉNEROS: UNA PERSPECTIVA SISTÉMICO-FUNCIONAL*

MAITE TABOADA
Department of Linguistics, Simon Fraser University

1. Introducción

Los géneros del discurso, desde la perspectiva de la lingüística sistémico-funcional, se entroncan en una tradición del estudio del lenguaje como fenómeno social, como un reflejo del contexto de situación y de cultura. En este capítulo, me propongo examinar diferentes concepciones del género discursivo dentro de esta escuela, presentar algunos ejemplos de los conceptos de género y de registro y una revisión de trabajos destacados en el marco de esta perspectiva teórica.

Se ha comprobado que los hablantes de una lengua tienen la habilidad de adaptar lo que dicen a la situación y al contexto, es decir, que saben cómo utilizar los tipos de contenidos, las estructuras y los registros del lenguaje en cada situación. Este conocimiento, que usamos a diario, es el conocimiento de los géneros discursivos. Se trata de un aspecto importante de la competencia de los hablantes de cualquier lengua que consiste en identificar los géneros y usarlos en el contexto adecuado.

La lingüística sistémico-funcional (en adelante, LSF), iniciada por el lingüista Michael Halliday (Halliday, 1978, 1985), se centra, por una parte, en el uso que le dan los hablantes al lenguaje (por lo que se denomina *funcional*) y, por la

---

* Este trabajo ha sido financiado, en parte, por becas del Ministerio de Educación de España (HUM2008-6220, investigadora principal: M. Gómez González, y FFI2008-03384, IP: Julia Lavid) y de la Xunta de Galicia (PGIDIT-INCITE09-204-155-PR, IP: M. Gómez González). Partes de este artículo han aparecido en prensa, sobre todo en Taboada (2004), que contiene una descripción detallada del concepto de género y una ilustración de un análisis exhaustivo de un género concreto, las conversaciones orientadas a tareas.

otra, en cómo los hablantes estructuran la lengua en uso (por lo que se denomina *sistémica*). La LSF plantea que la actividad humana y el lenguaje se vinculan en dos interfaces. La primera corresponde a la relación entre el contexto situacional y el texto y se formaliza a través del concepto de *registro,* por medio del cual se explica cómo las situaciones concretas dan lugar a la utilización de formas lingüísticas determinadas. De esta manera, el registro afecta al contenido, al modo de comunicación (hablado o escrito, por ejemplo) y a la relación entre emisor y receptor. La segunda consiste en la interrelación entre el contexto cultural y el texto y se explica por medio del concepto de *géneros del discurso.* En el marco de la LSF, el género se define como "una actividad en etapas, orientada a un objetivo, con un fin, en la que los hablantes participan como miembros de nuestra cultura" (Martin, 1984: 25).[1] Kress y Threadgold definen los géneros como los tipos de textos (orales o escritos) ratificados por una comunidad (Kress y Threadgold, 1988: 216). Es así como la teoría de los géneros discursivos se elabora según los usos cotidianos de la lengua.

La relación del género y el registro es muy estrecha. En ella el género determina qué tipo de variables de registro se pueden producir; a su vez, el género y el registro de una situación y un texto particular son los factores que contribuyen a la realización y a la elección lingüística de determinados elementos léxicos y gramaticales.

En este capítulo, examinaré los principios fundamentales de la teoría de los géneros en el marco de la LSF y las implicaciones y aplicaciones de la teoría. Asimismo, haré referencia tanto a los aspectos que no generan controversia como a otros acerca de los cuales existe divergencia en las opiniones de los especialistas.

2. La estructura de los géneros discursivos

En la década de los años sesenta del siglo pasado, un grupo de investigadores en Gran Bretaña empezó a examinar la relación entre cultura, contexto y lenguaje.[2] Firth (1968) fue uno de los primeros lingüistas que se planteó sistematizar la interrelación entre contexto y lenguaje. En este planteamiento integrador, Firth se inspiró en el antropólogo Malinowski (1923 [1946]), quien sugirió que la noción de contexto se debía estudiar en dos planos: el contexto inmediato de la situación, en el que está enmarcado el lenguaje, y el contexto cultural en el que

---

[1] En el inglés original: "A staged, goal-oriented, purposeful activity in which speakers engage as members of our culture" (traducción de la autora).

[2] Véase Hasan (1995) para una revisión crítica de los conceptos de género y registro de Halliday y de Martin (que ella considera incompatibles).

se desarrolla la actividad que se sirve de los usos del lenguaje. Los contenidos que se expresan en un texto, producto de una interacción, no ocurren en el vacío sino en una situación y cultura específicas. Eggins y Martin (1997) describen así la relación entre texto y contexto:

> Esta relación entre contexto y texto se teoriza como probabilística, no determinista: un participante que desea conseguir un objetivo cultural concreto probablemente iniciará un género determinado, y el texto de ese género es probable que se desarrolle de una manera determinada, pero la posibilidad de otras alternativas es inherente a la relación dialógica entre lenguaje y contexto (Eggins y Martin, 1997: 236).[3]

Desde sus inicios, los estudios del género en la lingüística sistémico-funcional se han concentrado en caracterizar la estructura de los géneros a través de las etapas que la constituyen. Este enfoque se desarrolló a partir del estudio de Mitchell (1957) acerca de las transacciones en un mercado libio. Su análisis resultó en una fórmula que describe la secuencia típica de las transacciones comerciales en el mercado. Esta secuencia corresponde a las etapas genéricas. Por ejemplo, dos fórmulas que identifican las etapas de un proceso de regateo y de una compra (o transacción comercial) son las siguientes:

(1) Regateo:
Saludo ∧ Preguntas sobre el Objeto en Venta ∧ Investigación del Objeto en Venta ∧ Regateo ∧ Conclusión

(2) Transacción comercial
Apertura del Subastador ∧ Inspección del Objeto en Venta ∧ Ofertas ∧ Conclusión

Hasan (1977, 1984), colaboradora de Halliday, continuó esta línea de trabajo sobre las etapas del género, introduciendo la noción de la Estructura de Potencial Genérico *(Generic Structure Potential)*, que se entiende como la gama de posibles realizaciones de las etapas de un género. Hasan se concentró en los cuentos infantiles y las transacciones comerciales, y detalló las posibilidades que tienen los participantes en tales situaciones. Cada género se asocia con una fórmula estructural, lo que da pie a una serie de estructuras posibles diferentes. Un texto completo es la realización de una estructura a partir de tal fórmula.

---

[3]   En el inglés original: "[T]his relationship between context and text is theorized as probabilistic, not deterministic: an interactant setting out to achieve a particular cultural goal is most likely to initiate a text of a particular genre, and that text is most likely to unfold in a particular way – but the potential for alternatives is inherent in the dialogic relationship between language and context" (traducción de la autora).

En el modelo de Hasan (1977), la estructura es una de las características que definen a los textos, debido a que el texto es más que la suma de una colección variopinta de oraciones. En este sentido, Hasan propone que el texto constituye una entidad por sí mismo y su rasgo característico es la textualidad, que integra las características que convierten al texto en tal. Los rasgos de la textualidad están conformados por la *textura* y la *estructura*.

Textura es el término técnico usado para referirse al hecho de que las unidades lexicogramaticales que representan un texto tienen unidad entre sí —que existe cohesión lingüística en el pasaje—. Esta cohesión se consigue mediante el uso de tales recursos lingüísticos como la referencia, la sustitución, la elipsis, la conjunción y la organización léxica (Hasan, 1977: 228).[4]

Hasan (1977: 229) define la estructura como aquello que permite distinguir entre textos completos e incompletos, por un lado, y entre diferentes formas genéricas, por el otro. La fórmula estructural es, por tanto, una configuración bien definida de los elementos que conforman un texto. Un texto incompleto es aquel en el que sólo se percibe una parte de la estructura. Cada uno de los elementos textuales, a su vez, se ve realizado en una combinación de unidades lexicogramaticales. La definición de las unidades lexicogramaticales es funcional, puesto que las funciones vienen determinadas por la estructura semiótica del género: "Un texto es un evento social cuya principal forma de desarrollo es lingüística" (Hasan, 1977: 229).[5]

La fórmula estructural no es simplemente una lista de los elementos de la estructura, sino también la configuración de dichos elementos. Hasan no requiere que todos los elementos estén en un orden predeterminado; sugiere que existe un orden parcial. Según su parecer, no hay géneros donde los elementos de la estructura ocurran en secuencias sin estructura alguna. El orden parcial quiere decir que existe cierta movilidad y que hay pares de elementos que ocurren juntos, pero en órdenes variables. El orden generalmente viene determinado por la lógica natural de la situación social en la que se desarrolla el texto.

Para ilustrar estos conceptos, utilizaremos una situación cotidiana, en la que un paciente llama por teléfono a una clínica para solicitar una cita. Los valores de campo, tenor y modo de esta situación se presentan en la Tabla 1, tomada de Hasan (1977).

---

[4]   En el inglés original: "Texture is the technical term used to refer to the fact that the lexicogrammatical units representing a text hang together – that there exists linguistic cohesion within the passage. This cohesion is effected by the use of such linguistic devices as those of reference, substitution, ellipsis, conjunction and lexical organization" (traducción de la autora).

[5]   En el inglés original: "A text is a social event whose primary mode of unfolding is linguistic" (traducción de la autora).

VARIABLES	VALORES DE LAS VARIABLES
campo	consulta profesional; contexto médico; llamada para concertar una cita
tenor	paciente y recepcionista; distancia social máxima
modo	canal oral; sin contacto visual; conversación telefónica; medio hablado

La fórmula estructural que representa esta configuración contiene los siguientes elementos obligatorios. Un texto que se enmarque dentro de este género se verá como un texto incompleto si no contiene todos estos elementos:

(3) Elementos obligatorios
Identificación (I), dividida entre identificación por parte del que inicia la interacción (II) e identificación por parte del que responde (RI)
Solicitud (S)
Propuesta (P)
Confirmación (C)

La fórmula incluye también elementos que se pueden considerar como opcionales:

(4) Elementos opcionales
Saludo (Sa)
Pregunta (Pr)
Documentación (D)
Resumen (R)
Cierre (Ci)

La fórmula estructural con los elementos obligatorios sería entonces la siguiente:

(5) RI $\wedge$ [S · II] $\wedge$ P $\wedge$ C

El punto entre S e II indica que los dos elementos no aparecen en un orden particular. Es evidente que II tiene que venir después de RI y que la propuesta sólo puede darse una vez que se haya hecho la solicitud. La confirmación tiene lugar una vez que se haya aceptado la oferta. Pero podemos tener órdenes diferentes para II y S. En el ejemplo (6) se muestra el orden S $\wedge$ II, mientras que (7) ejemplifica el orden II $\wedge$ S.

(6) Recepcionista: Clínica Gómez (RI).
Paciente: Me gustaría ver al Dr. Gómez hoy (S). Soy Marina López (II).

(7) Recepcionista: Clínica Gómez (RI).
    Paciente: Soy Marina López (II). ¿Tiene hora hoy para el Dr. Gómez? (S)

La fórmula completa, incluyendo los elementos opcionales, se presenta en (8). Un paréntesis rodea los elementos opcionales y un subíndice sigue a un elemento que se puede repetir.

(8) (Sa) ∧ RI ∧ (Pr) ∧ (Sa) ∧ [S · II] ∧ P ∧ C ∧ D_n ∧ (R) ∧ Ci_n

La conversación que presentamos en el ejemplo (9) es una realización posible de la fórmula, traducida y adaptada de Hasan (1977). "R" quiere decir "Recepcionista" y "P" quiere decir "Paciente".

(9) R: Buenos días (Sa). Clínica Gómez (RI). ¿En qué le puedo ayudar? (Pr)
     P: Sí, buenos días (Sa). Soy Marina López (II). ¿Tiene hora para el Dr. Gómez
        para hoy? (S)
     R: Eh, bueno, un momento. Pues mire, no me quedan muchos huecos hoy.
        ¿Le viene bien hoy a las seis y cuarto de la tarde? (P)
     P: Sí, sí, me viene bien (C).
     R: Vale. ¿Me da su dirección y número de teléfono, por favor? (D)
     P: Sí. Calle Mar de Cristal 48. El teléfono es 527 27 55 (D).
     R: Gracias (D). Entonces, Marina López para ver al Dr. Gómez hoy a las seis y
        cuarto de la tarde (D).
     P: Sí, gracias (Ci).
     R: Gracias (Ci).

Desde la perspectiva de la lingüística sistémico-funcional, hemos visto que el género discursivo determina la estructura de los textos. Los hablantes perciben que un texto pertenece a un género concreto, básicamente a partir de sus características estructurales, es decir, por las etapas que lo componen. Para que este reconocimiento tenga lugar, debe existir un consenso acerca de cuáles son las etapas concretas en que se desarrollan los diferentes tipos de texto. Las etapas apropiadas para un determinado texto guardan estrecha relación con la función que dicho texto cumple en una situación concreta, es decir, con el contexto de cultura, que está constituido por el conjunto de características, tradiciones y prácticas discursivas que subyacen a las actividades (lingüísticas), y a las relaciones entre los hablantes. En este sentido, la función del texto se refiere tanto a su propósito comunicativo[6]

---

[6]   Askehave y Swales (2001) proponen una revisión crítica del concepto de *propósito comunicativo,* y llegan a la conclusión de que se ha convertido en un término complejo y difícil de definir y, en consecuencia, poco útil para la definición del género. Su solución es uti-

como a su función social. Por ejemplo, si el fin práctico de un texto (que resulta de una interacción) es acordar una cita (lo que corresponde al propósito comunicativo), su función social es aquella que nos obliga a mantener relaciones cordiales (según las normas del grupo social donde ocurre la interacción).

Martin y sus colaboradores, siguiendo la tradición de Halliday, han hecho contribuciones muy importantes a la lingüística sistémico-funcional. Ellos consideran que el género está estrechamente relacionado con el propósito que orienta al texto (Eggins y Martin, 1997; Martin, 1984; Martin, Christie y Rothery, 1987; Martin y Rose, 2003, 2008). Los hablantes persiguen fines de todo tipo cuando emprenden actividades verbales, tanto habladas como escritas. Para que estos fines se puedan llevar a cabo, es necesario que los textos se desarrollen de una manera específica. Así, en la teoría del género se plantea que los textos que tienen diferentes funciones en la cultura se construyen de manera diferente, a través de diferentes etapas o pasos (Eggins y Martin, 1997: 236). Si, por ejemplo, deseo cambiar la dirección de correo con la compañía de mi tarjeta de crédito, necesito llamar a la compañía o al banco emisor. Es obvio que, en primer lugar, debo identificarme para que el operador u operadora pueda proceder a cambiar la información en mi ficha de datos. Por tanto, es necesario que tal transacción esté conformada, al menos, por tres fases o etapas: identificar a la persona que inicia la llamada (yo), solicitar (un cambio de dirección) y ofrecer los detalles necesarios para la petición (la nueva dirección). Las dos primeras fases se pueden suceder en cualquier orden, pero se hace evidente que es indispensable que me identifique (dar mi nombre y mi número de tarjeta de crédito, o ambos) antes de proporcionar mi dirección nueva, para que el operador pueda acceder a mis datos. Los dos ejemplos que siguen (ambos inventados) ilustran las diferentes alternativas de esta transacción, donde los detalles siempre vienen después de la identificación (I=Identificación; S=Solicitud; D=Detalles).

> (10) Maite:　　Buenos días, soy Maite Taboada, T-A-B-O-A-D-A (I). Le llamo porque me acabo de mudar, y quería darles la dirección nueva(S).
> Operador: Sí, por supuesto. Espere un momento mientras encuentro sus datos. [Pausa, quizá preguntas de identificación o de seguridad.] ¿Cuál es la nueva dirección?
> Maite:　　Es… [dirección completa] (D).

---

lizar dos procedimientos, uno dirigido por el texto y el otro dirigido por el contexto, donde la estructura, el estilo, el contenido y el propósito contribuyen de manera conjunta a la definición de un género. La identificación se lleva a cabo en diferentes pasos, empezando bien con el texto o bien con la comunidad discursiva, dependiendo del procedimiento. Los métodos que proponen parecen ser una combinación de género, registro y características gramaticales desde el punto de vista de la lingüística sistémico-funcional.

(11) Maite: Buenos días. Le llamo porque me acabo de mudar, y quería darles
                 la dirección nueva (S).
     Operador: Sí, por supuesto. ¿Me puede dar su nombre?
     Maite: Maite Taboada, T-A-B-O-A-D-A (I).
     Operador: Gracias. Espere un momento mientras encuentro sus datos.
                 [Pausa, quizá preguntas de identificación o de seguridad.] ¿Cuál
                 es la nueva dirección?
     Maite: Es… [dirección completa] (D).

Esta misma conversación con un orden diferente sería extraña. En el ejemplo
12, probablemente el operador no sería capaz de recordar toda la información
que proporciono en el primer turno.

(12) Maite: Buenos días. Le llamo porque me acabo de mudar, y quería darles
                 la dirección nueva (S). La nueva dirección es calle Mayor número
                 123, piso 4.º derecha, en Madrid. El código postal es 28000 (D).
                 Mi nombre es Maite Taboada, T-A-B-O-A-D-A (I).
     Operador: ???

Los propósitos sociales y comunicativos están integrados entre sí debido a
la naturaleza y el orden de las etapas del género en cuestión. Cuando llamo a mi
agente de viajes, con la que he interactuado repetidas veces en el pasado y con
quien mantengo una buena amistad personal, no solamente anuncio el propósito
práctico de mi llamada (contratar un nuevo viaje), sino también pregunto por su
situación actual, su familia y amistades, y en general entablo una conversación
de actualización de nuestra relación como amigas. Una parte de la interacción se
produce porque entre nosotras existe una relación de cercanía social además de
profesional. En este sentido, Murray (1991) sugiere que existen dos tipos de interacción oral: conversaciones para una actividad concreta (práctica) y conversaciones para el mantenimiento del contacto social. La mayor parte de las conversaciones tienen elementos de los dos tipos, pero en cualquier momento concreto
de un encuentro verbal uno de ellos predominará.

Las partes que constituyen un género se aprenden únicamente a través de los
procesos de socialización (Martin, 1985; Rothery, 1985). Es por esta razón precisamente por lo que podemos sentir inseguridad ante un género nuevo: la primera vez que vamos al médico, cuando queremos sacar un libro de una biblio-
teca que no conocemos, o cuando presentamos la primera comunicación en un
congreso de especialistas en una disciplina. Aun cuando es posible que tengamos
una idea más o menos formada del género, puede pasar que desconozcamos cuáles son todas las etapas que necesitamos completar y el orden en que se deben
producir. El dominio de un género es más fluido para aquellos que lo manejan a

diario (Swales, 1990). Bajtín (1982: 269-270) señala también la posibilidad de que ciertas personas puedan desempeñarse con gran habilidad en un género académico y no logren participar adecuadamente en una plática de salón.

El impacto del género, ubicado en el contexto cultural, en la construcción del texto no es directo, puesto que está mediado por el registro, ubicado en el contexto situacional. La variación en el registro está determinada, en parte, por el género y, en parte, por las características del contexto situacional. Podemos imaginar géneros bien definidos, como la consulta de un profesor y su alumno, o los intercambios comerciales, donde la estructura genérica es siempre similar, pero con variaciones en el registro, en especial el tenor, que hacen que el lenguaje sea distinto en diferentes manifestaciones del mismo género. Pero no existe un consenso en la LSF acerca de cuál es la línea divisoria entre género y registro, como veremos a continuación.

3. Registro y género según diversos autores

La idea de una relación entre contexto y texto se formalizó en el concepto del *registro*. Halliday, MacIntosh y Strevens (1964), así como Ure y Ellis (1977), y más adelante Gregory y Carroll (1978) emplearon el concepto de registro para referirse a "una variedad de acuerdo al uso, en el sentido de que cada hablante tiene una serie de variedades y elige entre ellas en ocasiones diferentes" (Halliday, MacIntosh y Strevens, 1964: 77). Cada hablante tiene probablemente más de un registro, listo para ser utilizado de acuerdo con la situación en la que se da la interacción.

> Cuando observamos una actividad lingüística en varios contextos en los que tiene lugar, encontramos diferencias en el tipo de lenguaje que se selecciona como apropiado para diferentes tipos de situaciones (Halliday, MacIntosh y Strevens, 1964: 87).[7]

Un registro se caracteriza por los rasgos lingüísticos típicamente asociados con una configuración específica de rasgos situacionales, clasificados en valores de campo, modo y tenor.

Campo se refiere a lo que está sucediendo en la situación; el área que abarca la actividad lingüística. Describe los rasgos inherentes a la situación y lo que está sucediendo, con énfasis en las áreas institucionales.

---

[7] En el inglés original: "When we observe language activity in the various contexts in which it takes place, we find differences in the type of language selected as appropriate to different types of situation" (traducción de la autora).

Bajo este apartado, los registros se clasifican de acuerdo a la naturaleza del evento del cual la actividad lingüística es parte. En el tipo de situación en la que la actividad lingüística constituye la mayor parte de la actividad relevante, como por ejemplo un ensayo, una discusión o un seminario académico, el campo del discurso es el tema a tratar. En esta dimensión de la clasificación, podemos reconocer registros como la política o las relaciones personales, y registros técnicos como la biología o las matemáticas. Hay, por otro lado, situaciones en las que la actividad lingüística raras veces tiene algo más que un papel menor; en tal caso el campo del discurso se refiere al evento en sí (Halliday, MacIntosh y Strevens, 1964: 90-91).[8]

El campo sirve como descripción de las instituciones sociales que determinan el emplazamiento y las acciones que los participantes llevan a cabo. Es, además, el punto de partida para las otras dos categorías que contribuyen a dar forma al registro: el modo y el tenor.

El **tenor** se refiere a las relaciones entre participantes, dado que éstas afectan a determinados aspectos del lenguaje. Mientras que el campo hace referencia a características inherentes a la situación, el tenor incluye rasgos no esenciales, elementos que varían según las relaciones entre los participantes. En la categoría de tenor incluimos los grados de formalidad, los roles que los participantes adoptan y el foco de la actividad.

El **modo** del discurso es la función del texto en la situación. Halliday y Hasan incluyen aquí tanto el canal del lenguaje —hablado o escrito, espontáneo o preparado— como su género o modo retórico, caso por ejemplo de la narración, la persuasión, etc. (Halliday y Hasan, 1976).

Es posible observar, en la propuesta de Halliday y Hasan (1976), que el género está supeditado al modo (y, por tanto, al registro). Sin embargo, la mayor parte de los investigadores prefieren colocar el género o modo retórico en un nivel superior al del registro. En esta concepción, la noción de modo se restringe al grado de espontaneidad, entre improvisado y preparado, además del tipo de respuesta posible. Tal definición da lugar a diferentes configuraciones, que se pueden representar como la elección de una de las celdas en la Figura 1. El grado de espontaneidad puede ser definido como la diferencia entre discurso planificado y

---

8 En el inglés original: "Under this heading, registers are classified according to the nature of the whole event of which the language activity forms a part. In the type of situation in which the language activity accounts for practically the whole of the relevant activity, such as an essay, a discussion or an academic seminar, the field of discourse is the subject-matter. On this dimension of classification, we can recognize registers such as politics and personal relations, and technical registers like biology and mathematics. There are on the other hand situations in which the language activity rarely plays more than a minor part; here the field of discourse refers to the whole event" (traducción de la autora).

espontáneo (Ochs, 1979), pero también como la distinción entre modos formales e informales del lenguaje. Para simplificar, podríamos decir que la distinción entre lenguaje hablado y escrito se refiere, fundamentalmente, a la posibilidad de respuesta o retroalimentación. Estas distinciones podrían también contemplarse como continuos, como sugiere Eggins (1994: 45), porque las fronteras entre una y otra no son tan claras como las hemos representado en la Figura 1. Cada una de las celdas contiene instancias muy diferentes de cada una de las categorías. Por ejemplo, las notas autoadhesivas, los mensajes de correo electrónico y las listas de la compra pueden encajar todas en la celda "escrito, informal".

FIGURA 1
Tipos de modo

FORMAL INFORMAL

HABLADO		
ESCRITO		

En resumen, el registro se refiere a la comunicación que está determinada por la situación —lo que sucede, quién participa y la función del lenguaje— junto con las palabras y estructuras que se emplean para llevar a cabo tal comunicación.

Los tres elementos que conforman el contexto están enlazados con el sistema lingüístico en el modelo de Halliday. El campo, tenor y modo tienen realizaciones directas a través de las metafunciones del lenguaje: ideacional, interpersonal y textual. La metafunción ideacional, que refleja cómo se construye la experiencia humana en el enunciado, se ve realizada en el campo; la metafunción interpersonal, que refleja la relación entre los participantes en la interacción, se ve realizada en el tenor, y la metafunción textual, que refleja la organización textual, se ve realizada en el modo (Halliday, 1978, 1989, 1994; Halliday y Hasan, 1976; Halliday, MacIntosh y Strevens, 1964; Halliday y Matthiessen, 2004).

Eggins y Martin (1997: 230) buscan explicar, por medio de la teoría del registro y el género, hasta qué punto, y por qué, son similares o diferentes los textos (Eggins y Martin, 1997: 230). Estos autores establecen dos temas comunes a todos los tratamientos del registro y el género:

En primer lugar, (el registro y el género) se concentran en el análisis detallado de la variación de los rasgos lingüísticos del discurso; es decir, en una especificación explícita, idealmente cuantificable, de los esquemas léxicos, gramaticales y semánticos del texto. En segundo lugar, enfoques dentro de la Teoría del Registro y el Género buscan explicar la variación lingüística mediante la referencia a la variación del contexto; es decir, se establecen enlaces explícitos entre los rasgos del discurso y las variables críticas del contexto social y cultural dentro del cual el discurso tiene lugar. Registro y género son conceptos técnicos que utilizamos para explicar el significado y la función de la variación en diferentes textos (Eggins y Martin, 1997: 234).9

Por tanto, el registro es una explicación teórica de la observación cotidiana de que utilizamos el lenguaje de manera diferente en diferentes situaciones (Eggins y Martin, 1997: 234) y define una relación probabilística entre el contexto y el lenguaje. La relación puede ser débil, caso en el que un gran número de factores contextuales afectan al texto (Hymes, 1974); o puede ser una relación más estrecha, como sostiene Halliday (Halliday, 1978), caso en el cual los textos constituyen realizaciones de una serie de dimensiones contextuales, incluidas en el campo, el tenor y el modo. Además de la variación de acuerdo al registro, los textos muestran *variación genérica*. Este tipo de variación viene determinada por el fin específico que el texto tiene en el contexto de cultura. Reconocemos el género de un texto mediante su propósito, pero también mediante el modo en el que se desarrolla de manera dinámica: el principal reflejo lingüístico de las diferencias en objetivo es la estructura de las etapas mediante las cuales se desarrolla un texto (Eggins y Martin, 1997: 236).

La relación entre registro y género es una relación de estratos: "Se necesitan dos capas contextuales, con una nueva capa de género por encima de las variables de campo, tenor y modo" (Eggins y Martin, 1997: 243).[10] Ilustramos esta relación en la Figura 2, donde el estrato del género incluye y extiende el nivel del registro con sus tres componentes. El registro representa el contexto de la situación, mientras que el género se refiere al contexto de cultura.

---

9   En el inglés original: "Firstly, they focus on the detailed analysis of variation in linguistic features of discourse: that is, there is explicit, ideally quantifiable, specification of lexical, grammatical and semantic patterns in text. Secondly, R> approaches seek to explain linguistic variation by reference to variation in context: that is, explicit links are made between features of the discourse and critical variables of the social and cultural context in which the discourse is enacted. Register and genre are the technical concepts employed to explain the meaning and function of variation between texts" (traducción de la autora).

10   En el inglés original: "Two layers of context are needed – with a new level of genre posited above and beyond the field, mode and tenor register variables" (traducción de la autora).

FIGURA 2

Relación de género y registro según Eggins y Martin (1997)

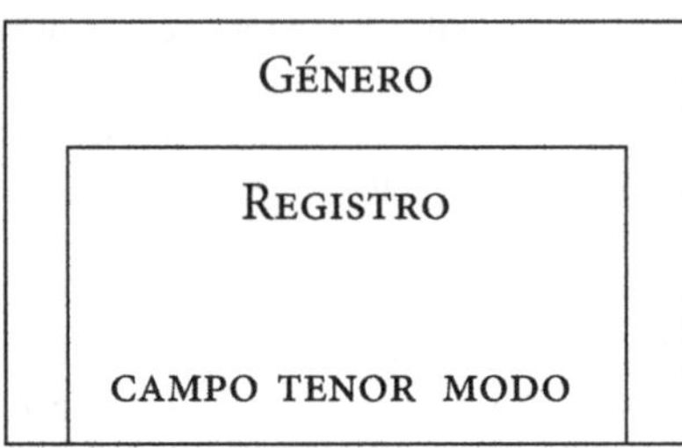

Según esta descripción, el registro y el género tienen una relación claramente definida entre sí. El análisis del discurso, desde este punto de vista, empieza por el nivel del contexto de cultura, el género, y continúa hacia el nivel de la situación, especificando las variables de campo, tenor y modo. El análisis lingüístico relaciona las elecciones desde el punto de vista léxico, gramatical y semántico con las variables contextuales.

En una propuesta diferente, Hasan (1977: 230) sugiere que el concepto de registro es un enlace ya establecido entre el contexto y la estructura genérica, ya que en la mayoría de los casos el registro y el género son sinónimos. Para Hasan, los textos tienen textura (=cohesión) y estructura, esta última determinada por el género del texto. La realización de las dos categorías es muy diferente, tal y como se puede ver en la Figura 3.

FIGURA 3

Realización de género y registro según Hasan

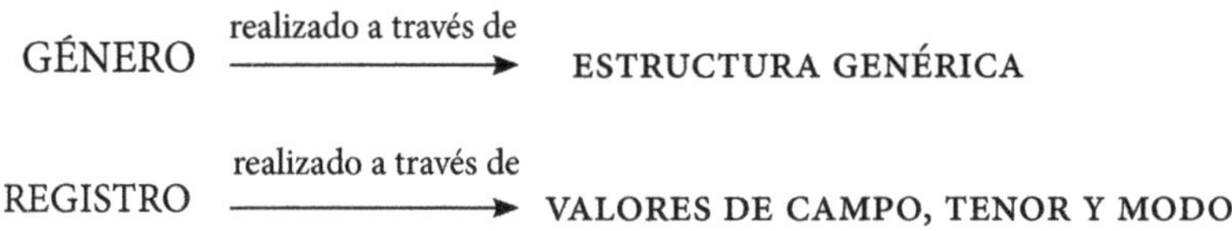

Sin embargo, Hasan (1977) equipara los dos conceptos, género y registro, pese a que considera que sus realizaciones son diferentes.

Otro aspecto importante en la teoría de género y registro es cómo conceptualizar la relación entre diferentes géneros y registros, es decir, cómo presentar una taxonomía y también cómo describir el parentesco entre géneros. En Taboada (2004) presentamos diferentes aspectos de este problema y su relación con la teoría de los prototipos. Se propone que los géneros están relacionados entre sí y que muchos de ellos son derivados de un género prototípico. Por ejemplo, concertar una cita por teléfono puede ser un prototipo del que se derivan las citas con profesionales (médicos, abogados) y con amigos. La Figura 4 representa mi propia conceptualización de la relación de género y registro con la realización lingüística (Taboada, 2004). El género constituye un nivel separado y por encima de los otros, pero con elementos que empapan los niveles inferiores, a través del hueco que los separa. El lenguaje se compone de un nivel contextual y un nivel puramente lingüístico. El nivel contextual del registro está dividido en valores de campo, tenor y modo. Estos valores se realizan lingüísticamente en las tres metafunciones del lenguaje.

FIGURA 4

Relación de género, registro y lenguaje

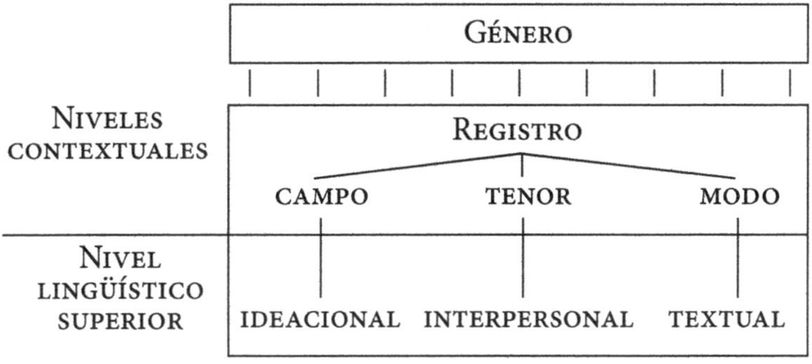

Martin, en la tradición sistémico-funcional, ha representado esta relación de las metafunciones, el género y el registro como círculos concéntricos (Eggins y Martin, 1997; Martin, 1992; Martin y Rose, 2003, 2008). La representación que proponemos aquí no es fundamentalmente diferente. Simplemente propone una conexión menos estrecha entre el género y el registro que la que existe entre el registro y las metafunciones. Como se observa en la Figura 4, las configuraciones genéricas y, en particular, las etapas de un género no tienen una conexión tan estrecha con los esquemas lexicogramaticales integrados en el nivel lingüístico.

Para sintetizar, la conceptualización de la relación entre género y registro abarca desde la fusión de los dos, como sugieren Eggins y Martin (1997, 2003), o la identificación de Hasan (1977) del registro con el género, hasta la separación total, con el género a un nivel superior del registro (Martin, 1992; Ventola, 1987; Taboada, 2004).

4. A modo de conclusión

La teoría del género, en sus diversas manifestaciones, ha resultado ser un hervidero de aplicaciones prácticas, además de un área de interés para las investigaciones teóricas. Uno de los ámbitos donde este enfoque ha tenido una influencia considerable es en la educación, particularmente en la enseñanza de la lengua materna (L1) y de una segunda lengua (L2). La teoría ha tenido impacto en el desarrollo de los programas de alfabetización en diferentes niveles del sistema educativo. Kress (1982) sugiere que el conocimiento de la forma textual —el género— constituye uno de los retos fundamentales para el desarrollo de las habilidades de escritura. La enseñanza y el aprendizaje basados en la teoría de los géneros del discurso se centran en la enseñanza de cómo se estructuran los textos, sobre todo en el ámbito del discurso académico (Martin, Christie y Rothery, 1987; Reid, 1987; Macken-Horarik, 2002; Christie, 1985; Cope y Kalantzis, 1993; Martin, 1993, 2001; Painter y Martin, 1986; Rose, 2007 y Rothery, 1985).

La enseñanza de segundas lenguas también se ha beneficiado de la idea de enseñar el lenguaje a través de situaciones específicas. Mohan (1986), por ejemplo, nos muestra la aplicación de la estructura genérica a la enseñanza del inglés como segunda lengua. Koike y Biron (1996) utilizan el género para el desarrollo de la competencia oral en una clase de español. Dudley-Evans (1994), siguiendo las propuestas de Swales (1990), examina la escritura académica desde un punto de vista genérico, con el fin de aplicar el análisis a la enseñanza en clases de composición de una segunda lengua y en talleres para aquellos que ya forman parte de la comunidad académica. Muchos otros estudios, como, por ejemplo, Ventola (1989), Paltridge (1995, 2000, 2001), Johns (2002) o Hyon (1995), tratan la problemática de la aplicación del análisis de los géneros a la enseñanza de segundas lenguas. Asimismo, Zwaan (1994) examina el efecto del género en la comprensión de los textos. Sus resultados indican que los lectores varían las estrategias de lectura según las expectativas creadas por los diferentes tipos de textos. Los participantes que leyeron textos etiquetados como textos literarios tardaban más tiempo en leerlos, tenían mejor recuerdo de la información y peor recuerdo de los detalles situacionales que aquellos que leían textos etiquetados como noticias de la prensa escrita.

Cabe destacar que el aprendizaje que tiene lugar con el método basado en la teoría de los géneros parece perdurar a largo plazo. Hyon (2001) entrevistó a alumnos de un curso de Inglés con Fines Específicos diseñado con este método y ellos opinaron, un año después de finalizado el curso, que no sólo recordaban los rasgos de los géneros presentados en el curso sino que también habían utilizado los conocimientos adquiridos en su aprendizaje posterior.

En un número de la revista *World Englishes* (volumen 16, número 3, 1997) íntegramente dedicado a la problemática de los géneros discursivos, Bhatia (1997) analiza la influencia de la teoría de los géneros en la enseñanza de lenguas extranjeras en disciplinas especializadas, como la ingeniería, ciencia, derecho o empresariales, y encuentra que este enfoque ofrece una explicación dinámica del modo en que los hablantes expertos utilizan las convenciones genéricas para los fines específicos de las disciplinas.

Los géneros académicos han sido objeto de numerosos estudios, con el trabajo de Swales (1990) como uno de los más influyentes. Igualmente, los géneros propios de las empresas y el comercio se han estudiado con particular énfasis (Bargiela-Chiappini y Nickerson, 2002; Dudley-Evans y Henderson, 1990). En algunos trabajos (Bargiela-Chiappini y Nickerson, 1999), se estudian los aspectos de la comunicación empresarial como los correos electrónicos, faxes y anuncios en cartelera, en otros se examinan las reuniones de negocios (Bargiela-Chiappini y Harris, 1997), las solicitudes de empleo (Upton y Connor, 2001), las cartas de negociación (Pinto dos Santos, 2002), las páginas de las empresas que se encuentran en la red (Luzón Marco, 2002) y las conversaciones en el lugar de trabajo (Brown y Lewis, 2002). Christie y Martin, (1997) presentan artículos sobre el género en las aulas de las escuelas, pero también en el lugar de trabajo, con énfasis en la transición del uno al otro. Otras áreas de estudio incluyen el lenguaje de la ciencia (Halliday y Martin 1993), los informes jurídicos (Badger, 2003), el lenguaje burocrático (Swales *et al.*, 2000) y los géneros electrónicos (Shepherd y Watters, 1998). En esa misma línea, Trosborg (2000) ha editado una colección en la cual se incluyen artículos que caracterizan a los géneros comerciales y académicos, desde la ingeniería genética y la medicina hasta el periodismo y la lingüística.

En ciertos casos, el género es el punto de partida para llevar a cabo análisis contrastivos que reflejan las diferentes prácticas discursivas en las comunidades. Giannoni (2002) estudia las secciones de agradecimiento en los artículos de investigación en inglés e italiano; Martín Martín (2002) examina los resúmenes de los artículos de investigación en inglés y español; Samraj (2002) se centra en las introducciones de los artículos de investigación en disciplinas diferentes pero relacionadas; y Paltridge (1993, 1997) analiza las características generales de los artículos de investigación. Parodi (2003, 2008, 2010) ha llevado a cabo una importante labor de recopilación y análisis de diversos géneros académicos (Parodi, 2003, 2008, 2010) examinando grandes corpus. Este tipo de estudios cuantitativos complementan los hallazgos de los trabajos realizados desde la perspectiva de la lingüística sistémica funcional, cuyo análisis se basa en muestras más pequeñas (Morris y Navarro, 2007; Navarro, 2009).

La investigación en los nuevos medios de comunicación también se ha servido del concepto de género (Miller, 1984) y se hacen esfuerzos para comprender las interacciones sociales en comunidades en línea (Bregman y Haythornthwaite, 2003). Los medios tradicionales de comunicación también han sido estudiados desde este enfoque: Meinhof y Smith (2000) presentan una colección de artículos organizados en torno a los géneros que podemos encontrar en diferentes medios, en particular en la televisión (anuncios, concursos, música, temas de actualidad, sátira política, etc.).

La lingüística computacional ha descubierto que el análisis de los géneros es muy útil para diferentes aplicaciones. Kessler, Nunberg y Schütze (1997) proponen varias áreas que se podrían beneficiar de la información sobre el género de un texto. Por ejemplo, el análisis sintáctico podría ser más completo si se tuviera en cuenta el género. Si el analizador sintáctico encuentra un verbo transitivo, generalmente busca a continuación un objeto directo. Pero en ciertos géneros, como las recetas de cocina, se utilizan con frecuencia verbos transitivos sin objeto. El etiquetado de palabras y la desambiguación de los sentidos también se podrían beneficiar, ya que las palabras polisémicas suelen tener un sentido específico en textos específicos. La palabra *árbol,* por ejemplo, tendrá el sentido menos común de representación gráfica en los artículos científicos en la lingüística y en la informática. En la extracción de la información, la clasificación por géneros nos podría ayudar en la presentación de resultados en diferentes categorías, como por ejemplo artículos de opinión frente a artículos de información.

Finalmente, es necesario mencionar el trabajo tan extenso de Biber y sus colaboradores en el estudio de los géneros (que ellos denominan tanto registros como tipos de texto), con énfasis en la variación entre textos hablados y escritos (Biber, 1988), y en diferentes lenguas (Biber, 1995), además de la evolución histórica de los géneros (Biber y Finegan, 1989). El género es parte integral de la gramática del inglés compilada por Biber, Johansson, Leech, Conrad y Finegan (1999).

En este artículo hemos presentado una perspectiva de los estudios del género dentro de la escuela sistémico-funcional. Revisamos brevemente los orígenes de la teoría, la relación del género y el registro, y proporcionamos ejemplos de las áreas en las que se ha aplicado. Estamos en condiciones de afirmar que la teoría de los géneros goza de un desarrollo muy saludable, ha sido adoptada por muchos investigadores y aplicada a numerosos campos del saber.

Referencias bibliográficas

ASKEHAVE, Inger y SWALES, John M. 2001. "Genre identification and communicative purpose: A problem and a possible solution". *Applied Linguistics,* 22 (2): 195-212.

BADGER, Richard. 2003. "Legal and general: Towards a genre analysis of newspaper law reports". *English for Specific Purposes,* 22 (3): 249-263.

BAJTÍN, Mijaíl. 1982. *Estética de la creación verbal.* México: Siglo XXI.

BARGIELA-CHIAPPINI, Francesca y HARRIS, Sandra. 1997. *Managing language: The discourse of corporate meetings.* Amsterdam-Philadelphia: John Benjamins.

BARGIELA-CHIAPPINI, Francesca y NICKERSON, Catherine. 2002. "Business discourse: Old debates, new horizons". *International Review of Applied Linguistics in Language Teaching (IRAL),* 40 (4): 273-286.

— (eds.). 1999. *Writing business: Genres, media and discourses.* London: Longman.

BHATIA, Vijay K. 1993. *Analysing genre: Language use in professional settings.* London: Longman.

—. 1997. "Introduction: Genre analysis and World Englishes". *World Englishes,* 16 (3): 313-319.

BIBER, Douglas. 1988. *Variation across speech and writing.* Cambridge: Cambridge University Press.

—. 1995. *Dimensions of register variation: A cross-linguistic comparison.* Cambridge: Cambridge University Press.

BIBER, Douglas y FINEGAN, Edward. 1989. "Drift and the evolution of English style: A history of three genres". *Language, 65* (3), 487-517.

BIBER, Douglas; JOHANSSON, Stig; LEECH, Geoffrey; CONRAD, Susan, y FINEGAN, Edward. 1999. *Longman grammar of spoken and written English.* Harlow, Essex: Pearson Education.

BREGMAN, Alvan y HAYTHORNTHWAITE, Caroline. 2003. "Radicals of presentation: Visibility, relation, and co-presence in persistent conversation". *New Media and Society,* 5 (1): 117-140.

BROWN, T. Pascal y LEWIS, Marilyn. 2002. "An ESP project: Analysis of an authentic workplace conversation". *English for Specific Purposes,* 22 (1): 93-98.

CHRISTIE, Frances (ed.). 1985. *Children writing: Reader.* Geelong, Victoria: Deakin University Press.

CHRISTIE, Frances y MARTIN, James R. (eds.). 1997. *Genre and institutions: Social processes in the workplace and school.* London: Cassell.

CIAPUSCIO, Guiomar. 2005. "La noción de género en la Lingüística Sistémico Funcional y en la Lingüística Textual". *Revista Signos,* 38 (57). 31-48.

COPE, Bill y KALANTZIS, Mary (eds.). 1993. *The powers of literacy: A genre approach to teaching writing.* London: The Falmer Press.

DUDLEY-EVANS, Tony. 1994. "Genre analysis: An approach to text analysis for ESP". En Malcolm Coulthard (ed.), *Advances in written text analysis,* London-New York: Routledge, pp. 219-228.

DUDLEY-EVANS, Tony y HENDERSON, Willie (eds.). 1990. *The language of economics: The analysis of economics discourse*. London: Modern English Publications.

EGGINS, Suzanne. 1994. *An introduction to systemic functional linguistics*. London: Pinter.

EGGINS, Suzanne y MARTIN, James R. 1997. «Genres and registers of discourse». En Teun A. van Dijk (ed.), *Discourse as structure and process. Discourse studies: A multidisciplinary introduction*, London: Sage, pp. 230-256.

—. 2003. "El contexto como género: una perspectiva lingüística funcional". *Revista Signos*, 36 (54): 185-205.

FIRTH, John Rupert. 1968. *Selected papers of J. R. Firth*. Bloomington/London: Indiana University Press.

GIANNONI, Davide Simone. 2002. "World of gratitude: A contrastive study of acknowledgement texts in English and Italian research articles". *Applied Linguistics*, 23 (1): 1-31.

GREGORY, Michael. 1988. "Generic situation and register: A functional view of communication". En James D. Benson, Michael J. Cummings y William S. Greaves (eds.), *Linguistics in a systemic perspective*, Amsterdam-Philadelphia: John Benjamins, pp. 301-329.

GREGORY, Michael y CARROLL, Susanne. 1978. *Language and situation: Language varieties and their social contexts*. London: Routledge-Kegan Paul.

HALLIDAY, Michael A. K. 1978. *Language as social semiotic: The social interpretation of language and meaning*. London: Edward Arnold.

—. 1985. *An introduction to functional grammar*, 1.ª ed. London: Arnold.

—. 1989. "Context of situation". En Michael A. K. Halliday y Ruqaiya Hasan (eds.), *Language, context and text*, Oxford: Oxford University Press, pp. 3-14.

—. 1994. *An introduction to functional grammar*, 2.ª ed. London: Arnold.

Halliday, Michael A. K. y HASAN, Ruqaiya. 1976. *Cohesion in English*. London: Longman.

HALLIDAY, Michael A. K., MacINTOSH, ANGUS y STREVENS, Peter. 1964. *The linguistic sciences and language teaching*. London: Longman.

HALLIDAY, Michael A. K. y MARTIN, James R. 1993. *Writing science: Literacy and discursive power*. London: Falmer Press.

HALLIDAY, Michael A. K. y MATTHIESSEN, Christian M. I. M.. 2004. *An introduction to functional grammar*, 3.ª ed. London: Arnold.

HASAN, Ruqaiya. 1977. "Text in the systemic-functional model". En Wolfgang Dressler (ed.), *Current trends in textlinguistics*, Berlin-New York: Walter de Gruyter, pp. 228-246.

—. 1984. "The nursery tale as genre". *Nottingham Linguistics Circular*, 13: 71-102.

—. 1995. "The conception of context in text". En Peter H. Fries y Michael Gregory (eds.), *Discourse in society: Systemic functional perspectives. Meaning and choice in language. Studies for Michael Halliday,* Norwood, NJ: Ablex, pp. 183-283.

HYMES, Dell. 1974. *Foundations in sociolinguistics: An ethnographic approach.* Philadelphia: University of Pennsylvania Press.

HYON, Sunny. 1995. *A genre-based approach to ESL reading: Implications for North America and Australia.* Ph. D. dissertation, University of Michigan, Ann Arbor.

—. 2001. "Long-term effects of genre-based instruction: A follow-up study of an EAP reading course". *English for Specific Purposes,* 20 (Supplement 1): 417-438.

JOHNS, Ann (ed.). 2002. *Genre in the classroom: Multiple perspectives.* Mahwah, NJ: Lawrence Erlbaum.

KESSLER, Brett; NUNBERG, Geoffrey, y SCHÜTZE, Hinrich. 1997. „Automatic detection of text genre". *Proceedings of the 35th Annual Meeting of the Association for Computational Linguistics,* Madrid, pp. 32-38.

KOIKE, Dale A. y BIRON, Christina M. 1996. "Genre as a basis for the avanced Spanish conversation class". *Hispania,* 79 (2): 290-296.

KRESS, Gunther. 1982. *Learning to write.* London: Routledge and Kegan Paul.

KRESS, Gunther y THREADGOLD, Terry. 1988. "Towards a social theory of genre". *Southern Review,* 21 (3): 215-243.

LECKIE-TARRY, Helen. 1995. *Language and context: A functional linguistic theory of register.* London: Pinter.

LUZÓN MARCO, María José. 2002. "A genre analysis of corporate home pages". *LSP and Professional Communication,* 2 (1): 41-56.

MACKEN-HORARIK, Mary. 2002. "'Something to shoot for': A systemic functional approach to teaching genre in secondary school science". En Ann Johns (ed.), *Genre in the classroom: Multiple perspectives,* Mahwah, NJ: Lawrence Erlbaum, pp. 17-42.

MALINOWSKI, Bronislaw. 1923 [1946]. "The problem of meaning in primitive languages". En Charles K. Ogden e Ivor A. Richards (eds.), *The meaning of meaning,* London: Kegan Paul, pp. 296-336.

MARTIN, James R. 1984. "Language, register and genre". En Frances Christie (ed.), *Children writing: Reader,* Geelong, Victoria: Deakin University Press, pp. 21-30.

—. 1985. *Factual writing: Exploring and challenging social reality.* Victoria: Deakin University Press.

—. 1992. *English text: System and structure.* Amsterdam-Philadelphia: John Benjamins.

—. 1993. "Genre and literacy: Modeling context in educational linguistics". *Annual Review of Applied Linguistics,* 13: 141-172.

—. 1997. "Analysing genre: Functional parameters". En Frances Christie y James R. Martin (eds.), *Genre and institutions: Social processes in the workplace and school,* London: Cassell, pp. 3-39.

—. 2001. "Language, register and genre". En Anne Burns y Caroline Coffin (eds.), *Analysing English in a global context,* London-New York: Routledge, pp. 149-166.

MARTIN, James R., CHRISTIE, Frances y ROTHERY Joan. 1987. "Social processes in education: A reply to Sawyer and Watson (and others)". En Ian Reid (ed.), *The place of genre in learning: Current debates,* Victoria: Deakin University Press, pp. 58-82.

MARTIN, James R. y ROSE, David. 2003. *Working with discourse.* London: Continuum.

—. 2008. *Genre relations: Mapping culture.* London: Equinox.

MARTÍN MARTÍN, Pedro. 2002. "A genre analysis of English and Spanish research paper abstracts in experimental social sciences". *English for Specific Purposes,* 22 (1): 25-43.

MEINHOF, Ulrike H. y SMITH, Jonathan. 2000. *Intertextuality and the media: From genre to everyday life.* Manchester: Manchester University Press.

MILLER, Carolyn. 1984. "Genre as social action". *Quarterly Journal of Speech,* 70 (2): 151-167.

MITCHELL, T. F. 1957. "The language of buying and selling in Cyrenaica: A situational statement". *Hesperis,* 26: 31-71.

MOHAN, Bernard. 1986. *Language and content.* Reading, MA: Addison-Wesley.

MORRIS, Juan Pablo y NAVARRO, Federico. 2007. *Género y registro en la lingüística sistémico funcional. Un relevo crítico.* Ponencia presentada en el I Coloquio Argentino del Grupo ECLAR "Texto y Género", La Plata, Argentina.

MURRAY, Denise E. 1991. *Conversation for action: The computer terminal as medium of communication.* Amsterdam-Philadelphia: John Benjamins.

NAVARRO, Federico. 2009. Reseña de *Genre relations: Mapping culture.* Consultada el 14 de abril de 2012, en <http://discurso.wordpress.com/2009/03/26/resena-martin-rose-2008-genre-relations-mapping-culture/>.

OCHS, Elinor. 1979. "Planned and unplanned discourse". En Talmy Givón (ed.), *Discourse and syntax. Syntax and semantics Volume 12,* New York: Academic Press, pp. 51-80.

PAINTER, Claire y MARTIN, James R. (eds.). 1986. *Writing to mean: Teaching genres across the curriculum.* Melbourne: Applied Linguistics Association of Australia.

PALTRIDGE, Brian. 1993. "Writing up research: A systemic functional perspective". *System,* 21 (2): 175-192.

—. 1995. "Working with genre: A pragmatic perspective". *Journal of Pragmatics,* 24 (4), 393-406.

—. 1997. *Genre, frames and writing in research settings.* Amsterdam-Philadelphia: John Benjamins.

—. 2000. "Genre knowledge and the language learning classroom". *English Australia Journal,* 18 (2): 52-59.

—. 2001. *Genre and the language learning classroom.* Ann Arbor: The University of Michigan Press.

PARODI, Giovanni. 2003. "Los tipos textuales del corpus técnicoprofesional PUCV 2003: una aproximación multiniveles". *Revista Signos,* 36 (54): 207-223.

— (ed.). 2008. *Géneros académicos y géneros profesionales. Accesos discursivos para saber y hacer.* Valparaíso: EUV.

— (ed.). 2010. *Academic and professional discourse genres in Spanish.* Amsterdam: Benjamins.

PINTO DOS SANTOS, V. B. M. 2002. "Genre analysis of business letters of negotiation". *English for Specific Purposes,* 21 (2): 167-199.

REID, Ian (ed.). 1987. *The place of genre in learning: Current debates.* Geelong, Victoria: Deakin University Press.

ROSE, David. 2007. "Reading genre: A new wave of analysis". *Linguistics and the Human Sciences,* 2 (2): 185-204.

ROTHERY, Joan. 1985. *Teaching writing in the primary school: A genre based Approach to the development of writing abilities.* Sydney: Department of Linguistics, University of Sydney.

SAMRAJ, Betty. 1989. "Exploring current issues in genre theory". *Word,* 40 (1-2): 189-200.

—. 2002. "Introductions in research articles: Variations across disciplines". *English for Specific Purposes,* 21 (1): 1-17.

SHEPHERD, Michael y WATTERS, Carolyn. 1998. "The evolution of cybergenres". *Proceedings of the 31st Annual Hawaii International Conference on System Sciences (HICSS '98),* Hawaii: IEEE, pp. 97-109.

SWALES, John M. 1990. *Genre analysis: English in academic and research settings.* Cambridge: Cambridge University Press.

SWALES, John M.; JAKOBSEN, Heriette; KEJSER, Christina; KOCH, Lena; LYNCH, Joan, y LONE Mølbæk. 2000. "A new link in a chain of genres?" *Hermes,* 25: 133-141.

TABOADA, Maite. 2004. *Building coherence and cohesion: Task-oriented dialogue in English and Spanish.* Amsterdam-Philadelphia: John Benjamins.

THREADGOLD, Terry. 1988. "The genre debate". *Southern Review*, 21 (3): 315-330.

—. 1989. "Talking about genre: Ideologies and incompatible discourses". *Cultural Studies*, 3: 92-118.

TROSBORG, Anna (ed.). 2000. *Analysing professional genres*. Amsterdam-Philadelphia: John Benjamins.

UPTON, Thomas A. y CONNOR, Ulla. 2001. "Using computerized corpus analysis to investigate the textlinguistic discourse moves of a genre". *English for Specific Purposes*, 20 (4): 313-329.

URE, Jean y ELLIS, Jeffrey. 1977. "Register in descriptive linguistics and linguistic sociology". En O. Uribe-Villas (ed.), *Issues in sociolinguistics*. The Hague: Mouton, pp. 197-243.

VENTOLA, Eija. 1987. *The structure of social interaction: A systemic approach to the semiotics of service encounters*. London: Frances Pinter.

—. 1989. "Problems of modelling and applied issues within the framework of genre". *Word*, 40 (1-2): 129-161.

ZWAAN, Rolf A. 1994. "Effect of genre expectations on text comprehension". *Journal of Experimental Psychology: Learning, Memory and Cognition*, 20 (4): 920-933.

LOS GÉNEROS: UNA PERSPECTIVA INTERACCIONISTA

Florencia Miranda
Universidad Nacional de Rosario, Argentina
Centro de Lingüística-UNL / FCT, Portugal

1. Introducción

El interaccionismo sociodiscursivo (ISD) es una corriente que se asume como una prolongación y una variante del movimiento denominado *interaccionismo social,* en la línea de Vigotsky, Mead y Voloshinov, por ejemplo (cf. Bronckart, 2006: 9). Esta corriente fue iniciada por un grupo de investigadores de la Univesidad de Ginebra en la década de 1980 (bajo la dirección de Jean-Paul Bronckart y entre los que se cuentan también Bernard Schneuwly y Joanquim Dolz) y es actualmente un espacio de pensamiento, estudio e intervención en el que confluyen las prácticas de investigadores y profesores de diferentes países.[1]

Entre los postulados del ISD, se destaca el de atribuirle al lenguaje y, en particular, a las "prácticas de lenguaje situadas" (textos y discursos), un papel destacado, ya que se consideran instrumentos fundamentales del desarrollo humano. Además, el ISD postula la necesidad de teorizar tanto las prácticas como los problemas de intervención en las prácticas (especialmente en el ámbito de la educación o de la formación de las personas). Se trata de una perspectiva integral, que toma en consideración aspectos psicológicos, socio-históricos, culturales y lingüísticos, proponiendo un abordaje metodológico descendente (que implica, como veremos, ir desde las actividades colectivas hacia las unidades lingüísticas).

En este capítulo, propongo observar el lugar de los géneros en el marco del ISD. Comenzaré realizando una presentación global de la perspectiva. Luego

---

[1]   Sobre el ISD como construcción colectiva, véanse, por ejemplo, el volumen 2 (de 2004) de la revista brasileña *Calidoscópio* —en particular, el artículo de síntesis de Bronckart (2004a)—, el libro de 2008 organizado por Guimarães *et al.* y el número 3 de la revista portuguesa *Estudos Linguísticos / Linguistic Studies,* de 2009.

mostraré los contornos de noción de género y, finalmente, presentaré una breve introducción a los modelos de análisis y a las herramientas de intervención que se han desarrollado en esta corriente.

2. El interaccionismo sociodiscursivo: visión de conjunto

El ISD retoma tres de los principios fundamentales del interaccionismo social (Bronckart, 2006: 9-10). En primer lugar, se postula que los procesos de *socialización* y los procesos de *individualización* (o de formación de las personas individuales) son dos vertientes o dos facetas indisociables del mismo desarrollo humano. En segundo lugar, se considera que para trabajar seriamente en ciencias humanas es necesario explicitar cuál es la postura epistemológica y el cuestionamiento que nos orientan. En este sentido, el ISD asume que la actividad práctica es el objeto central de cualquier "ciencia de lo humano" y, en consecuencia, esta ciencia debe teorizar acerca de las prácticas y, al mismo tiempo, debe intervenir en esas prácticas (especialmente en el ámbito de la educación y de la formación). En tercer lugar, se defiende que es necesario cuestionar la división de las ciencias humanas en múltiples disciplinas y subdisciplinas, tal como surge de la adhesión a la epistemología positivista.

De modo que el ISD es una corriente que busca desarrollar (y desarrollarse en) la Ciencia de lo Humano. La especificidad del ISD radica en postular que el problema del lenguaje es absolutamente central o decisivo para esa ciencia (Bronckart, 2006: 10) y retoma una tesis que podemos encontrar tanto en los trabajos de Vigotsky como en los manuscritos de Saussure: los signos de lenguaje fundan la constitución del pensamiento consciente humano. Por eso, como ya mencioné, se considera que las prácticas de lenguaje situadas son los instrumentos principales del desarrollo humano. Para el ISD, la construcción de capacidades cognitivas tendencialmente universales es el resultado de un proceso secundario, que se aplica progresivamente a las capacidades de pensamiento; de modo que estas capacidades están, desde el inicio, marcadas por lo sociocultural y por el lenguaje.

El proyecto del ISD surgió ligado a una preocupación esencialmente didáctica; es decir, una preocupación que combina el *estudio* de las prácticas y la *intervención* en las prácticas. En su primera fase, los trabajos se orientaron hacia el desarrollo de secuencias didácticas (véase infra) y, paralelamente, hacia el desarrollo de un modelo teórico capaz de sostener y esclarecer las prácticas de enseñanza de las lenguas. Posteriormente, esta corriente se fue constituyendo como un marco de trabajo que articula tres niveles de análisis. El primer nivel corresponde a las dimensiones de la vida social que para un individuo funcionan como preconstruidos históricos: 1) las formaciones sociales; 2) las actividades colectivas generales; 3) las actividades de lenguaje (que "comentan" las actividades generales); 4) los mundos formales (Habermas, 1987) o estructuras de conocimientos colectivos. El segundo nivel se ocupa de los procesos de mediación formativa. Y el tercer nivel se aboca a los efectos que las mediaciones formativas ejercen sobre los individuos (Bronckart, 2004c: 99). La investigación sobre géneros textuales (o la descripción de géneros diversificados) se sitúa en el primer nivel de análisis, o sea, en el estudio de los preconstruidos.

Actualmente, los investigadores situados en el ISD buscan desarrollar e implementar los modelos de análisis de las prácticas —incluyendo el análisis de géneros textuales— o intervienen en el campo escolar o de formación en general, y hay quienes estudian, además, las prácticas laborales (o las actividades de trabajo).

Según Bronckart (2005a: 155), los principales "productos" del ISD son el *modelo de la acción de lenguaje* y el *modelo de la arquitectura textual*. Sin embargo, vale observar que estos modelos son eslabones de un aparato teórico mayor, que asume como perspectiva fundamental el abordaje descendente de las prácticas de lenguaje. Es decir, de las actividades generales a las actividades de lenguaje, de las actividades de lenguaje a las acciones de lenguaje, de las acciones a los textos, de los textos a las unidades lingüísticas.

Desde esta perspectiva, entonces, las prácticas (o producciones) de lenguaje deben ser consideradas, en primer lugar, en su relación con la actividad humana en general, siendo que las actividades de lenguaje están asociadas a las actividades colectivas o sociales. Sobre este aspecto, es preciso mencionar que las diversas "especies de actividades de lenguaje" constituyen dominios que en otras teorías del discurso o del texto se denominan *tipos de discurso* (véase, por ejemplo, Rastier, 2001 y Charaudeau y Maingueneau, 2002). En el ámbito del ISD, para designar estas esferas del uso del lenguaje no se emplea la formulación *tipos de discurso* por varias razones. Entre ellas, el hecho de que no se trata de una verdadera tipología —lo que inhibe la posibilidad de empleo técnico del término *tipo*— y, por otro lado, que la expresión *tipos de discurso* tiene una acepción diferente (mucho más restricta, como veremos más adelante).[2]

Ahora bien, en cada actividad colectiva, es posible delimitar acciones de lenguaje particulares. Estas acciones corresponden a las prácticas de lenguaje que un individuo emprende en el marco de una actividad social. Los dominios de la actividad y de la acción son respectivamente de orden sociológico y psicológico.

---

[2]   Para una discusión sobre este aspecto terminológico y epistemológico, véanse, por ejemplo, Bronckart (2004c) y Miranda (2008c).

Siguiendo a Saussure,[3] se asume que los signos lingüísticos se organizan en textos y en discursos. De modo que es sólo a través de estas realizaciones empíricas como tenemos acceso al estudio de las lenguas naturales y del lenguaje. Los textos (en plural) son, para el ISD, los correspondientes empíricos de las actividades de lenguaje de un grupo; y un texto singular es el correspondiente empírico de una acción de lenguaje.

La producción de un texto implica la movilización de unidades lingüísticas (y, eventualmente, de otras unidades semióticas), pero el texto no es en sí mismo una unidad lingüística, sino una unidad de comunicación (o comunicativa), que depende de la acción socio-psicológica en que se produce. Para describir el proceso de producción de un texto es necesario recurrir a la noción de género, ya que se asume que todo texto se inscribe necesariamente en un género de texto o deriva de un modelo de género.

Resumiendo, la actividad de lenguaje (en general) se despliega o se desdobla en el marco de las actividades colectivas humanas, movilizando los recursos de una determinada lengua natural. Esto da origen a unidades comunicativas, orales o escritas, que llamamos *textos*. Los textos se diversifican en géneros y éstos están necesariamente articulados a diferentes esferas de la actividad humana.

En el siguiente apartado, presentaré algunas consideraciones sobre la noción de género y, posteriormente, propondré una síntesis de los modelos de análisis e intervención, donde quedará evidenciado el lugar de destaque de los géneros.

3. La noción de *género*

Tal como en otras perspectivas teóricas, los investigadores situados en el ISD realizaron sus primeras reflexiones sobre los géneros impulsados —entre otras fuentes— por la lectura de los textos de Bajtín. Así, en los trabajos producidos desde mediados de la década de 1980 y hasta hace muy poco tiempo, la referencia a Bajtín es casi permanente (véase, por ejemplo, Bronckart, 1997 y 2006). Sin embargo, en los últimos años, Bronckart se ha ido mostrando cada vez más alejado de las obras bajtinianas y mucho más próximo a las concepciones de Voloshinov (Bronckart, 2004b: 322). Esto se relaciona con los resultados de es-

---

[3] Es preciso explicitar que el Saussure que se retoma no es el "estructuralista", "recortado" y mal interpretado del *Curso de lingüística general,* sino, sobre todo, el Saussure de los manuscritos preparatorios de sus cursos (véase, por ejemplo, Saussure, 2002). Sobre la lectura que el ISD plantea de Saussure, véanse Bronckart (2008a) y (2009), y también Bulea (2010).

tudios que Bronckart y Cristian Bota han desarrollado sobre Bajtín y Voloshinov (véase Bronckart y Bota, 2011) y, en particular, sobre la noción de género (véase Bota y Bronckart, 2008). Este trabajo[4] les ha permitido demostrar que la noción de género que asume el ISD es heredera de la concepción que se encuentra en las obras de Voloshinov de los años veinte del siglo pasado.

Aunque no corresponde profundizar aquí la discusión sobre la "paternidad" de las obras y los conceptos de Bajtín y de Voloshinov, es necesario considerar que no se trata de un tema pacífico, ni de un asunto sin importancia. En todo caso, a los efectos de este capítulo, interesa asentar la existencia de esta controversia y mencionar algunos de los aspectos retomados de Voloshinov por los investigadores del ISD.

Tal como explicita Bronckart en el siguiente fragmento, en los años veinte del siglo pasado, Voloshinov retoma la noción de género de Jakubinski y profundiza, por un lado, la *generalización* en su empleo y, por otro, el hecho de asumir su *carácter principalmente social.*

> Jakubinski (1923) avait certes introduit la notion de «genres de la parole» et posé une distinction entre dialogues de la vie quotidienne et «parole publique» (voir Brandist, 2003: 66), mais l'apport de Voloshinov en ce domaine a été, d'une part de procéder à une véritable *généralisation de la notion de genre,* en posant que toute production verbale, qu'elle relève des échanges quotidiens ou de l'ambition littéraire, relève nécessairement d'un genre, d'autre part de mettre l'accent sur la dépendance des genres à l'égard des situations de communication, ou de souligner le *statut fondamentalement social des genres* (Bronckart, 2009: 35).

Además de estos aspectos, la influencia de Voloshinov se observa también en el programa metodológico de carácter descendente asumido por el ISD para el estudio del lenguaje:

> Sur la base de l'ensemble de ces prises de position, Voloshinov a alors énoncé son célèbre programme méthodologique, dont la logique est fondamentalement "descendante": - analyser d'abord les épisodes d'interaction verbale dans leur cadre social concret; - analyser ensuite les genres de textes mobilisés dans ces interactions ; - procéder enfin à l'examen des propriétés linguistiques formelles de chacun des genres (Bronckart, 2010: 16).

---

[4]   Una versión en español de ese artículo ha sido publicada en: Bota, Cristian y Bronckart, Jean-Paul. 2010. "Voloshinov y Bajtín: dos enfoques radicalmente opuestos de los géneros de textos y de su carácter". En D. Riestra (comp.), *Saussure, Voloshinov y Bajtín revisitados. Estudios históricos y epistemológicos,* Buenos Aires: Miño y Dávila, pp. 107-127.

Como vemos, la noción de género ocupa un lugar central en el programa metodológico del ISD. No obstante, vale explicitar que ésta no es una corriente dedicada exclusiva ni principalmente al análisis de géneros. La centralidad de los géneros como categoría y como objeto de estudio tiene que ver con que el hecho de que los géneros articulan la dimensión praxeológica, la dimensión epistémica y la dimensión semiótica. Este papel de articulación significa que tanto el análisis de las prácticas como el análisis lingüístico (o bien, ambos integrados) deben tomar en consideración forzosamente la diversidad de géneros.

Ahora bien, ¿cómo se define la noción de género en esta corriente? Para responder a este interrogante podemos distinguir tres ámbitos de aprehensión o tres planos: psicológico, social y semiótico. Si bien ésta no es una distinción propuesta por el ISD, me permitirá reunir las diferentes definiciones que se han dado en los trabajos situados en este marco teórico.[5] Como es evidente, la distinción que propongo es meramente metodológica, ya que estos tres planos funcionan en las prácticas de lenguaje reales siempre en una constante interrelación.

En lo que respecta al plano psicológico (o, si preferimos, psico-cognitivo), los géneros constituyen *instrumentos* disponibles y necesarios para la organización del uso del lenguaje en unidades de comunicación, es decir, en textos. En tal sentido, todo texto se produce y se interpreta a partir de los "modelos de géneros" que los agentes (productores y receptores) conocen y reconocen. Como veremos más adelante, en el marco del ISD se ha propuesto una descripción detallada y fundamentada del proceso de producción textual —que incluye la selección de un "modelo de género"—, pero no se ha abordado aún la problemática de la recepción y de la interpretación de textos.

La tesis del género como *instrumento psicológico* (en sentido vigotskiano), propuesta por Schneuwly (1994), se fundamenta en la idea de que las actividades humanas son mediadas por instrumentos, que a su vez representan o, incluso, materializan de cierta manera la actividad. Una actividad se constituye en la articulación de tres polos: el sujeto, la situación y el instrumento material o simbólico, al que se asocia un determinado esquema de utilización.

En el plano social, estos instrumentos son el resultado de las prácticas de lenguaje de las generaciones pasadas y de los contemporáneos. De modo que son creados y recreados en y por las propias prácticas colectivas para posibilitar la

---

5 Aunque en el marco del ISD no se ha propuesto esta distinción explícitamente para la definición de los géneros, sí se ha planteado una distinción entre los llamados niveles *psicológico, de lenguaje* y *sociológico,* y es en el nivel del lenguaje *(langagier)* en el que se sitúan los géneros, en tanto que "lugar intermediario". Sobre este aspecto, véase Bronckart (2009: 54).

comunicación lingüística. Sobre este aspecto, podríamos referir la célebre afirmación bajtiniana de que si los géneros no existieran, la comunicación verbal sería imposible (Bajtín [1979] 2005: 268). Además, los géneros se asocian a actividades de lenguaje diversas, formando "campos genéricos" o grupos de géneros vinculados a esas actividades.[6]

Desde el punto de vista psico-social, los géneros se organizan en una "nebulosa", a la que, retomando una expresión de Genette (1982), Bronckart (2005b) llama *architexto*.[7] Se trata del repertorio de géneros disponibles en una comunidad. Un repertorio siempre cambiante (especialmente en el plano semiótico), pero con relativa estabilidad. En efecto, los géneros son cristalizaciones momentáneas, que se modifican con la historia porque las actividades humanas y los recursos de las lenguas naturales van cambiando.

La imagen de una nebulosa que propone Bronckart (1997: 76) busca demostrar que la distinción de géneros puede mostrar zonas más nítidas o fronteras más difusas. De esto resulta que las clasificaciones de géneros son siempre insatisfactorias y, en última instancia, una clasificación total de los géneros es imposible de realizar. De ese repertorio de géneros, cada miembro de la comunidad tiene un conocimiento parcial, que va desarrollando y ampliando en función de sus experiencias textuales. Es por eso por lo que, como veremos en el punto 5 de este capítulo, el dominio de los géneros —o la apropiación de estos instrumentos— constituye un objetivo fundamental en el ámbito del aprendizaje de las lenguas.

Según Bronckart (2005b: 62), los géneros disponibles en el architexto sufren diversas evaluaciones sociales, lo que origina que los géneros sean portadores de distintas *indexaciones* sociales: ser adecuados a una determinada actividad, ser pertinentes para una situación comunicativa particular y tener un mayor o menor valor cultural asociado.

En el plano semiótico, los géneros son configuraciones de opciones (semio) lingüísticas relativamente estabilizadas y conforman "formatos textuales". En este sentido, es posible identificar características lingüísticas específicas de cada género textual, aunque no se trate de características "exclusivas" (véase Miranda, 2010). Es importante mencionar que Bronckart ha ido mostrando diferentes

---

[6]   La noción de "campo genérico" se toma de los trabajos de Rastier (2001, entre otros). Sobre la relación entre el ISD y la semántica textual de Rastier (2001), véase Bronckart (2008b y 2010: 17).

[7]   Vale comentar que, en la obra de 1997, Bronckart utiliza el término *intertexto*, pero en respuesta a algunas críticas en relación con el empleo de los términos, el autor reemplaza ese término (más asociado a los textos empíricos que a los géneros) por el de *architexto*. Véase, por ejemplo, Bronckart (2005b: 63-65).

actitudes en relación con la posibilidad de realizar descripciones de los rasgos lingüísticos de los géneros. Así, si en 1997 se mostraba reticente a la realización de tales descripciones (Bronckart, 1997: 138), a mediados de los 2000 comenzó a manifestarse más favorable (Bronckart, 2004a: 120) y llegó a asumir, incluso, que la caracterización de géneros constituye, de hecho, una línea de trabajo del ISD (Bronckart, 2008c: 41). Actualmente, existe una innegable cantidad de estudios centrados en la descripción de géneros diversos que se sitúan en este marco teórico.

Por otro lado, los investigadores de esta corriente más vinculados a la didáctica de las lenguas se han mostrado desde el inicio menos reticentes a la caracterización lingüística de los géneros. Esto se debe, probablemente, a que es necesario identificar y describir la organización lingüística de los géneros para poder "transformarlos" en objetos de enseñanza de las lenguas.[8]

Una de las cuestiones que es necesario explicitar en el marco de este capítulo es la opción del ISD de considerar los géneros como "de texto" o "textuales" y no "del/de discurso" o "discursivos". Aunque no se trata de una decisión aislada, ya que otras corrientes también defienden esta opción,[9] en el ISD la decisión es absolutamente deliberada y ha sido varias veces fundamentada (véase, por ejemplo, Bronckart, 2004c: 101).

Entre las razones dadas para esta opción, se destaca el hecho de considerar que *discurso* y *texto* son dos *realidades* diferentes y no dos formas de ver un mismo objeto. La noción de discurso se asume, retomando los trabajos de Benveniste y de Saussure, como la utilización del sistema de la lengua en situaciones concretas. El discurso es, entonces, la *lengua en uso*. El texto, como ya vimos, es concebido como una *unidad comunicativa* que moviliza unidades de, por lo menos, una lengua natural y, eventualmente, otras unidades semióticas. Cada texto empírico adopta y adapta (como veremos en el próximo apartado) un "modelo de género", es decir, un determinado "formato" que corresponde a una configuración de unidades semióticas relativa y momentáneamente cristalizada. Se trata de "formatos textuales" que pueden incluir, por lo tanto, elementos del orden discursivo, pero también elementos semióticos de otra naturaleza (icónica, sonora, cinética, etc.). En los términos de Schneuwly (1994: 161) los géneros son *instrumentos semióticos complejos,* es decir, "una

---

8   Véase también más adelante la discusión del concepto de "modelos didácticos".

9   De hecho, como señala Bronckart (2004c: 102, n. 3), la designación "género textual" también es utilizada, por ejemplo, en la lingüística del texto alemana, en la teoría de los géneros de raíz literaria (Genette, Schaeffer, etc.) y en la semántica textual desarrollada por François Rastier.

configuración estabilizada de varios subsistemas semióticos (sobre todo lingüísticos, pero también paralingüísticos)". Es por esta complejidad por lo que el autor propone, incluso, una nueva metáfora: la del género como *megainstrumento*.

En el próximo apartado, veremos una presentación necesariamente sintética de los modelos de análisis elaborados en el marco del ISD, destacando en cada caso el lugar de los géneros.

4. Los modelos de análisis: la acción de lenguaje y la arquitectura textual

Para presentar los modelos de análisis desarrollados por el ISD, podemos empezar preguntándonos cómo se entiende la producción de textos en esta perspectiva interaccionista.

Un sujeto —considerado un *agente*— que va a producir un nuevo texto (oral o escrito) se encuentra en una *situación de acción de lenguaje*. Esta situación opera en la producción textual a través de las representaciones (mentales) que el agente construye en relación con:

a) los parámetros del contexto material o físico (emisor y eventuales coemisores, receptor, espacio y tiempo de la producción y recepción del texto);
b) los parámetros del contexto socio-subjetivo (el lugar social de la producción, el papel social del emisor —que le confiere el estatuto de enunciador—, el papel social del receptor —que le da el estatuto de destinatario— y los objetivos);
c) otras representaciones de la situación y de los conocimientos disponibles relativos al contenido temático vehiculado en el texto.

Además de esto (o en simultáneo), el agente que va a producir un texto dispone también de un conocimiento personal (y parcial) del conjunto de géneros en uso en su comunidad verbal y de los modelos de género disponibles en el architexto. A partir de ahí, el agente debe desarrollar un doble proceso. Por un lado, debe elegir (seleccionar estratégicamente) o "adoptar" el modelo de género que le parece más adaptado o más pertinente según las propiedades globales de la situación de acción, tal como él se las representa. Por otro lado, debe necesariamente "adaptar" el modelo elegido, en función de las propiedades particulares de esa misma situación. El resultado de ese doble proceso es un nuevo texto empírico que muestra tanto los rasgos del género elegido (o adoptado) como los rasgos del proceso de adaptación a las particularidades de la situación. Así, todo texto empírico constituye siempre un ejemplar de género. Ese texto presenta, entonces, una tensión entre la generalidad de los rasgos recurrentes de un modelo (momentáneamente estabilizado) y la singularidad de una determinada situación de acción.

Todo este proceso es sintetizado por Bronckart mediante el esquema reproducido a continuación.

FIGURA 1

Condiciones de producción de los textos (traducido de Bronckart 2005b: 64)

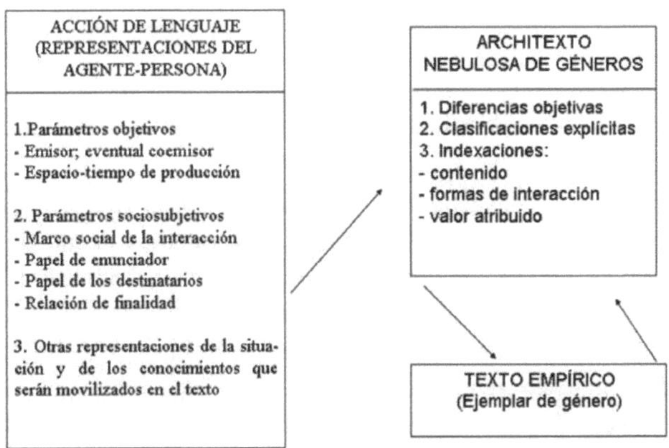

Este modelo de la acción de lenguaje —y las categorías de análisis que le están asociadas— permite dar cuenta de una parte del funcionamiento de las prácticas de lenguaje. De hecho, fue necesario desarrollar un modelo que diera cuenta de la construcción y organización interna de los textos (o, en otros términos, de los aspectos más propiamente lingüísticos de las prácticas de lenguaje). Así, fue propuesto, a partir de un trabajo empírico emprendido en la década de 1980 sobre centenas de textos, el modelo de la arquitectura textual.

En este modelo, se propone que todo texto presenta tres niveles superpuestos de organización o estructuración. El nivel más "superficial" (o más directamente ligado a los parámetros de la situación de acción) es el de los *mecanismos de responzabilización enunciativa,* y comprende los fenómenos de gestión de las voces del texto y los de modalización, que contribuyen para dar al texto su coherencia pragmática. El nivel intermedio es el de los mecanismos llamados de *textualización,* que incluyen fenómenos de conexión y cohesión nominal y verbal. Estos fenómenos son los responsables de la coherencia temática de los textos. Finalmente, el nivel más "profundo" (o menos directamente relacionado con los parámetros situacionales) es llamado *infraestructura* e incluye las siguientes estructuraciones: el plan de texto, los tipos de discurso y las secuencias.

FIGURA 2

Esquema de la arquitectura textual (traducido y adaptado de Bronckart, 2005b: 66)

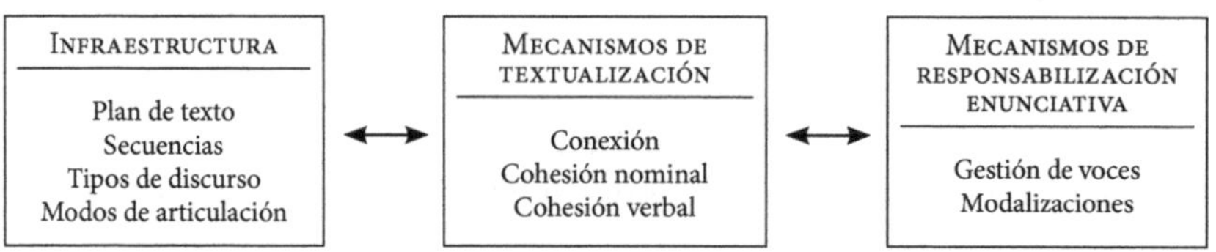

Vale la pena observar, aunque sea de modo breve, cómo se conciben las estructuraciones internas de los textos, que no pocas veces algunos investigadores o profesores confunden con los géneros (especialmente, en el caso de las secuencias narrativa, descriptiva y argumentativa).

El plan de texto y las secuencias son dos categorías que se retoman de los trabajos de Jean-Michel Adam (1992, 1999). Sin embargo, la caracterización de planes de texto es algo todavía poco explorado en el ISD y la problemática de las secuencias se plantea con algunas diferencias en relación con la propuesta de Adam. Entre las diferencias más significativas, se destaca el hecho de que mientras para Adam un texto siempre contiene al menos una secuencia —completa o elíptica—, para el ISD pueden existir textos en que no se realice ninguna secuencia. Por otro lado, Bronckart considera que es necesario distinguir una secuencia de tipo "instructivo", mientras que Adam pasó a considerar ese tipo de organización, en la última década, como perteneciente al ámbito de la descripción de acciones. Además de la secuencia instructiva, Bronckart agrega a las cinco propuestas por Adam (narrativa, descriptiva, argumentativa, explicativa y dialogal) dos formas básicas de organización secuencial o "planificación": el *script* y la esquematización.

Por su parte, la noción de *tipos de discurso* es un aporte fundamental —quizá uno de los más destacados— del ISD para el análisis de los textos y de los géneros. Si para Bronckart puede haber textos sin secuencias, todo texto comporta, en cambio, al menos un tipo de discurso. Éstos se definen como segmentos que entran necesariamente en la composición de los géneros[10] (y, por lo tanto, de cada texto empírico), en los que se traducen mundos discursivos particulares (o diferentes "actitudes de locución"). Esta noción se basa en la "tipología de los discursos" de Simonin-Grumbach (1975), que buscaba identificar el conjunto de

---

[10] "Les **types de discours** sont des *formes d'organisation linguistique,* en nombre limité, dont sont composés, selon des modalités diverses, tous les genres textuels" (Bronckart, 1997: 254).

unidades lingüísticas de los mundos o planos enunciativos y describir sus operaciones psicológicas constitutivas.[11]

En términos sencillos, podríamos decir que al usar la lengua (al producir discurso) hay básicamente dos posibilidades: exponer algo o contar algo. Estas dos posibles organizaciones del contenido temático pueden presentar a su vez dos formas de relación con los parámetros situacionales: estar anclados directamente en las coordenadas enunciativas (relación de implicación) o ser autónomos en relación con esas coordenadas (relación de autonomía). Así, habrá un exponer-implicado, un exponer-autónomo, un contar-implicado y un contar-autónomo.

Se considera, entonces, que existen cuatro tipos de discurso (*interactivo, teórico, relato interactivo* y *narración*), cuya identificación se realiza a partir de las unidades lingüísticas que ocurren en ellos. La configuración de las unidades conforma "tipos lingüísticos" específicos para cada lengua natural, que *semiotizan* cuatro "mundos discursivos". Como vemos, estos mundos surgen de la relación que se establece en la producción textual entre las coordenadas que organizan el contenido temático movilizado en el texto y las coordenadas del mundo ordinario (en relación con la situación de acción). Esa relación se sintetiza en el siguiente cuadro:

FIGURA 3

Tipos de discurso (traducido de Bronckart, 1997: 159)

| | | COORDENADAS GENERALES DE LOS MUNDOS | |
		CONJUNCIÓN **EXPONER**	DISJUNCIÓN **CONTAR**
RELACIÓN CON EL ACTO DE PRODUCCIÓN	IMPLICACIÓN	*Discurso interactivo*	*Relato interactivo*
	AUTONOMÍA	*Discurso teórico*	*Narración*

Según Bronckart (2008a: 40), la estructuración general de los géneros depende de las actividades humanas a las que se asocian (dimensión praxeológica), mientras que la estructuración de los tipos de discurso se vincula con las

---

[11] Además del papel fundamental de este artículo de Simonin-Grumbach, la problemática de los tipos de discurso en el ISD retoma también los trabajos de Benveniste, Weinrich y Genette.

formas en que se pueden desdoblar las operaciones del pensamiento humano (dimensión gnoseológica o epistémica). Un determinado tipo de discurso se puede integrar a (o formar parte de) diferentes géneros. Por ejemplo, el discurso interactivo en la publicidad gráfica y en la receta culinaria televisiva; el discurso teórico en el artículo de diccionario y en la conferencia, etc. Así, podemos decir con Machado (2005: 245) que los tipos de discurso son una de las características de los géneros. Incluso, tal como pude mostrar en trabajos anteriores (Miranda, 2008b, 2009 y 2010, entre otros), los tipos de discurso pueden asumir características lingüísticas diferenciadas de acuerdo con los géneros en los que se integran.

Para finalizar este apartado, conviene señalar que los modelos de la acción de lenguaje y de la arquitectura textual pueden ser utilizados tanto para el análisis de textos singulares como para el análisis de géneros.

5. Los instrumentos de intervención en la enseñanza: modelos didácticos de géneros y secuencias didácticas

Para el ISD, los géneros ocupan un lugar central no sólo en el análisis de las prácticas de lenguaje, sino también en determinadas acciones de intervención. Es el caso de la enseñanza de las lenguas. Esto resulta de la concepción antes mencionada respecto del papel mediatizador del género en las prácticas de lenguaje.

Los trabajos con orientación didáctica del ISD han sido dedicados en gran parte al desarrollo de dos herramientas de enseñanza de las lenguas en las que el género juega un rol principal: los llamados "modelos didácticos de géneros" y las "secuencias didácticas". Para comprender la relevancia de estas herramientas, es preciso explicitar qué se asume como objetivo de la enseñanza de lenguas:

> La **finalidad general** de la enseñanza de lenguas apunta al dominio **de los géneros,** en tanto instrumentos de adaptación y participación en la vida social/comunicativa, y a los aprendizajes relativos a la sintaxis o al léxico como *apoyo técnico* para esa finalidad global (Bronckart y Dolz, 2007: 158).

El dominio de los géneros como finalidad de la enseñanza de lenguas se presenta como una alternativa superadora al propósito difuso del desarrollo de una (o de la) "competencia comunicativa" (véase Miranda, 2008a). El foco en los géneros pone en primer plano la necesidad de desarrollar capacidades textuales para participar en acciones y actividades de lenguaje diversas. El aprendizaje de una lengua es la apropiación de estos instrumentos semióticos complejos. Apropiarse de un género y dominarlo, implica, por un lado, ser capaz de seleccionarlo como instrumento en situaciones concretas y, por otro, seleccionar y gestionar unidades y mecanismos semióticos (verbales y, eventualmente, no verbales) adecuados.

Para tomar los géneros como unidad de trabajo en situaciones de enseñanza, se ha propuesto el desarrollo de **modelos didácticos de géneros.** Esto significa la elaboración de descripciones de las características de los géneros orientadas hacia su utilización en acciones educativas. Estos modelos incluyen la identificación y caracterización de aspectos de tres "dimensiones enseñables": la situación de comunicación o de acción de lenguaje, la organización interna global (infraestructura de los textos) y las unidades lingüísticas.

Estos modelos se utilizan para la elaboración de **secuencias didácticas,** es decir, para la planificación de conjuntos de actividades organizadas de forma sistemática en torno a un determinado género textual (Dolz, Noverraz y Schneuwly, 2004: 95). Las secuencias didácticas tienen por objetivo ayudar a que el alumno aprenda a dominar, en la producción, un determinado género oral o escrito.[12]

FIGURA 4

Esquema de la secuencia didáctica

(traducido de Dolz, Noverraz y Schneuwly, 2004: 98)

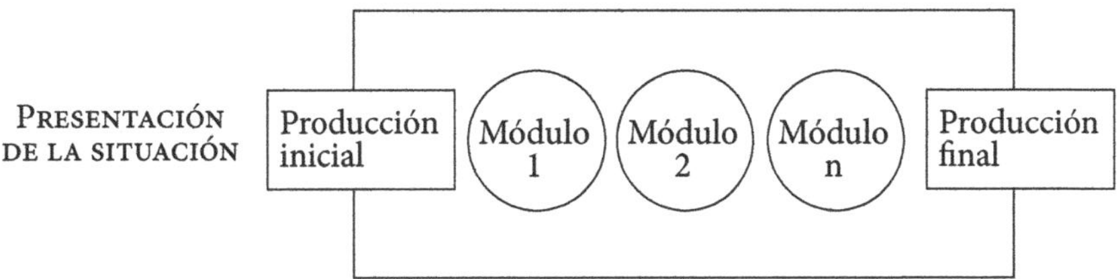

En cada secuencia se propone un proyecto colectivo de producción de un género seleccionado. En el marco de ese proyecto, los alumnos realizan una primera producción de un texto del género en cuestión *(producción inicial)*. A partir de la evaluación de las capacidades ya adquiridas y de las falencias que los alumnos manifiestan en esa producción inicial, se planifican diferentes *módulos.* És-

---

12 Aunque la propuesta de las secuencias didácticas está centrada en el desarrollo de capacidades de producción de un único género cada vez, es posible utilizar los principios y la metodología de esta herramienta para el trabajo con más géneros simultáneamente y también para el desarrollo de las capacidades de comprensión de textos. Para una discusión en este sentido, véase Miranda (2005).

tos son sesiones de trabajo en forma de taller con actividades orientadas hacia la superación de las dificultades encontradas. Puede tratarse de cuestiones vinculadas a aspectos situacionales (por ejemplo, cómo asumir determinado papel socio-subjetivo o cómo dirigirse a determinado destinatario) o cuestiones de organización interna del texto (a nivel de la infraestructura, de los mecanismos de textualización o de los mecanismos enunciativos). Los módulos pueden incluir actividades orales o escritas, individuales o colectivas y pueden, incluso, recurrir a las clásicas ejercitaciones de aspectos gramaticales. La secuencia finaliza con la realización de una nueva producción textual (llamada *producción final*), en que los alumnos deben producir un nuevo texto del género en estudio. Esta última producción permite evaluar el desarrollo efectivo de las diversas capacidades abordadas en los módulos.

6. Consideraciones finales

Si, actualmente, el estudio de los géneros es un campo que se explora en diversas corrientes teóricas,[13] podríamos preguntarnos cuál es el aporte singular de la propuesta del ISD. Sin duda, la respuesta inmediata que surge de una visión panorámica como la que se acaba de presentar es que se trata de una teoría que defiende una concepción integral del funcionamiento del lenguaje. Tal concepción ha exigido proponer una descripción en detalle y de forma fundamentada del *proceso de producción textual,* en tanto que principal práctica de lenguaje. En esa práctica los géneros ocupan para el ISD un lugar destacado. Pero la propuesta incluye, asimismo, la decisión epistemológica de no sólo describir las prácticas, sino también de intervenir en ellas.

A modo de síntesis de las cuestiones observadas en este capítulo, podemos mencionar la concepción de la preexistencia de los géneros y su papel de instrumento semiótico complejo (con un papel de mediación) en las prácticas de lenguaje. Además, el procedimiento doble de adopción y adaptación de los modelos de géneros explica la coexistencia en los textos empíricos de rasgos de genericidad y de estilo individual (o de singularidad del texto). Por otro lado, vimos que la imposibilidad de realizar una clasificación definitiva de los géneros responde al hecho de que se organizan en una nebulosa en permanente movimiento (el architexto), que tiene zonas más nítidas y zonas más difusas. Finalmente, observamos el lugar que se les reconoce a los géneros en el desarrollo (y, particu-

---

[13] Una prueba de ello es este mismo libro, así como propuestas bibliográficas similares realizadas en otras lenguas. Véase, por ejemplo, Meurer *et al.* (2005).

larmente, en las prácticas de enseñanza). En este sentido, se asume que los géneros participan en la integración de los nuevos miembros de la especie y, por eso, constituyen, necesariamente, objetos de la enseñanza de las lenguas. En las acciones de intervención educativa se debería apuntar, entonces, al dominio de los géneros como objetivo principal.

L'appropriation des genres constitue dès lors un mècanisme fondamental de socialisation, d'insertion pratique dans les activités communicatives humaines. Et [...] c'est dans ce processus général d'appropriation des genres que se façonne la personne humaine.

Soulignons enfin que ce processus d'adoption-adaptation génère lui-même de nouveaux exemplaires de genres, plus ou moins différents des exemplaires pré-existants. Et que c'est en conséquence par l'accumulation de ce processus individuels que les genres se modifient en permanence, et prennent un statut fondamentalment dynamique et **historique** (Bronckart, 1997: 106).

Referencias bibliográficas

ADAM, Jean-Michel. 1992. *Les textes: types et prototypes*. Paris: Nathan.

—. 1999. *Linguistique textuelle. Des genres de discours aux textes*. Paris: Nathan.

BAJTÍN, Mijaíl. [1979] 2005. *Estética de la creación verbal*. Buenos Aires: Siglo XXI.

BOTA, Cristian y BRONCKART, Jean-Paul. 2008. "Voloshinov et Bakhtine: deux approches radicalement opposées des genres de textes et de leur statut". *Linx, N° spécial «Les genres de texte»*, pp. 67-83.

BRONCKART, Jean-Paul. 1997. *Activité langagière, textes et discours. Pour un interactionisme socio-discursif*. Lausanne: Delachaux et Niestlé.

—. 2004a. "Commentaires conclusifs. Pour un developpement colletif de l'interactionisme socio-discursif". *Calidoscópio,* Vol. 2, n.º 2: 113-123.

—. 2004b. Entrevista. *Revista DELTA,* 20 (2): 311-328.

—. 2004c. "Les genres de textes et leur contribution au développement psychologique". *Langages,* 153: 98-108.

—. 2005a. "Les différentes facettes de l'interactionnisme socio-discursif". *Calidoscópio,* 3 (3): 149-159.

—. 2005b. "Os géneros de texto e os tipos de discurso como formatos das interacções de desenvolvimento". En Fernanda M. Menéndez (ed.), *Análise do discurso,* Lisboa: Hugin, pp. 37-79.

—. 2006. *Atividade de linguagem, discurso e desenvolvimento humano*. Campinas: Mercado de Letras.

—. 2007. "La enseñanza de lenguas: para una construcción de las capacidades textuales". En Jean-Paul Bronckart (ed.), *Desarrollo del lenguaje y didáctica de las lenguas,* Buenos Aires: Miño y Dávila, pp. 133-146.

—. 2008a. "A atividade de linguagem em relação à língua. Homenagem a F. de Saussure". En Ana Maria Guimarães, Anna Rachel Machado y Antónia Coutinho (orgs), *O interacionismo sociodiscursivo: questões epistemológicas e metodológicas,* Campinas: Mercado de Letras, pp. 19-42.

—. 2008b. "Genres de textes, types de discours et «degrés» de langue. Hommage à François Rastier". *Texto!* 13 (1). Disponible en http://www.revue-texto.net/.

—. 2009. "Le langage au cœur du fonctionnement humain. Un essai d'intégration des apports de Voloshinov, Vygotski et Saussure". *Estudos Linguísticos / Linguistic Studies,* 3: 31-62.

—. 2010. "Mais a quoi donc reconnait-on les genres de textes?" (Prólogo). En Florencia Miranda, *Textos e géneros em diálogo. Uma abordagem linguística da intertextualização.* Lisboa: FCT-FCG, pp. 13-24.

BRONCKART, Jean-Paul y BOTA, Cristian. 2011. *Bakhtine démasqué. Histoire d'un menteur, d'une escroquerie et d'un délire collectif.* Ginebra: Droz.

BRONCKART, Jean-Paul y DOLZ, Joaquim. 2007. "La noción de competencia: su pertinencia para el aprendizaje de las acciones verbales". En Jean-Paul Bronckart, *Desarrollo del lenguaje y didáctica de las lenguas.* Buenos Aires: Miño y Dávila, pp. 147-165.

BULEA, Ecaterina. 2010. "Nuevas lecturas de Saussure". En Dora Riestra (comp.), *Saussure, Voloshinov y Bajtín revisitados. Estudios históricos y epistemológicos.* Buenos Aires: Miño y Dávila, pp. 15-42.

CHARAUDEAU, Patrick y MAINGUENEAU, Dominique. 2002. *Dictionnaire d'analyse du discours.* Paris: Seuil.

DOLZ, Joaquim y SCHNEUWLY, Bernard. 1996. "Genres et progression en expréssion orale et écrite – Éléments deréflexions à propos d'une expérience romande". *Enjeux,* 37-38: 49-75.

DOLZ, Joaquim; NOVERRAZ, Michèle, y SCHNEUWLY, Bernard. 2004. "Seqüéncias didáticas para o oral e a escrita: apresentação de um procedimento". En Bernard Schneuwly y Joaquim Dolz (eds.), *Gêneros orais e escritos na escola.* Campinas: Mercado de Letras, pp. 95-128.

GENETTE, Gérard. 1982. *Palimpsestes.* Paris: Seuil.

HABERMAS, Jurgen. 1987. *Théorie de l'agir communicationnel.* Paris: Fayard.

MACHADO, Anna Rachel. 2005. "A perspectiva interacionista sociodiscursiva de Bronckart". En José Luiz Meurer, Adair Bonini y Desirée Motta-Roth (orgs.), *Gêneros: teorias, métodos, debates.* São Paulo: Parábola, pp. 237-259.

MEURER, José Luiz; BONINI, Adair, y MOTTA-ROTH, Désirée (orgs.). 2005. *Géne-ros: teorias, métodos, debates*. São Paulo: Parábola.

MIRANDA, Florencia. 2005. "Géneros não escolares em sala de aula". En *Actas do 6º Encontro Nacional da Associação de Professores de Português (Portugal)*. Pu-blicación en CD-ROM.

—. 2008a. "De la 'competencia comunicativa' al 'dominio de los géneros'". *Nove-dades Educativas*, 211: 40-43.

—. 2008b. "Géneros de texto e tipos de discurso na perspectiva do interaccionis-mo sociodiscursivo: que relações?" *Estudos Linguísticos / Linguistic Studies*, 1: 81-100.

—. 2008c. "Os tipos de discurso em debate". En Ana Mattos Guimarães, Anna Rachel Machado y Antónia Coutinho (orgs), *O interacionismo sociodiscursi-vo: questões epistemológicas e metodológicas*. Campinas: Mercado de Letras, pp. 161-166.

—. 2009. "O discurso interactivo em diferentes géneros: uma abordagem empíri-ca". *Estudos Linguísticos / Linguistic Studies*, 3: 365-381.

—. 2010. *Textos e géneros em diálogo. Uma abordagem linguística da intertex-tualização*. Lisboa: Fundação para a Ciência e a Tecnologia-Fundação Gul-benkian.

RASTIER, François. 2001. *Arts et sciences du texte*. Paris: PUF.

SAUSSURE, Ferdinand. 2002. *Écrits de linguistique générale*. Paris: Gallimard.

SCHNEUWLY, Bernard. 1994. "Genres et types de discours: considérations psy-chologiques et ontogénétiques". En Yves Reuter, *Les interactions lecture-écri-ture*, Berne: Peter Lang, pp. 155-173.

SIMONIN-GRUMBACH, Jenny. 1975. "Pour une typologie des discours". En Julia Kristeva, Jean-Claude Milner y Nicolas Ruwet (eds.), *Langue, discours, socié-té*. Paris: Seuil, pp. 85-121.

VOLOSHINOV, Valentin N. [1929] 1992. *El marxismo y la filosofía del lenguaje*. Madrid: Alianza.

LA LINGÜÍSTICA DE LOS GÉNEROS
Y SU RELEVANCIA PARA LA TRADUCCIÓN

GUIOMAR ELENA CIAPUSCIO
Universidad de Buenos Aires - CONICET

En esta contribución presentaré algunas ideas procedentes de la lingüística del texto (LT) y, más específicamente, de una rama reciente dentro de ella, la llamada *lingüística de los géneros* (en terminología alemana, *Textsortenlinguistik,* cf. Adamzik, 2000, 2004). Mi propósito es aportar algunas reflexiones a la discusión sobre la naturaleza y las características de la llamada *competencia del traductor* y mostrar cómo los aportes de esta corriente pueden contribuir a definir y precisar desde el punto de vista teórico esa competencia y así colaborar con la compleja y fascinante tarea de la traducción. En este sentido estas reflexiones desean colaborar con los esfuerzos contemporáneos que postulan la necesidad de articular la formación y la praxis del traductor sobre la base de la noción de género (cf. García Izquierdo, 2005).

A continuación, presento la versión original de una entrada al teatro en alemán y seguidamente una propuesta de traducción al castellano:

DIE STALBURG THEATER
EINTRITTSKARTE
Alison Rippier & Thomas Rausch
Es ist ein Dschungel da draussen, Baby
Samstag, 17. Februar 2007, 20 Uhr

HAUPTSPONSOR

Einige Hinweise und Bitten:
Bereits gekaufte Eintrittskarten können <u>sogar beim Stalburg Theater</u> nicht zurücker-erstattet werden - <u>und wenn Sie noch so lieb bitten</u>. Einlass ins Theaterchen ist eine Stun-de vor Vorstellungsbegin. Bitte ohne Genehmigung keine Foto-Film-oder Tonaufnahmen machen, <u>sonst gibt es Haue</u>. Wenn Ihnen Garderobe abhanden kommen sollte, <u>kaufen wir Ihnen KEINE neue</u>. Ein Anspruch auf Plätze nebeneinander besteht nicht, <u>Sie kön-</u>

*nen also getrost Tante Gertrud mitbringen. Bitte warten Sie mit dem Pipimachen bis zur
Pause. Rauchen ist unglaublich gesund und gesellig, deswegen dürfen Sie es auch im Fo-
yer und nach der Vorstellung auch im Saal tun. Aber bitte im Saal nicht vor und auch
nicht während der Vorstellung. Und, ach ja: Wenn während der Vorstellung Ihr Handte-
lefon klingelt, werden Sie schon sehen, was passiert. Also Obacht!*

Entrada

Alison Rippier & Thomas Rausch
Hay una selva allí afuera, baby
Sábado, 17 de febrero de 2007, 20 horas

Patrocinador principal, KFW

Algunas indicaciones y pedidos

No se reembolsan las entradas adquiridas, incluso en el teatro Stalburg, y aunque
usted lo pida así de amablemente. *El ingreso al teatrito es una hora antes del comienzo
de la función. No está permitido tomar fotos ni hacer grabaciones sin autorización,* de
lo contrario le daremos una paliza. *Si ocurriera una pérdida de ropa,* NO le comprare-
mos ropa nueva. *No hay derecho a asientos contiguos,* así que puede traer a la tía Gertrudis sin miedo. *Por favor espere hasta la pausa* para hacer pis. Fumar es supersano
y sociable, por eso *lo puede hacer en el hall y también en la sala después de la función.
Pero por favor no en la sala ni antes ni durante la función. Y ah sí… si durante la función suena su celular,* ya va a ver lo que pasa. Así que ¡cuidadito!

Traducir la entrada al teatro Stalburg del alemán al castellano implica poner
en juego una cantidad de conocimientos que van mucho más allá del conocimiento del léxico y la sintaxis. El texto en la lengua original ha sido planificado
y construido de tal modo que juega, desde el principio hasta el final, con el conocimiento genérico del lector, es decir, con el conocimiento del género "entrada
al teatro" que el lector ha almacenado a lo largo de su experiencia comunicativa,
a partir de la interacción con otros ejemplares del mismo género. En efecto, hay
allí esquemas textuales asiduos y característicos, con los cuales el lector alemán
está familiarizado y que hacen que, justamente, el texto sea reconocido por él o
ella como perteneciente al género "entrada al teatro" (más allá, por cierto, de los
factores situacionales). Se trata de los sintagmas que he marcado en la versión
alemana, y también en la traducción castellana propuesta, con cursiva; algunos
ejemplos en castellano son: *No se reembolsan las entradas adquiridas, No está
permitido tomar fotos ni hacer grabaciones sin autorización, Si ocurriera una
pérdida de ropa,* etc. Estas construcciones exhiben ciertos rasgos lingüísticos
regulares: impersonalidad generalizada, pasivas con *se,* dominancia de la terce-

ra persona gramatical, colocaciones léxicas, etc., que realizan un estilo formal y distanciado; por otro lado, es también caracterizadora del género la selección léxica previsible que refleja la composición conceptual del guión "concurrir a una función de teatro" (*entradas, ropa, tomar fotos, asientos, pausa, sala*, etc.). Pero, por otra parte, también hay allí construcciones y elementos léxicos inesperados o imprevisibles del género, que he destacado con subrayado: por ejemplo, *le daremos una paliza, así que puede traer a la tía Gertrudis sin miedo, para hacer pis*. También encontramos contenidos imprevistos, que colisionan con el conocimiento común y compartido *(fumar es supersaludable y sociable)*, y actos de habla totalmente inusuales del género, especialmente, amenazas: *le daremos una paliza, ya va a ver lo que pasa, Así que ¡cuidadito!* La sorpresa y el efecto humorístico del texto radican en la transgresión de las convenciones o expectativas de los lectores acerca del género. Espero que ese efecto de gracia persista en mi traducción castellana, pero además aventuro que a ese efecto se suma —en el caso de los intérpretes hispanohablantes— cierto sentimiento de extrañeza ante la densidad informativa de esta entrada al teatro, ante los pormenores y detalles que prevé, de cierta manera, un exceso de planificación que lleva a la sonrisa.

La estructura del capítulo es la siguiente: en primer lugar, presentaré una síntesis de los desarrollos contemporáneos en la lingüística de los géneros. Para ello realizaré una referencia general a cómo ha sido tratado el tema en la lingüística textual de raíz germana, para luego detenerme en los desarrollos actuales de la lingüística textual cognitivo-comunicativa. En la última parte de esta exposición realizaré algunas reflexiones que discuten la relevancia de esos desarrollos con la tarea de traducir y con la formación de los traductores.

1. La lingüística de los géneros

La noción de *género* tiene una relevancia indudable en la lingüística contemporánea: desde el punto de vista teórico, porque presenta nuevas tareas y desafíos para los analistas, en la medida que trata con unidades complejas —los textos, los discursos— cuya naturaleza y posibilidades descriptivas y explicativas son objeto de debate en las distintas corrientes; desde el punto de vista aplicado, porque los conocimientos sobre géneros son esenciales para optimizar los procesos de adquisición y la enseñanza de la lengua materna, de lenguas segundas y extranjeras, la traducción y, en general, para contribuir con la eficiencia y efectividad de los intercambios en los más diversos ámbitos del uso lingüístico (entre otros: comunicación en instituciones, redacción especializada, sistemas de archivo y documentación, productos informáticos, etc.).

La noción de género en la lingüística del texto, del mismo modo que el concepto de *texto,* ha sido campo de debate de las sucesivas tendencias, surgidas de los distintos paradigmas de la lingüística, que repercutieron en esta corriente. A diferencia de otras corrientes actuales que también se ocupan de la noción de género como uno de sus tópicos principales, en el desarrollo de la lingüística del texto la pregunta acerca de cómo distinguir tipos o clases de textos desempeñó un papel central ya en la fase inicial: en el primer coloquio de LT realizado en Konstanz (Van Dijk *et al.*, 1972),[1] cuya finalidad consistió en sentar las bases de la nueva disciplina, los especialistas allí reunidos plantearon que una teoría de los textos tenía como uno de sus objetivos principales establecer una tipología que diera cuenta de todos los (tipos de) textos posibles.

Dentro de esta corriente, el tratamiento del problema de los géneros ha tenido diferentes modos de abordaje. Una perspectiva esencial fue la teórica: la definición del género se vinculaba con la respuesta a las cuestiones medulares de la teoría textual que se intentaba construir: "Qué es un texto", "en qué consiste la coherencia textual, "cómo describir la estructura textual". Esta perspectiva, de ímpetu teórico y que concebía las tipologías como sistemas deductivos de ordenamiento de textos, fue perdiendo vigor hasta prácticamente desaparecer a mediados de los años ochenta del siglo pasado (véase Gülich, 2002: 9). La segunda perspectiva tiene una dirección empírico-inductiva. En efecto, a partir de mediados de los años ochenta, el propósito orientado decididamente a lo descriptivo intentaba capturar los rasgos esenciales de los textos concretos, ordenarlos y categorizarlos con el sustento de la teoría. De este modo se intentaba garantizar la "aceptabilidad empírica" de la tipología y se evitaba la frecuente colisión entre las categorías teóricas y la realidad textual.

2. Las propuestas cognitivo-comunicativas

Dentro de las distintas direcciones contemporáneas de la lingüística textual alemana, desarrolladas a partir de los años noventa, se destaca con nitidez un enfoque, que se denomina *cognitivo-comunicativo* (Heinemann y Viehweger, 1991; Heinemann, 2000; Heinemann y Heinemann, 2002) y que pone el énfasis, ya no tanto en el texto como producto acabado, sino más bien en los aspectos de la producción y la comprensión textuales, es decir, en su procesamiento. Este enfoque está fuertemente influido por los trabajos de la psicología soviética, que se

---

[1]   Algunos resultados de este importante coloquio se encuentran en Van Dijk, Ihwe, Petöfi y Rieser (1972).

centran en el concepto de *actividad comunicativa* y en su papel en las actividades prácticas e intelectuales (por ejemplo, Leont'ev, 1984), y por los desarrollos vinculados con el procesamiento de textos, resultado del "giro cognitivo" en LT (entre otros, De Beaugrande y Dressler, 1981; Van Dijk y Kintsch, 1983).

Los textos son comprendidos como actividades comunicativas destinadas al logro de determinados objetivos; a diferencia de los enfoques pragmático-accionales, que parten de los actos de habla individuales, los modelos fundados en el concepto de actividad toman como punto de partida la totalidad textual (la perspectiva es *top-down*) y su inclusión en marcos de actividades superiores; por otra parte, tratan de dar cuenta del hecho de que los textos siempre son empleados en determinados contextos sociales y, por tanto, desempeñan funciones comunicativas pero también sociales. Desde el ángulo cognitivo, los textos en la comunicación no son objetos estáticos, sino que tienen como propiedad característica el carácter procesual. Un individuo que produce o comprende un texto pone en juego, a partir de un conjunto de esquemas de operaciones cognitivas, variados sistemas de conocimientos interrelacionados: conocimiento enciclopédico (conocimiento sobre el mundo), conocimiento lingüístico (léxico y gramática), conocimiento interaccional-situacional y conocimiento sobre clases de textos o géneros (Heinemann y Viehweger, 1991). Los textos, entonces, son concebidos como entidades primariamente psíquicas —dado que, como toda actividad humana, están basados en procesos psíquicos— y que, vistos como productos, no son sino el *resultado de procesos mentales*.

Los textos, en tanto productos, son objetos complejos y naturales, y se caracterizan por la propiedad de la textualidad, que tiene naturaleza prototípica; la textualidad consiste en un conjunto de rasgos o atributos, que atañen a los distintos niveles o dimensiones constitutivas de los textos: la funcionalidad, que está en el centro de los criterios de textualidad (Heinemann y Heinemann, 2002: 104), la situacionalidad, la tematicidad, la coherencia y la cohesión. En palabras de Barbara Sandig:

> Los textos son empleados en situaciones (situacionalidad), para resolver distintas tareas en un contexto social (funcionalidad), que se refieren a determinados estados de cosas (tema, coherencia). La cohesión preserva la integración local (Sandig, 2000: 99).

Por otra parte, los textos concretos son siempre representantes ("muestras") de una categoría o género de textos ("tipos"): un conjunto de quinientas entradas al teatro o de quinientos editoriales periodísticos de distintos medios —más allá de su diversidad— revelarán cualidades comunes que permiten adscribirlos al tipo o género "entrada" y "editorial". Los géneros pueden describirse y explicarse en términos de agrupaciones de textos a partir de rasgos, cualidades, atributos que se refieren a sus dimensiones constitutivas y distintivas. Los géneros cristalizan un *sistema de conocimientos* que se adquiere a lo largo de la socialización y las experiencias comunicativas (Heinemann, 2000). Como puede verse, en esta línea, se destaca la preocupación esencial por la realidad cognitiva de los géneros, por su adquisición y por la vinculación esencial entre competencia genérica y experiencia cultural y social. El conocimiento sobre géneros de los hablantes es multidimensional, en el sentido de que comprende cualidades prototípicas referidas a las distintas dimensiones de los textos, que pueden adquirir, además, distinta relevancia según el género. Las tipologías de textos son, en este modo de ver las cosas, representaciones del conocimiento genérico, y por lo tanto deben reflejar esa multidimensionalidad.

Desarrollos relativamente recientes (Heinemann, 2000; Heinemann y Heinemann, 2002; Adelstein y Ciapuscio, 2006-2007) realizan una distinción teórica y metodológica entre géneros (en tanto realizaciones textuales con cualidades prototípicas en las distintas dimensiones) y esquemas textuales, concebidos como los conocimientos esquemáticos sobre géneros que poseen los hablantes, distinción que permite alcanzar adecuación descriptiva y explicativa respectivamente.

Ahondemos primero un poco en la naturaleza cognitiva de los géneros: los géneros son parte de nuestra dotación comunicativa (Bergmann y Luckmann, 1995): el conocimiento sobre géneros se adquiere y se amplía sobre la base de las experiencias comunicativas y desempeña un papel central en las actividades de producir y de comprender textos. Esto es así porque como hablantes nos vemos enfrentados a tareas comunicativas regulares que de manera preferencial solucionamos de igual (o por lo menos de similar) modo. Por lo tanto, los ejemplares textuales que se instrumentan surgen como resultado y reflejo de las experiencias comunicativas de los hablantes y responden a lo que se denomina *esquemas textuales globales.* Los esquemas textuales son, básicamente, esquemas generales de estructuras textuales y formulaciones lingüísticas para la generación y la comprensión de textos; se trata de orientaciones generales sobre propiedades de los textos —en sus distintas dimensiones—, variables según la experiencia comunicativa del individuo, según su formación y área de actividad. Con la distinción terminológica entre *esquemas textuales* y *géneros* se separan, entonces, los fenómenos de naturaleza cognitiva (las experiencias intelectuales) de los resultados lingüísticos (o realizaciones textuales).

Los esquemas textuales son, en síntesis, esquemas cognitivos de orientación que adquirimos los hablantes a partir de experiencias comunicativas exitosas para la producción y la recepción de textos. Distintos teóricos coinciden en asignarles las siguientes características (entre otras):[2]

---

[2] Esta lista es una reformulación de la presentada originalmente por Heinemann y Heinemann (2002: 133-134).

• los esquemas textuales globales **tienen carácter procedural:** consisten de pasos secuenciales o métodos (Heinemann y Viehweger, 1991);

• **están marcados convencionalmente,** es decir, **tienen un carácter social** y compartido (Brinker, 1988);

• están conformados **individualmente:** son adquiridos según las experiencias comunicativas; por lo tanto, varían de individuo a individuo en cantidad y calidad;

• **tienen cierto grado de vaguedad,** en tanto reflejos de las variadas condiciones de comunicación (De Beaugrande y Dressler, 1981);

• **son flexibles,** es decir, se trata de esquemas con casilleros vacíos;

• **son variables** (Heinemann y Viehweger, 1991):

• **esa variación es de orden histórico,** dado que se originan en necesidades comunicativas; al cambiar las tareas comunicativas y los recursos, varían los procedimientos de resolución (Brinker, 1988);

• los esquemas textuales globales **son variables culturalmente,** puesto que son acuñados por grupos sociales a partir de metas, necesidades y condicionamientos específicos (Brinker, 1988).

• como los textos, los esquemas **tienen carácter multidimensional** (Heinemann y Viehweger, 1991), se trata de representaciones prototípicas en las distintas dimensiones textuales;

• los rasgos esquemáticos en las distintas dimensiones también tienen relevancia **prototípica,** es decir, un esquema textual no reúne todas las características de los ejemplares textuales potenciales de un género dado, sino sólo aquellas que son relevantes para la constitución textual específica en el contexto dado (Heinemann y Heinemann, 2002).

Vayamos ahora al concepto de género. ¿Cómo describirlos de manera más específica? ¿Cuáles son las dimensiones y los parámetros relevantes? Heinemann y Heinemann (2002) proponen una tipología que goza de bastante consenso entre los especialistas. Por un lado, la tipología puede verse como un modo de presentar los conocimientos sobre esquemas globales de los hablantes; por el otro, puede emplearse para tipificar, caracterizar y analizar los géneros. La tipología comprende los niveles de la *funcionalidad,* la *situacionalidad, tematicidad* y *estructura,* así como la *adecuación de la formulación,* niveles que, claro está, definen al objeto texto. A continuación, un esquema de los niveles / dimensiones con sus principales categorías distintivas:

Nivel 1. Funcionalidad
Funciones principales

        Expresarse
        Contactar
        Informar
        Dirigir
        Producir efectos estéticos

Nivel 2. Situacionalidad
                    Situación de actividad
                    Organización social de las actividades en ámbitos
                      comunicativos
                    Medio/canal
                    Número de interlocutores
                    Papeles sociales de los interactuantes
                    Situación contextual

Nivel 3. Tematicidad y estructura
                    Impronta temática
                    Despliegues del tema textual
                      (incluidos los esquemas de textualización)
                    Estructura del texto

Nivel 4. Adecuación de la formulación
                    Máximas comunicativas
                    Esquemas de formulación específicos del género
                    Particularidades estilísticas

Este instrumento permite entonces describir y contrastar distintos géneros, a partir de las distinciones categoriales de los niveles textuales, sus parámetros y sus valores particulares en la forma de rasgos específicos: así, por ejemplo, si consideramos la entrada al teatro desde el nivel de situacionalidad y seleccionamos el parámetro "Medio/canal", los rasgos por destacar son "comunicación escrita", "no diferida" (co-presencia de productor e intérprete), etc.[3] Sin embargo, las descripciones genéricas no deberían realizarse a partir de sucesiones aditivas de rasgos aislados, sino que sería deseable poder abarcar de manera sistemática los rasgos resultantes de los distintos niveles y su unión en haces como conjuntos complejos de rasgos característicos. Los modelos multidimensionales para la descripción genérica pueden aspirar a un grado especialmente alto de plausibilidad y adecuación práctica.

En síntesis: los géneros ("carta", "conferencia", "entrevista", "volante", etc.) consisten en conjuntos limitados de ejemplares textuales con rasgos específicos en común. Esos rasgos se refieren simultáneamente a varios niveles constitutivos del texto, a saber: características estructurales y de formulación lingüística, aspectos de contenido temático, a condiciones situacionales y a las funciones comunicativas. Los rasgos —estructurales, lingüísticos, temáticos, situacionales y funcionales— están relacionados entre sí y se condicionan mutuamente: así, de-

---

[3]   Una exposición ilustrada con ejemplos de la versión original de esta tipología se puede consultar en Ciapuscio (1994).

terminadas funciones textuales (llevar al otro a comportarse de determinada manera) condicionan la selección de determinados recursos modales (secuencias instructivas, modo imperativo, infinitivos, etc.). Los géneros entonces conforman **totalidades características** (complejos de rasgos), que "plasman" o evidencian las estructuras lingüísticas y los contenidos.

Los ejemplares textuales (los textos concretos), conformados de manera prototípica —es decir, que realizan adecuadamente los rasgos genéricos (que constituyen "buenos representantes" de la especie)—, son recursos comunicativos efectivos y eficaces para resolver las tareas comunicativas. La entrada al teatro presentada al inicio de este capítulo satisface rasgos propios del género en sus distintas dimensiones: la situación en que es interpretada (ingreso a una función teatral), el propósito de dar instrucciones sobre las normas y conductas generales esperadas, los temas previsibles (hora de ingreso, derecho de reembolso, asientos, cuidado de objetos personales, ruidos, etc.), el léxico correspondiente, las construcciones léxico-gramaticales, etc. Sin embargo, como se observó también, el texto juega con la transgresión de las expectativas, se desvía deliberadamente de lo esperado, cumple con lo que Fix (2005) califica como una técnica cultural dominante en la sociedad actual: el hacer diferente de lo que se hace habitualmente. De este modo, se alcanzan efectos retóricos y pragmáticos diversos: hilaridad, sorpresa, complicidad, etc. Evidentemente, el manejo de esta técnica cultural presupone el conocimiento profundo de lo "habitual", de lo esquemático y esperable: sólo con un conocimiento reflexivo sobre el género es posible producir o interpretar cabalmente ejemplares que constituyen "desvíos" del género. La entrada de teatro posee un "valor agregado" que habla de la creatividad de sus productores, quienes logran sorprender a sus interlocutores con formulaciones y contenidos accionales y temáticos inesperados.

3. Reflexiones finales

Hemos argumentado hasta aquí que los esquemas textuales globales son un tipo de conocimiento que todos los hablantes de una lengua adquieren durante su socialización: naturalmente, al depender de las experiencias comunicativas y de la exposición a distintos géneros, la competencia sobre esquemas textuales globales es desigual y se distribuye de distinto modo en una comunidad lingüística, respecto no sólo a la cantidad sino también a la calidad de los esquemas genéricos.

Para la tarea de la traducción, ese conocimiento genérico es esencial y decisivo, y debe alcanzar un notable grado de refinamiento en el traductor, quien ha de procesar con alto grado de eficiencia y efectividad la conversión de determinado texto de la lengua de partida —siempre representante de determinado género— en un texto que cumpla con las expectativas de los receptores, es decir, que exhiba los atributos esperables en sus distintas dimensiones del género en la lengua meta. Pero además, como hemos visto en el ejemplo de la entrada al teatro, debe poder comprender, capturar y resolver adecuadamente las transgresiones al género. En ese caso, es preciso que pueda identificar y comprender en las dimensiones superiores del texto de partida las funciones y las condiciones de situacionalidad que explican este ejemplar del género "entrada": por ejemplo, que este texto no sólo procura dar información e instrucciones relevantes para participar en la representación, sino también —y tal vez, fundamentalmente— producir hilaridad, crear una relación afectuosa y cómplice con el lector, autopresentarse como un grupo transgresor, efectos que logra con esta parodia del género de referencia. Analizadas las variables y rasgos de los niveles funcional y situacional, el traductor estará en mejores condiciones de encontrar las expresiones y los esquemas apropiados más canónicos del género —las estructuras en cursivas— y simultáneamente incluir recursos léxicos y gramaticales propios de la oralidad más coloquial que sean capaces de lograr los efectos humorísticos del texto original.

Dicho en forma resumida: con estas reflexiones queremos abonar la idea de que la competencia traductora debe incluir un módulo genérico, es decir, un módulo que contenga el conocimiento sobre las características globales de los géneros, de la lengua de partida y de la lengua meta. El conocimiento sólido y completo de las características textuales se favorece, sin duda, con la ayuda de instrumentos tipológicos multidimensionales, que ofrecen un marco de referencia para la sistematización de los rasgos textuales en sus niveles correspondientes, y simultáneamente, de su consideración en la globalidad (en la *Gestalt* textual). El conocimiento genérico es un tipo de conocimiento socio-cultural específico, que articula y guía la selección apropiada del conocimiento léxico-gramatical y textual de la lengua dada, a partir de las particulares condiciones que atañen a la situación comunicativa, las funciones y el tema del texto. Naturalmente, ese conocimiento debe entenderse como un conocimiento de naturaleza prototípica, flexible, con cierto grado de indeterminación y vaguedad, en el sentido de que involucrará conocimiento general sobre características prototípicas y esperables del género dado, y simultáneamente habilitará la creatividad, a través de la posibilidad de producir desvíos e incluso transgresiones, para lograr efectos específicos.

La competencia en traducción debe incluir un módulo genérico, que guíe y optimice las prácticas, que se orientarán así en las variables y los condicionamientos genéricos. Por lo tanto, la formación en la lengua meta —pero también y necesariamente en la lengua de partida— debe contemplar e incluir aspectos conceptuales de teoría y análisis de los géneros; en este sentido, también los estudios aplicados y contrastivos (cfr. Drescher, 2002; Eckkrammer, 2009; García Izquierdo, 2005, entre muchos otros) ofrecen insumos empíricos útiles para la sensibilización genérica del traductor. Como he tratado de mostrar con el ejemplo de la entrada al teatro, los traductores deben disponer de un conocimiento profundo y seguro de la "habitualidad" genérica, es decir, de los aspectos lingüístico-textuales más regulares y esperables de los textos, para estar en condiciones de comprender y transmitir en otra lengua el valor agregado del desvío y la transgresión.

Referencias bibliográficas

ADAMZIK, Kirsten. 2004. *Textlinguistik. Eine Einführung*. Tübingen: Niemeyer.
— (ed.). 2000. *Textsorten. Reflexionen und Analysen*. Tübingen: Stauffenburg-Verlag.
ADELSTEIN, Andreína y CIAPUSCIO, Guiomar. 2006-2007. "El género como interfaz: su papel en la conformación del significado léxico. 2006-2007". *Filología*, XXXVIII (número especial dedicado a los estudios lingüísticos y gramaticales): 139-167.
BERGMANN, Jörg y LUCKMANN, Thomas. 1995. "Reconstructive genres of everyday communication". En Uta Quasthoff (ed.), *Aspects of oral communication*. Berlin: Walter De Gruyter, pp. 289-304.
BRINKER, Klaus. 1988. *Linguistische Textanalyse*. Berlin: E. Schmidt.
CIAPUSCIO, Guiomar. 1994. *Tipos textuales*. Buenos Aires: Eudeba.
DE BEAUGRANDE, Robert y DRESSLER, Wolfgang. 1997 [1981]. *Introducción a la lingüística del texto*. Madrid: Ariel.
DIJK, Teun van y KINTSCH, Walter. 1983. *Strategies of discourse comprehension*. Cambridge: Cambridge Academic Press.
DIJK, Teun van; IHWE, Jens; Petöfi, JANOS, y RIESER, Hannes. 1972. *Zur Bestimmung narrativer Strukturen auf der Grundlage von Textgrammatiken*. Hamburg: Buske.
DRESCHER, Martina (ed.). 2002. *Textsorten im romanischen Sprachvergleich*, Tübingen: Stauffenburg.
ECKKRAMMER, Eva. 2009. "Questões fundamentais da textologia contrastiva". En Hans Peter Wieser e Ingedore Villaça Koch (eds.), *Lingüística textual: Perspectivas alemãs.*. Rio de Janeiro: Nova Fronteira, pp. 233-288.

FIX, Ulla. 2005. "Texte. Zwischen Musterbefolgen und Kreativität". *Der Deutschunterricht*, 1: 13-22.

GARCÍA IZQUIERDO, Isabel. 2005. *El género textual y la traducción. Reflexiones teóricas y aplicaciones pedagógicas*. Bern: Peter Lang.

GARCÍA IZQUIERDO, Isabel y BORJA, Anabel. 2008. "A multidisciplinary approach to specialized writing and translation using a genre based multilingual corpus of specialized texts". *LSP & Professional Communication, Fagsprog og Fagkommunikation, An International Journal*, 8 (1): 2-18.

GÜLICH, Elisabeth. 2002. "Einleitung". En Martina Drescher (ed.), *Textsorten im romanischen Sprachvergleich*. Tübingen: Stauffenburg, pp. 8-13.

HEINEMANN, Wolfgang. 2000. "Textsorten. Zur Diskussion um Basisklassen des Kommunizierens. Rückschau und Ausblick". En Kirsten Adamzik (ed.), *Textsorten*. Tübingen: Stauffenburg Verlag Brigitte Narr GmbH, pp. 9-29.

HEINEMANN, Wolfgang y VIEHWEGER, Dieter. 1991. *Textlinguistik: eine Einführung*. Tübingen: Niemeyer.

HEINEMANN, Margot y HEINEMANN, Wolfgang. 2002. *Grundlagen der Textlinguistik*. Tübingen: Max Niemeyer Verlag.

LEONT'EV, Alekséi. 1984. "Der allgemeine Tätigkeitsbegriff". En Alekséi Leont'ev y Erik Judin (eds.), *Grundfragen einer Theorie der sprachlichen Tätigkeit*. Stuttgart: Kohlhammer, pp. 13-30.

SANDIG, Barbara. 2000. "Text als prototypisches Konzept". En Martina Mangasser-Wahl (ed.), *Prototypentheorie in der Linguistik*. Tübingen: Stauffenburg, pp. 93-112.

LOS GÉNEROS EN LA VIDA SOCIAL:
LA PERSPECTIVA FUNDADA EN LAS PRÁCTICAS
SOCIALES

Isolda E. Carranza
CONICET, Argentina

1. Introducción

La obra de Bakhtin otorgó un nuevo impulso a los estudios sobre el género, más allá de los límites de los estudios literarios, y causó una proliferación de trabajos en muchas corrientes de los estudios del lenguaje. El redescubrimiento del pensamiento de Bakhtin que se difundió en las traducciones al francés y al inglés (entre las cuales se encuentran Bakhtin 1981 y 1986) influyó tanto en la narratología no literaria como en la sociolingüística interaccional y, particularmente, en los estudios del discurso de base etnográfica-antropológica y los de inspiración sociológica. En estos estudios, el género se entiende como la configuración relativamente estable de contenido, estructura y estilo, asociada con cierta situación comunicativa y vinculada a las condiciones históricas en las que tiene vigencia.

Sobre estos fundamentos se desarrollaron teorizaciones sobre género en la antropología lingüística que son compatibles con gran parte del análisis del discurso que se originó en la lingüística crítica (Hodge y Kress, 1988; Fowler, 1991; Hodge y Kress, 1993; Fairclough, 1995; Lemke 1995). Los trabajos en ambas tradiciones encontraron fructíferas zonas de contacto con la sociología de la práctica; de ahí que sea posible presentar aquí una perspectiva teórica unificada que, aunque dista de ser homogénea, ofrece una amplia base común. Es por ello por lo que el punto de partida del presente trabajo consiste en el tratamiento de los géneros como escenarios para la producción de significado social.

Esta mirada reconoce lo específicamente social del género discursivo y su vínculo con una ocasión social convencionalizada. También reconoce en los géneros su aspecto accional, por lo tanto, no lo reduce a un tipo de texto, ni a esquemas, etapas o un componente del sistema lingüístico, sino que tiene en cuenta su asociación con un tipo de actividad. Esto es incompatible con los marcos teóricos que conciben al género como inmanente al texto porque, como veremos más adelante, el género no es una propiedad de los textos, sino que constituye un conjunto de recursos sociales. Con esta visión de los géneros, adquieren importancia los participantes que producen y reciben discurso, y los acontecimientos en los que se inscriben los intercambios verbales. Los aspectos fundamentales de un género discursivo son los rangos de posibilidades y restricciones que se instauran mediante la producción y la recepción de discurso, de tal modo que los textos generados en tal marco orientador exhiben mayor o menor grado de distancia respecto de los antecedentes que caracterizan el género y mayor o menor grado de innovación o respuesta a procesos emergentes del contexto situacional o del contexto histórico particular.

Este capítulo se ocupa de plantear las líneas centrales de este enfoque de los géneros, al mismo tiempo que ofrece hallazgos empíricos que son objeto de estudio en mi línea de trabajo actual y sugiere una dirección para futuras investigaciones.

2. Postulados teóricos y aspectos del objeto de investigación

Es indispensable comenzar señalando que los investigadores que se incluyen en este panorama general adoptan una concepción del sujeto como agente, en lugar de verlo determinado por reglas o por el sistema lingüístico (Kress, 1989).[1] Esto encuentra su correlato en el énfasis en las opciones y selecciones que los sujetos realizan respecto de los géneros. En lugar de reducir el proceso de producción textual a la mera aplicación de géneros preexistentes, se entiende que "[los hablantes y los receptores] hacen elecciones concernientes no sólo a qué género(s) seleccionar sino también qué rasgos del género usar y en qué grado éstos deben ser puestos en primer plano" (Briggs, 1993: 62).[2] Esto indica la idea de sujeto que subyace a estas posturas teóricas. Concebir al individuo condicionado por la posición social que ocupa y por los discursos asociados con lugares sociales, y a la vez, un agente social situado en una red de relaciones sociales conduce a destacar las decisiones en el proceso de *entextualización*. En consecuencia,

---

[1] En esta revisión de antecedentes, se mencionarán sólo autores emblemáticos de las corrientes que confluyen en esta perspectiva sin pretender hacer justicia a la cantidad y a la diversidad de investigaciones que se inscriben en ella.

[2] "[Speakers & receivers] make choices regarding not only which genre(s) to select but which generic features to use and to what degree they should be foregrounded" (Briggs, 1993: 62).

se entiende que los actores sociales no sólo actualizan sino recrean un género. Algunos autores lo han expresado del siguiente modo: "Eligiendo hacer ciertos rasgos explícitos [...] los productores de discurso reconstruyen y reconfiguran los géneros activamente" (Briggs y Bauman, 1992: 148).[3]

Lingüistas y antropólogos, inspirados en la etnografía de la comunicación (Duranti, 1994; Urban, 1991), coinciden en incluir en las definiciones de género las convenciones históricamente específicas y su realización parcial y abierta:

> Los géneros pueden ser considerados organizaciones convencionalizadas pero sumamente flexibles de medios y estructuras formales que constituyen marcos complejos de referencia para la práctica comunicativa (Briggs y Bauman, 1992: 141).[4]

Aquí el peso de la definición parece estar puesto en el componente estilístico y en la organización o formato, tal vez relegando el habla como acción. Sin embargo, se enfatiza que son sólo marcos, no son esquemas puramente formales, ni son una estructura unitaria.[5] La inherente flexibilidad de los géneros abre vías para su transformación. La relación entre la transformación de los géneros y el cambio social y cultural ha sido abordada tanto por analistas del discurso (Blommaert, 2003; Fairclough, 1995) como por antropólogos lingüistas (Hanks, 1990; Kuipers, 1998; Wilce, 2002).

Un verdadero hito en la reflexión sobre los géneros lo constituye el trabajo de Hanks (1987), que explícitamente encara la combinación de la poética sociológica de Bakhtin con la teoría de la práctica de Bourdieu (Bourdieu, 1977, 1991) y trata en profundidad las consecuencias teóricas de considerar que los géneros son parte integral del *habitus* lingüístico y al mismo tiempo están vinculados a la acción comunicativa en situación. Hanks (1987) también proporciona evidencia empírica sobre el modo en que los géneros regulan su propia recepción y sobre el surgimiento de nuevos géneros en los límites de las clasificaciones sobre documentos de funcionarios mayas en los primeros tiempos de la colonia española. Muchos investigadores, aun aquellos disciplinariamente distantes, comenzaron

---

[3]   "By choosing to make certain features explicit [...] producers of discourse actively reconstruct and reconfigure genres" (Briggs y Bauman, 1992: 148).

[4]   "Genres can be seen as conventionalized yet highly flexible organizations of formal means and structures that constitute complex frames of reference for communicative practice" (Briggs y Bauman, 1992: 141).

[5]   Los párrafos precedentes ya hacen evidente, y el desarrollo del resto del capítulo reafirmará, que es una considerable distorsión sostener que "en la etnografía de la comunicación un género es un tipo textual con precisas características formales y reglas de aplicación y de uso en el discurso" (Cardona, 1988: 126, citado en Calsamiglia y Tusón, 1999: 260).

a pensar en los géneros como "marcos orientadores, procedimientos de interpretación y conjuntos de expectativas" (Hanks, 1987: 670).[6]

Por mucho tiempo han sido los aspectos formales los que han recibido la mayor atención por parte de los investigadores y los que permitieron grandes avances en la descripción de géneros individuales. Sin embargo, es más interesante señalar las complejas posibilidades combinatorias y detectarlas entre los géneros que nos resultan familiares:

a) Elementos de un estilo reconocido como asociado a cierto género pueden ser empleados en un entorno al que le otorga un tinte evocador de aquel género. Un ejemplo puede encontrarse en los casos en los que se emplean con fines histriónicos los rasgos prosódicos típicos del sermón religioso.

b) Rasgos emblemáticos de cierto género pueden ser combinados con los de otro género, para transformar el segundo. Por ejemplo, hasta hace algunos años, entre los argentinos que habían vivido la última dictadura, era posible escuchar, en una conversación entre amigos, la incorporación de la frase "Comunicado número uno" enunciada con tono marcial, tal vez precediendo instrucciones u otro material, que parodiaba los anuncios de aquel gobierno y usualmente podía emplearse para crear efectos jocosos.

c) Géneros mínimos pueden ser incorporados en otros, como ocurre cuando una balada contiene una adivinanza o una leyenda contiene una poesía.

d) Puede existir un diálogo entre configuraciones genéricas, si coexisten a lo largo del desarrollo textual, ya sea que se mantengan definidas con límites claros entre ellas o que se intersecten y transformen mutuamente. Se da lo primero en aquellas alocuciones públicas de un presidente latinoamericano en las que se mantiene una alternancia sostenida entre la configuración de la arenga política y el recitado de estrofas de poemas muy conocidos. Se da lo segundo, por ejemplo, en una entrevista televisiva en la que las configuraciones del debate político y de la narrativa de experiencia personal no se distinguen claramente.

Como consecuencia del interés que el tema de los géneros ha atraído en las dos últimas décadas, contamos con abundante evidencia acerca de las formas de combinación de géneros, ya sea por incrustación ya sea por alternancia a modo de contrapunto, y acerca de las formas de hibridación de géneros en fusiones que

---

[6] La idea completa de la cual proviene esta frase tan citada es la siguiente: "On the other hand, genres can be defined as the historically specific conventions and ideals according to which authors compose discourse and audiences receive it. In this view, genres consist of orienting frameworks, interpretive procedures and sets of expectations that are not part of discourse structure, but of the ways actors relate to and use language" (Hanks, 1987: 670).

generan configuraciones nuevas (por ejemplo, Bauman, 1992; Briggs, 1993; Duranti, 1994). A la vez, muchos estudios hicieron notar que la especificación de los significados de un género no se logra sólo con el examen de los textos, sino con el juego entre la organización del discurso y la del acontecimiento en el que se emplea. Se capitalizó, además, la tendencia, originada en Bakhtin, de mostrar los modos en los que el proceso de relacionar un texto con un género o con mezclas o fusiones de géneros no es automático, sino ideológicamente motivado y vinculado a las condiciones sociales, políticas y económicas de recepción y producción.

Propio de las corrientes de análisis del discurso, el concepto *posición de sujeto (subject position)*[7] se ha empleado con frecuencia en el análisis de textos escritos individuales (por ejemplo, la posición creada en una determinada carta para el sujeto destinatario y el sujeto destinador), pero algunos han aplicado ese concepto en niveles de mayor abstracción, como son el del género y el de los discursos.[8] En su obra, Fairclough aplica preferentemente el término *posición de sujeto* mientras que, en relación con los géneros, Kress emplea el término *posición* fusionándolo con el concepto de *rol*. Kress argumenta que "todo género construye posiciones o roles que son ocupados por los participantes" (Kress, 1989: 37)[9] en cada manifestación concreta de ese género. Este autor se interesó por las "posiciones de lectura", es decir, el modo en que en los géneros escritos los lectores resultan constituidos como cierto tipo de seres sociales y lingüísticos, de ahí que se haya ocupado del género "libro de texto" y otros materiales de instrucción que se emplean en la escuela (Kress, 1989, 2003).

Los antropólogos lingüistas también avanzan sobre la premisa de que, al elegir cierto género, un productor textual reclama cierta identidad y la autoridad de

---

[7] En algunas tradiciones centradas en el análisis de textos, la noción *posición de sujeto* recibe el nombre de *sujeto textual*. Debe distinguirse del concepto de *posicionamiento (positioning)* que en la formulación original (Davies y Harré, 1990) se restringe al alineamiento del Sí Mismo *(Self)*. Dado que el término español *posicionamiento* debe emplearse para hacer referencia al concepto de Davies y Harré (1990), el concepto de *footing* (Goffman, 1981) será nombrado más adelante en este capítulo sin traducirlo, como es práctica usual entre muchos autores argentinos. Se reservará el término *posiciones* para referirnos a las posiciones sociales estructurales.

[8] Recordemos que son géneros, por ejemplo, la carta de amor, el chiste y la entrevista laboral. Son discursos, en el sentido plural del término, por ejemplo, el discurso de la Ilustración, el discurso feminista y el discurso del *marketing*. Kress (1989) hace notar que las "posiciones sujeto" prescriben un rango de acciones, modos de pensar y de ser. De ahí que, por ejemplo, el efecto a largo plazo del discurso sexista sea socializar a niñas y niños en ciertas maneras de ser mujer y varón respectivamente.

[9] "Each genre constructs positions or roles which the participants in the genres occupy" (Kress, 1989: 37).

conectar su texto con otros textos y sus circunstancias sociales, y a la vez, al ubicar al interlocutor en el rol de receptor de cierto género se instauran modos de interacción social y las correspondientes responsabilidades de recepción.

Se sostiene que "invocar las relaciones de género implica estructurar las relaciones sociales" (Briggs, 1993: 62).[10] Esto debe entenderse en el sentido de que
la ubicación del productor textual y de los receptores es usualmente proyectada
a relaciones entre los grupos sociales involucrados. Desde esta perspectiva, es
posible conjeturar que si en una sociedad cierto grupo social se caracteriza por
ocupar, por ejemplo, la posición de autoridad judicial en el género "sentencia penal" y cierto grupo social regularmente ocupa la posición de sujeto juzgado, entonces, las características de la relación entre las posiciones sujeto en el género
se proyectan sobre las relaciones entre los grupos sociales involucrados. De esta
manera, se reconoce la conexión entre la configuración de un género con su dinámica de poder y las formaciones sociales, ideológicas e históricas.

Los trabajos empíricos han mostrado que los abordajes tipológicos y forma-
listas son inadecuados para dar cuenta de aquella producción discursiva que funciona en la vida social, pero no pertenece inequívocamente a una categoría convencional o claramente definida. Existen distinciones entre géneros que escapan
a los esfuerzos clasificatorios. Esto indica, como concluye Bauman (2001), que
en lugar de clasificar textos, los investigadores necesitan concebir el género
como marco para abordar la práctica discursiva.[11]

Las conexiones con el pensamiento sociológico revelan convergencias entre las variadas líneas de investigación que se interesan por las prácticas sociales
(Agha, 2007; Blommaert, 2003, 2005a; Hanks, 1987, 1996a; Heller, 2001; Scollon, 2001), entendidas como modos habituales, vinculados a tiempos y lugares
particulares, en los que los actores sociales aplican recursos materiales y simbó-
licos para actuar juntos (Chouliaraki y Fairclough, 1999). Para Fairclough, por
ejemplo, las prácticas sociales constituyen un punto de conexión entre estruc-

---

[10]   "Invoking generic relations structures social relations" (Briggs, 1993: 62).

[11]   Las siguientes palabras de Bauman son representativas de la perspectiva compartida por
todos los autores mencionados en este trabajo, aunque algunos pongan el acento en la regulación de la conducta del actor social y otros, como Bauman, se concentren en su libertad y creatividad: "Esta resolución requiere un cambio desde la concepción del género
como marco para la clasificación de productos textuales terminados que poseen propiedades formales inmanentes hacia una concepción del género como marco para comprender
la práctica discursiva" ("This resolution requires a shift from the conception of genre as a
framework for the classification of finished textual products with immanent formal properties to an understanding of genre as a framework for the comprehension of discursive
practice") (Bauman, 2001: 58).

turas sociales abstractas con sus mecanismos y los acontecimientos concretos. Este autor ha elaborado una teoría según la cual una práctica particular articula elementos materiales subjetivos, institucionales y semióticos en relaciones específicas. Esos elementos son actividades, materiales, ubicaciones temporales y espaciales, experiencias, conocimientos, disposiciones, etc. El componente discursivo de una práctica sociocultural se articula con otros componentes de la práctica y también se dirige reflexivamente sobre la práctica misma —en otras palabras, como parte de la práctica, siempre se generan representaciones de la práctica—. Además de estar imbricada en relaciones de poder, toda práctica social existe en una red de prácticas (Chouliaraki y Fairclough, 1999).

De manera afín a ese planteo, todos los autores de esta perspectiva promueven estudiar el discurso no sólo como representación, sino como acción, específicamente en este nivel intermedio de la práctica discursiva al que pertenece el género. Asimismo, abogan por no reducir la interacción al sistema lingüístico como lo hacen los marcos teóricos que ven el género como inmanente a la lengua. El análisis de la producción y recepción de los géneros tendrá en cuenta los modos en que los géneros se relacionan con otros elementos de la práctica social y las condiciones contextuales de producción, distribución, recepción y circulación de los textos de los géneros que examinamos. Sin embargo, mencionar a Fairclough entre los numerosos analistas del discurso que comparten esta visión general permite notar una diferencia con muchos de los trabajos de los antropólogos mencionados hasta aquí. Fairclough se concentra en los aspectos restrictivos del género, puesto que señala que el género actúa en al menos tres modos. Como dispositivo para controlar la interacción a través del tiempo, el género nos permite rastrear las continuidades y las relaciones intertextuales en la historia.[12] Como dispositivo de ordenamiento para articular discursos de modos particulares, el género regula la heterogeneidad y la interdiscursividad. Por último, como dispositivo para constituir grados particulares de aislamiento entre sujetos, el género distingue los grupos que poseen competencia en cierto género de los grupos que no la poseen. A este respecto, cabe agregar que existe una relación entre el acceso limitado a ciertos géneros, con la consiguiente obtención de familiaridad con ellos, y el prestigio que da la competencia en los géneros.

El enfoque que se plantea en este capítulo se caracteriza por examinar, de manera directa y detallada, la función de los géneros en una cultura dada. De esta

---

[12] El uso de arcaísmos y tratamientos honoríficos en los géneros escritos de la administración de justicia proporciona interesantes casos de estudio en este aspecto. Una instancia de esto es la perduración constatada en el fuero laboral de la sigla QSMB al final de un escrito de un abogado patrocinante dirigiéndose al juez. Muchos usuarios de esta sigla desconocen que abrevia "quien su mano besa" como saludo de despedida.

contextualización sociohistórica se derivan algunas orientaciones para la investigación empírica que a continuación sintetizo en dos conjuntos.

En primer lugar, el registro del repertorio de géneros proporciona una base de comparación entre las sociedades. No obstante, la existencia del mismo género en dos comunidades diferentes no presupone idénticos significados sociales en ambas. Es fácil imaginarse, por ejemplo, que pueden darse diferencias en la existencia de géneros (o el modo de realizar géneros) como la bendición de la mesa, la participación de bautismo publicada en el periódico de la ciudad, los obituarios, las cartas de agradecimiento por asistencia a la fiesta de aniversario, etc. Asimismo, desde una perspectiva diacrónica, las transformaciones en los géneros son mejor comprendidas en términos de contactos culturales, influencias o luchas por la hegemonía que dejan huellas en aspectos de algunos géneros.

En segundo lugar, admitir el funcionamiento de los géneros en un sistema social conduce a tomar en cuenta no sólo las categorías concebidas a priori por el investigador, sino también las categorías de géneros que parecen reconocer los actores sociales mismos en la comunidad estudiada. Los proponentes de un análisis del discurso en el sentido más amplio destacan la importancia de las concepciones locales de la organización del dominio del habla, i. e., los rótulos empleados por la comunidad para formas del habla.[13] Es posible que la clasificación tradicionalmente reconocida por el grupo social estudiado coincida en mayor o menor grado con los hallazgos del investigador, pero en cualquier caso, el sistema de categorías de géneros concebidos y nombrados por la comunidad es en sí mismo, a la vez, un dato y un objeto de interés.

En el cierre de esta sección, notemos que el mero reconocimiento del juego de restricciones y posibilidades, o regulación y trasgresión a las convenciones, y de la heterogeneidad interna a los géneros no agota las facetas susceptibles de análisis. Por el contrario, lleva a considerar: *a)* la diversidad de prácticas sociales rastreables desde la heterogeneidad interna al género y la conexión entre esas prácticas y las relaciones entre los grupos sociales; *b)* los conflictos entre actores que intervienen en diferentes redes de prácticas; y *c)* los cambios en las prácticas. Estas vías de exploración justifican, en la actualidad, mantener en la agenda de los investigadores el tema de los géneros en la vida social. Con esa orientación, el presente trabajo aplica una concepción de género como configuración discursiva que media entre el nivel micro y el nivel macro de la organización de la vida social y propende a que el

---

[13]　Por ejemplo, se podría argumentar que son géneros las prácticas semióticas que en la última década en Argentina han empezado a ser llamadas con el término *escrache* (que designa tanto la manifestación callejera de repudio como el grafiti con el mismo fin) y la expresión *hacer el aguante* (que significa expresar apoyo y aliento).

análisis de los componentes estructurales, ideacionales y estilísticos no se desarrolle en detrimento del tratamiento de los aspectos situacionales e históricos.[14]

3. Recursos y relaciones entre los géneros

El enfoque planteado aquí reconoce que los géneros son recursos sociales de rango medio, permeables a los condicionamientos de redes de prácticas. Cabe considerar, a modo de ilustración, que ciertas manifestaciones de elementos del componente estilístico son comunes a la oratoria política, la eclesiástica y la forense, no sólo porque surgen de las necesidades inherentes a la copresencia cara a cara para sostener la atención del auditorio y responden a similares fines comunicativos tales como exhortar, persuadir, etc., sino también porque reflejan condiciones de esas esferas de actividad y sus correspondientes campos sociales, los cuales se hallan estrechamente vinculados entre sí. Pongamos por caso el empleo de frases o elementos léxicos en conjuntos de tres que imprimen un ritmo reconocible a la emisión. La alocución pública del líder político, el sermón en el servicio religioso y el alegato final en un juicio penal exhiben tripletes, es decir, conjuntos de tres elementos coordinados. Aquí se ilustra ese recurso con las siguientes emisiones que provienen de un alegato final en un juicio penal:[15]

> (1) Defensor Pérez en el caso Arciniega: *Todos hechos aislados. pero todos estos hechos,* **se fueron uniendo. se fueron agrupando. se fueron asociando** *para darnos en definitiva,* **una imagen sólida, inconmovible e indestructible** *a esta hora del proceso.*

También compartida por esos tres géneros del orden público del discurso —alocución política, sermón y alegato— es la utilización estratégica de la narrativa de experiencia personal, la cual resulta particularmente interesante porque,

---

[14] Los datos empíricos sobre los que se basa la argumentación de este trabajo provienen de un amplio corpus recogido etnográficamente en la ciudad de Córdoba, Argentina, entre 1998 y 2008, de juicios penales por delitos graves observados en todo su desarrollo y asociados a los expedientes de las causas.

[15] En los ejemplos, la coma, el punto y los dos puntos no son signos de puntuación sino convenciones de transcripción que indican, respectivamente, curva entonacional ascendente, curva descendente y prolongación de la sílaba. La notación incluye paréntesis para la emisión poco clara o dudosa, paréntesis vacío cuando no ha sido posible discernir lo que se dijo y doble paréntesis para un comentario de la investigadora. Las mayúsculas indican aumento de volumen y el guión, autointerrupción. Los nombres de los sujetos de investigación son pseudónimos.

al invocar confianza y revelación de información que pertenece a la esfera privada, introduce heterogeneidad en esos géneros de la esfera pública. Este tipo de narrativas y cuasinarrativas, al igual que los tripletes como los que contiene el texto (1), resultan, en parte, de la interacción cara a cara con el auditorio destinatario, puesto que los tripletes son empleados como rasgos de *actuación (performance)*.[16] Las combinaciones de paralelismo, tropos y modulación de la voz, como también lo no verbal (la postura, el gesto y la mirada), son indicios del *cambio hacia la actuación (breakthrough into performance)* y del grado de actuación que presenta el texto producto. De este modo, se busca persuadir, atraer o impactar con formulaciones memorables, muestras de virtuosismo o elegancia y mecanismos para comprometer al destinatario como audiencia (Carranza, 1999, 2003, 2004).

Las condiciones locales de producción, sin embargo, no deben oscurecer la consideración de que los destinatarios y productores de esos géneros de la oratoria pública son miembros de una comunidad, de modo que existen expectativas compartidas acerca de lo que es eficaz, persuasivo o artístico. Además, las mezclas de recursos de diferentes registros (por ejemplo, político y personal, religioso y personal, o judicial y personal) pueden ponerse al servicio de fines estratégicos que son alcanzables con una determinada audiencia porque las significaciones de tipos de recursos (por ejemplo, la revelación sobre sí mismo, *self-disclosure*) están establecidas culturalmente.

4. La flexibilidad (o intertextualidad selectiva) y los márgenes

Es posible reconocer que ciertos elementos son constitutivos de un género mientras que otros componentes, que cabe llamar *opcionales,* se encuentran más distantes del núcleo, que contiene características distintivas. Algunos de los componentes opcionales pueden ser completamente atípicos. Es bueno recordar que una de las fuentes para la expresión de significado social radica justamente en las expectativas acerca de lo que reviste el carácter de típico. En virtud de las expectativas, se interpretan las desviaciones. Se ha llamado *brecha intertextual*

---

[16]   El concepto de *actuación,* originario del campo de los estudios del arte verbal en tradiciones folclóricas, capta la propiedad de los momentos en los que el participante se involucra intensamente con sus emisiones y asume mayor nivel de responsabilidad por la exhibición de su competencia artística o narrativa ante la audiencia. Trabajos recientes como los de Bauman (2005), Haviland (2005) y Hall (2005) contemplan en el análisis de sus datos esta cualidad del discurso de un individuo.

(Briggs y Bauman, 1992; Briggs, 1993) a la relación entre un texto-producto dado con otros textos sincrónicos o antecedentes diacrónicos del mismo género. Esta brecha es concebida como cuestión de grado, de modo que puede presentarse en algún punto de un continuo que va desde la distancia mínima hasta la máxima. Entonces, al considerar el ajuste de un texto al género, desde el punto de vista del sujeto actuante individual, estamos ante un proceso de intertextualidad selectiva.

El proceso de *entextualización* consiste, en parte, en la articulación entre las convenciones genéricas y la emergencia del texto a partir del contexto situacional, el cual incluye los actores, sus acciones y los entornos sociales y espacio-temporales. Para dar cuenta de tal articulación, se requiere tener en cuenta a los participantes del encuentro social en tanto sujetos agentes y socialmente situados. Los beneficios de un enfoque abarcador se comprueban al examinar un sistema social particular y la distribución de los derechos de los participantes cuando, en la interacción verbal, producen textos que se distancian del canon de un género.

En la posición teórica adoptada en el presente trabajo se valorizan los márgenes de las configuraciones genéricas por lo que revelan del orden social. Consideremos un género que se construye bilateralmente: el de los testimonios ante un tribunal penal. Este género recibe también otros nombres en la comunidad de práctica: *examen* o *contraexamen,* según si el interrogador es la parte que ha convocado al testigo o la contraparte. A diferencia del uso en el ámbito de la justicia, aquí abarcaremos con el nombre de *testimonio* al género que consiste en toda la interacción entre un testigo o perito y un litigante o un juez que lo examina. La combinación de recursos y mecanismos característicos del testimonio determina que el control de la dirección del discurso y de la dinámica interaccional sea ejercido, la mayor parte del tiempo, por el abogado acusador o defensor. Nos interesará la relación entre la instanciación del género "testimonio" y la identidad de los sujetos que juegan los roles habilitados por ese género. El fragmento reproducido abajo tiene características muy diferentes a las típicas.

> (2) Defensor Leo Quesada: *E: señora licenciada. Usted dice que* ((inaudible)) *tal vez no sea de su: (competencia) y sí que sea de la psiquiatría. Usted dijo que el trastorno de personalidad no es una enfermedad e: psiquiátrica.*
> Perito Dora Scala: **No. Dije que no era una enfermedad mental.**

Es necesario notar la referencia temporal del verbo en pretérito en la emisión que es objeto de rectificación: *Usted dijo que el trastorno de personalidad no es una enfermedad e: psiquiátrica.* En coincidencia con uno de los usos habituales en la variedad del español que poseen los participantes, aquí el verbo *dijo* se refiere a una acción muy reciente en el desarrollo de la misma interacción en curso (equivalente a "ha dicho" en otras variedades de español). En su contribución al intercambio, el abogado está claramente produciendo un prefacio a su inminente pregunta y la elección léxica del modificador de *enfermedad* ("psiquiátrica", "mental", "de personalidad", etc.) podría no ser pertinente a la pregunta formulada, ni relevante a la construcción de la realidad que promueven las emisiones del abogado. Tampoco hay evidencias en el resto del texto interaccional de que la diferencia entre *psiquiátrica* y *mental* haya sido crucial en la negociación de significado que siguió al intercambio bajo análisis. No obstante, la entonación descendente en la palabra *psiquiátrica* y el fin de la construcción sintáctica en esa emisión del abogado dan la oportunidad a la destinataria de corregir tajantemente a su examinador. Los productos textuales que se apartan tan abiertamente de lo habitual y esperable pueden ser descriptos como marginales.

Es indispensable considerar los participantes en la interacción en la que este intercambio fue posible: por un lado, una experimentada declarante, quien, además de recuperar el control del testimonio por su habilidad y seguridad, es convocada en calidad de experta en su campo de especialidad y es conocida y respetada en el ámbito de la justicia penal; por otro lado, un defensor privado, es decir, externo a los círculos sociales estables de la comunidad institucional, y relativamente más joven. Al mismo tiempo, la identidad de los participantes es dinámica y resulta construida en la acción situada por medio de los recursos discursivos y los mecanismos interaccionales disponibles. Algunos actores sociales individuales movilizan recursos de su repertorio discursivo, aprovechan el potencial en la configuración del género y producen textos con rasgos poco convencionales, que a la vez son interpretables como indicios de su posicionamiento y construcción identitaria.

Consideremos ahora las dimensiones políticas de la innovación en otro género oral, el alegato final en los juicios en las cámaras del fuero penal. El formato que tienden a exhibir los alegatos suele presentarse como una estructura tripartita: relato – argumentación – solicitud de sentencia, con algunas variaciones, particularmente en los alegatos de la defensa, que dan más lugar a la categorización de las acciones y circunstancias dentro del orden legal y moral. Los hallazgos indican básicamente que los alegatos no constituyen una clase homogénea, sino que la variación, tanto en contenido y estructura como en estilo, se polariza más bien entre el alegato de los acusadores, específicamente los fiscales, y el de los defensores.[17]

En el sistema social de la administración de justicia, entre los actores autorizados a producir textos del género "alegato" encontramos penalistas individua-

---

[17] Algunos de estos elementos fueron tratados en Carranza (2007).

lizados por sus pares, percibidos como oradores eficaces, vistosos o ejemplares que, en algunos casos, llegan a ser icónicos de los significados sociales vinculados al género discursivo en cuestión. No obstante, en ocasiones, los productos textuales de estos sujetos se ubican en los márgenes del género. Éstos son casos interesantes porque no se pueden explicar apelando exclusivamente al plano retórico, sino examinando su relación con aspectos identitarios y la posición en el sistema social y en el campo social.

Un rasgo en particular servirá para ilustrar este aspecto. La inscripción del "yo" del hablante es constitutiva del género "alegato" cuando cumple alguna de las siguientes tres funciones: performativa (ej. *solicito*), metacomunicativa (ej. *me referiré*) o narrativa aplicada a los acontecimientos del debate (ej. *he demostrado*). Ocasionalmente, la presencia de la primera persona singular que se refiere al enunciador está al servicio de otras dos funciones: la descripción del momento en el que se habla, incluyendo los estados mentales del enunciador (ej. *me resulta sorprendente*), o la narrativa de acontecimientos en la biografía del participante que no están relacionados con el juicio (ej. *tuve que ir al velatorio*). La inscripción del "yo" de estos dos últimos tipos no es constitutiva del género, sino que tiene un carácter opcional en la configuración genérica. Se reproduce abajo un pequeño fragmento extraído de uno de varios alegatos producidos por el mismo participante observado en distintos juicios, a veces con el rol de defensor y, en otras ocasiones, actuando como querellante. Aquí está comenzando a valorar el testimonio de un joven policía que compareció como testigo de cargo.[18]

> (3) Querellante particular Pérez en el caso Gómez y Atami: *Me hizo recordar una canción de los Fabulosos Cadillacs que viene envasada en vasos vacíos, "no tengo porqué tener miedo, mis palabras son balas."* ((emisión omitida)) *Hay que asomarse al universo rockero porque ahí está entrañablemente desarrollada gran parte de la cultura juvenil de nuestra época.*

La referencia a un estado mental privado, la aparente falta de pertinencia del contenido y las características de la relación intertextual de género que exhibe este fragmento —dentro de un haz de rasgos no convencionales que caracterizan a los textos de este participante— coexisten junto a rasgos típicos del género observables en otros fragmentos del mismo alegato. La referencia que el participante hace a sus propias asociaciones mentales, que no involucran contenido re-

---

[18] Los Fabulosos Cadillacs es el nombre de una banda argentina de *rock* y *Vasos Vacíos* es el título de uno de sus álbumes. La expresión "viene envasada en" debe entenderse aquí en el sentido de "está contenida en", aunque no es el modo habitual de referir esa idea y tal vez sea el resultado de un contagio en la planificación del desarrollo del enunciado.

lacionado con el ámbito de la jurisprudencia o de la ley, y en general el alto grado de personalización que exhibe su alegato se contraponen a las expectativas establecidas para el género y, a la vez, recrean el género. (Si se transforman en prácticas repetidas y compartidas por varios sujetos van modificando las expectativas para las futuras realizaciones del género.)

Si consideramos la ubicación del productor de las emisiones del ejemplo 3 en el sistema social en el que está actuando, interpretaremos su ejercicio de creatividad e innovación a la luz de su prestigio, vínculos y estatus que provienen de su larga y exitosa trayectoria. Eso permite comprender que las desviaciones de cierto tipo constituyen licencias. Las licencias sistemáticas, en éste y otros géneros en los que este participante fue observado, son manifestaciones de ejercicio de poder. No es suficiente comprobar la brecha máxima de intertextualidad genérica, sino que se procura comprender quiénes en un sistema social dado pueden hacer qué mediante los géneros bajo estudio.

En este punto conviene señalar que también está presente el ejercicio de poder en la distribución y aplicación de géneros con determinados grados de clausura, en el sentido de fijación del significado de los textos de un género. Una de las consecuencias de mirar desde la práctica social y de reconocer que no existe una relación directa entre texto y género, como la que existe entre una instancia y su tipo, es el hecho de que al receptor le queda abierta la posibilidad de la reinterpretación, la revisión o la compleción de los significados en los textos de un determinado género. Lograr la clausura, es decir, una significación unívoca que sea recibida así por los destinatarios, es a menudo problemático y temporario (Hanks, 1996a). Los géneros difieren en el grado en que manifiestan este potencial de variación de interpretación y es posible contrastar géneros sobre la base de este parámetro. La sentencia judicial, por ejemplo, exhibe máxima clausura. En cambio, en otros casos, se destaca la iniciativa de los receptores cuyas expectativas los hacen completar o comprender el texto emergente en un contexto dado como instancia de cierto género o reinterpretar el texto como perteneciente a otro género.

5. Relaciones interpersonales e intergrupales

Todos los géneros están situados en condiciones históricas y culturales que los moldean. Sus aspectos sociales, ideológicos y políticoeconómicos son susceptibles de ser examinados tanto en el nivel interaccional como en el macrosocial. Un foco típico de investigación han sido las asociaciones históricas de los géneros que expresan la voz de la tradición (por ejemplo, los proverbios o los cuentos de hadas) o que manifiestan lazos con otros tiempos, lugares y personas (por ejemplo, el mito de origen de la nación a la que pertenece el narrador). La siguiente cita muestra que en esta perspectiva se hace hincapié en facetas políticas e históricas:

> El género, entonces, atañe de manera crucial a las negociaciones de identidad y poder —invocando un género particular, los productores de discurso afirman (tácita o explícitamente) que poseen la autoridad necesaria para descontextualizar discurso que tiene estas conexiones históricas y sociales, y para recontextualizarlo en el entorno discursivo (Briggs y Bauman, 1992: 148).[19]

No obstante, los aspectos esencialmente políticos del género como práctica son ineludibles en el análisis de cualquier género. El género "alegato" define exigencias específicas para el sujeto que ocupa la posición de productor textual: el productor debe realizar explícitamente ciertas acciones (por ejemplo, solicitar, negar, etc.), sobre la base de argumentos razonados, debe narrar y debe monitorear su propio texto dando señales de su organización. Además, el género no sólo regula el habla de los actores habilitados para practicarlo, sino que refuerza la autoridad de esos actores e interviene en la construcción y reproducción del contexto institucional. Al reconocer el papel que juegan los géneros institucionales en el control de las prácticas profesionales e institucionales, adoptamos el punto de vista del receptor puesto que, como expresa Briggs:

> Transformando los interlocutores en audiencia de un género particular, se invocan [...] modos específicos de interacción social y responsabilidades sociales de parte de los receptores (Briggs,1993: 62).[20]

Es posible abordar esta dimensión interaccional en términos de roles inherentes en cada género. En su trabajo sobre los mayas contemporáneos, Hanks (1996b) aplica el concepto de género para la integración teórica de diversos aspectos de las puestas en escena chamánicas que estudia: los roles y las posiciones disponibles, los fines de las actuaciones, los entornos espaciales y tempora-

---

[19]   "Genre thus pertains crucially to negotiations of identity and power – by invoking a particular genre, producers of discourse assert (tacitly or explicitly) that they possess the authority needed to decontextualize discourse that bears these historical and social connections and to recontextualize it in the current discursive setting" (Briggs y Bauman, 1992: 148).

[20]   "By fashioning one's interlocutors into an audience for a particular genre, specific modes of social interaction and social responsibilities on the part of the receivers are [...] invoked" (Briggs, 1993: 62).

les, el pasado y los fundamentos históricos. Este profundo estudio, que pone el foco de análisis en los marcos de participación, nos recuerda que un género a la vez posibilita y restringe los lugares desde los que se enuncia y recibe. La tradición derivada del pensamiento de Goffman (1981) los denomina *roles de participación* y *footings.*

> Una parte integral de la función social de los géneros discursivos es regimentar lo que he denominado espacio de posibilidades. Este espacio abarca tanto los roles interactivos y los arreglos posicionales en los que son llevados a cabo. [...] Como espacio de posibilidades en el género, este constructo regimenta los *footings* disponibles a los interactuantes, como recurso y como restricción (Hanks, 1996b: 197).[21]

El género *entrevista* por ejemplo, habilita dos roles situacionales, entrevistador y entrevistado. Explícita o implícitamente construidos en el aviso publicitario se encuentran el potencial consumidor y el productor del texto publicitario (que puede estar identificado con el fabricante del producto mediante un "nosotros" sintético). Por su parte, el género *alegato de la defensa* abre lugares específicos de representación para el defensor productor del texto, el cliente y la contraparte.

Como vimos en la sección 2, el concepto *posición de sujeto* (*subject position*) es útil para describir lugares del "yo" enunciador que son inherentes al género. En la misma línea, recientemente Blommaert (2005b) ha explorado lo que prefiere llamar *posiciones de enunciación* (*speaking positions*) en géneros globalizados.

Consideremos un género discursivo con posiciones de sujeto que le son específicas, pero además son contradictorias entre sí: el alegato de la defensa. En los datos de mi corpus, se hace evidente una tensión en el "Sí Mismo" del sujeto entre la afiliación con su defendido y la identificación con sus colegas de profesión, adversarios en la litis, que se expresa en elogios de la idoneidad profesional de los acusadores, tratamiento halagador dirigido a ellos y descripciones peyorativas de sus propios defendidos. La recurrencia de tal duplicidad de alineamiento lleva a inferir que el género *alegato final* hace disponible para el abogado defensor posicionamientos contradictorios del Sí Mismo con relación a los colegas

---

[21] "Part of the social function of discourse genres is to regiment what I have called a space of possibilities. This space encompasses both interactive roles and the positional arrays in which they are realized. [...] As a generic space of possibilities, this construct regiments the footings available to interactants, both as resource and as constraint" (Hanks, 1996b: 197).

que representan la contraparte y los clientes cuyos derechos promueven.[22] Hallazgos de este tipo conducen a argumentar que el abogado defensor que se alinea junto al fiscal de cámara está eventualmente reforzando el poder del Estado. De modo más general, se corrobora la especificidad de las posiciones de sujeto dentro de una concepción del género como práctica.

Las relaciones de una práctica con otras prácticas pueden manifestarse en los posicionamientos del sujeto tal como lo sugieren Chouliaraki y Fairclough:

> Consideremos por ejemplo el posicionamiento de los sujetos sociales dentro de una práctica como el efecto del 'afuera' sobre el 'adentro' —un efecto de la red de prácticas sobre una práctica particular dentro de ella (Chouliaraki y Fairclough, 1999: 25).[23]

Podemos plantear como hipótesis, entonces, que las indicaciones de lealtades divididas entre sus clientes y sus pares institucionales que surgen en el discurso del abogado defensor tienen su origen en otras prácticas sociales.

Otro rasgo sistemático del alegato de los defensores contratados privadamente por el imputado, el elogio a los jueces del tribunal, confirma el hecho de que los géneros proporcionan una mirada valiosa sobre las relaciones al interior de un grupo social y entre grupos sociales, o al interior de una institución o entre instituciones.

> (4) Defensor Hames en el caso Zamora ((la disposición de las emisiones en esta transcripción es deliberada para graficar la relación entre ellas. Recordemos que dos puntos consecutivos es la notación para pausa intraturno)).
> *Espero que este Excelentísimo Tribunal ..*
> *que sabe más derecho que todos los que estamos aquí sentados .. por SU trayecTORIA profesional dentro de las universidades y por su trayectoria de trabajo y dedicación DENTRO de estos tribunales.*

Aunque no es posible extenderse aquí en un análisis detallado, reconocemos que los géneros poseen un potencial de reproducción y a la vez de transformación de las relaciones sociales. En este caso, la recurrencia a la estrategia del elogio al juez se explica por el hecho de que entre los jueces y los defensores que no son miembros del poder judicial existe la máxima distancia social. Entre los participantes expertos en la situación comunicativa la mayor cercanía social con los

---

[22]   El tratamiento de este fenómeno fue presentado en un panel de invitados al coloquio de la ALED Chile en 2002. Se alude a ese análisis en Carranza (2008).

[23]   "Consider for instance the positioning of social subjects within a practice as an effect of the 'outside' on the 'inside' – an effect of the network of practices on a particular practice within it" (Chouliaraki y Fairclough, 1999: 25).

jueces la exhiben los fiscales, entendidos como categorías amplias susceptibles de ser desafiadas por la variación individual. Considerablemente menor solidaridad se da entre jueces y defensores de oficio (denominados *asesores letrados*), aunque pueda existir afinidad en términos de redes sociales compartidas. Por último, fuera de la institución, pero con un rol situacional, se encuentra el defensor privado. Puesto que es en los alegatos de esta categoría de defensor donde perdura el elogio explícito, sostengo que la distancia social explica el recurso sistemático a la estrategia del elogio.

Sabemos que las instituciones imponen restricciones ideológicas y de conducta a los sujetos y a los grupos que actúan en ellas. Uno de los modos en que esto se lleva a cabo es a través de los géneros, ya que en estas prácticas discursivas los sujetos ocupan posiciones de sujeto que eventualmente resultan "naturalizadas". Además, tal como lo revela un rasgo constante en la instanciación de un género por parte de los miembros de un determinado grupo social, un género puede evidenciar la estratificación social y, a la vez, contribuir a hacerla perdurar. En términos más generales, como se ha señalado con frecuencia en los trabajos en esta perspectiva, los géneros tienen el efecto de naturalizar la realidad cultural que representan (Blommaert, 2005b; Briggs y Bauman, 1992; Hanks, 1996a; Fairclough, 1989).

6. La búsqueda de contenidos ideológicos o culturales

Más allá de los discursos propios de cada institución, los géneros pueden distinguirse por articular diversos discursos sociales. Los géneros orales forenses son frecuentemente sitios en los que se manifiestan ciertos discursos además de los jurídicos y los judiciales. Por ejemplo, el testimonio, ya sea producido en interacción con uno de los jueces del tribunal o con un abogado de las partes, favorece la puesta en juego de concepciones culturales de familia, pareja, virtudes en la crianza de los hijos, etc., y con ellas se expresan discursos que circulan en la sociedad en general o en ciertos grupos o clases sociales (Carranza, 2006). En los alegatos de los defensores se expresan concepciones *dóxicas* sobre las condiciones de vida que determinan circunstancias presentes. Esto suele llegar a la superficie textual como referencia a las oportunidades en la vida, el sentido de la desventaja por el ambiente de socialización, la influencia en los jóvenes de las amistades que encuentran en el barrio, etc.

Del mismo modo, es lógico plantear que otros géneros abren espacios discursivos a la expresión de otros contenidos con carga ideológica o cultural. Lo que se sostiene aquí difiere un poco de las agendas de investigación que buscan, por ejemplo, describir el discurso sobre las relaciones entre mujeres y hombres, o niñas y niños, tal como se realiza en los géneros de las revistas para mujeres (artículos, avisos publicitarios, columnas de consejos, etc.). Aquí, en cambio, se pone énfasis en la utilidad de los géneros como herramienta heurística. Dado que existen géneros que se caracterizan por *vehiculizar* determinados discursos como parte de su configuración, además de los discursos del dominio específico al que pertenecen, el nivel analítico del género permite descubrir conexiones desconocidas entre discursos y géneros, entre ellos y los grupos sociales, y entre contenidos ideológicos de distintas instituciones.

Como ocurre en el caso que analizaremos, es común, en los alegatos, que la experiencia personal se haga pública en los modos habituales de hablar y de pensar. En los textos espontáneos es usual encontrar virajes improvisados en la dirección del discurso. En el segmento reproducido abajo, que proviene de un alegato de la defensa del imputado, la mención de la víctima conduce a una autointerrupción y la producción de un aparte.

> (5) Defensor Lafour en el caso Gómez y Atami: *A la hora, en que acaeció el lamentable suceso, la muerte del joven Cipriano,- que se ve a todas luces que ha sido una persona maravillosa. Y como cristiano y católico **lo siento** muchísimo.*

El contenido de las emisiones de este aparte parece responder a expectativas sociales generales sobre el tipo de autopresentación que se hace pertinente y, en particular, responde más a lo que es apropiado decir en otras situaciones comunicativas. El texto va emergiendo bajo la influencia de su potencial recepción por parte de destinatarios indirectos, los padres de la víctima, ambos presentes en la sala, sus amigos y vecinos. En el fragmento reproducido, ha quedado armado un contraste entre la dirección a la que se orientaban las emisiones iniciales y el contenido repentinamente tenido en cuenta que justifica el aparte. Tal contraste sugiere una oposición entre defender al imputado y expresar condolencias a los familiares de la víctima. Sin embargo, cabría expresar la convicción de que el dolor por la pérdida de una vida no exime a la sociedad de proporcionar defensa en juicio. En lugar de eso, en este punto del desarrollo del alegato vemos que la valoración de una muerte resulta asociada con una identidad confesional particular. La compasión y la solidaridad que surgen de la moralidad son presentadas como fundadas en una determinada fe y congregación.

El caso analizado, que representa manifestaciones relativamente frecuentes en el corpus, ilustra modos de hablar que se comparten en una red social e integran sistemáticamente prácticas sociales, a su vez, pertenecientes a redes de prácticas. Hanks (1996a: 246) nos recuerda que "por ser habituales y estar infundidos con el poder de sus agentes, los géneros pueden hacer que ciertas maneras de pensar y experimentar sean tan rutinarias que parezcan naturales".[24] En efecto, los casos examinados en las dos últimas secciones son reveladores de la función de los géneros en la naturalización de tipos de relaciones de poder y perspectivas ideológicas. Sobre esa base, es posible defender el argumento de que el género posee también un valor heurístico para el análisis del discurso porque proporciona el marco para rastrear sistemáticamente los indicios de los presupuestos culturales o ideológicos compartidos por categorías de los participantes en el género.

7. Ecología de los géneros: desafíos pendientes para la investigación

Lo presentado hasta aquí ofrece evidencia que apoya la idea de que los géneros juegan un papel en la vida de la sociedad y que producir textos dentro de un género es también un proceso sociocultural, no sólo lingüístico. De aquí en más, será indispensable incorporar la interrelación de componentes en géneros multimodales (Kress, 2009; LeVine y Scollon, 2004) y la simultaneidad de diversas formas semióticas (Sauer, 1999; Levinson, 2005; Turk, 2007), y al mismo tiempo los estudios integradores de este tipo revalorizarán lo logrado mediante la metodología etnográfica que evita aislar el habla de los movimientos de los cuerpos.

El surgimiento de géneros nuevos se perfila como un objeto de estudio en la proyección de esta línea investigativa. Revisemos algunos: en la comunicación electrónica, el género "mail de cadena" posee características estructurales tales como el mandato de reenviarlo a los amigos para que ellos también sean beneficiados con la información que se comparte o para que firmen un petitorio que se hace circular, etc. Una variedad de este género la constituye la "falsa alarma de peligro informático" (Heyd, 2008). En Argentina, algunas veces en afiches impresos, pero comúnmente en archivos adjuntos a correos electrónicos con el formato "presentación audiovisual de saludo", circulan poemas con el tono y el estilo del discurso de autoayuda y en el final contienen el nombre de Jorge Luis Borges atribuyéndole falsamente la autoría, y adoptando su prestigio y valor en el campo de la producción literaria.

Un problema afín al del origen de nuevos géneros y que espera ser tratado en términos de repertorios comunitarios y globales es el de las relaciones entre los géneros dentro de una ecología de géneros. Si cierto género se caracteriza por ser

---

[24]   "Through habituation and infused with the power of their agents, genres make certain ways of thinking and experiencing so routine as to appear natural" (Hanks, 1996a: 246).

en sí mismo índice de cierta tradición, tipo de relación social o perspectiva ideológica, otros géneros pueden coexistir con él a veces conflictivamente y en competencia por legitimarse como tal índice. Podríamos pensar en algunos terrenos comunicacionales en los que se da una coexistencia inestable entre géneros, la cual tiende a una redefinición de las funciones y los fines de cada uno. Tal parece ser el caso, entre nosotros, de al menos los siguientes pares: las conferencias de prensa convocadas oficialmente frente a los programas televisivos políticos, las entrevistas periodísticas frente a los *blogs* personales de las personalidades públicas, las bromas sobre sujetos o entidades conocidas que se difunden mediante los contactos informales de la comunicación cara a cara frente a los afiches jocosos y burlones expuestos en el espacio público urbano, y las cartas de repudio a una persona o situación publicadas en la columna de los lectores de un periódico frente a las inscripciones en la fachada del lugar asociado con el objeto de repudio. Asimismo, se hace cada vez más indispensable en el análisis trascender el límite de una comunidad en particular y ocuparse de comunidades globalizadas.

Dado el rol del discurso en las prácticas socioculturales, ocuparse de este tipo de problemas de investigación sobre el género también contribuirá de manera provechosa al estudio del cambio social y cultural. La prosecución de estas metas es facilitada por la perspectiva que he presentado porque concibe la actividad, los roles y las prácticas como la base de los géneros, se ocupa de la relación de los géneros con el ejercicio de poder y la construcción de identidades, y los reconoce en su situación histórica y cultural.

Referencias bibliográficas

AGHA, Asif. 2007. *Language and social relations.* Cambrige, UK: Cambridge University Press.

BAKHTIN, Mikhail. 1981 [1935]. *The dialogic imagination: Four essays by M.M. Bakhtin.* Austin: University of Texas.

—. 1986 [1952-1953]. *Speech genres and other late essays.* Austin: The University of Texas.

BAUMAN, Richard. 1992. "Contextualization, tradition, and the dialogue of genres: Icelandic legends of the *kraftaskáld*". En Alessandro Duranti y Charles Goodwin (eds.), *Rethinking context. Language as an interactive phenomenon.* Cambridge: Cambridge University Press, pp. 128-143.

—. 2001. "The ethnography of genre in a Mexican market: form, function, variation". En Penelope Eckert y John Rickford (eds.), *Style and sociolinguistic variation.* Cambridge: Cambridge University Press, pp. 57-77.

BLOMMAERT, Jan. 2003. "Orthopraxy, writing and identity: Shaping lives through borrowed genres in Congo". *Pragmatics,* 13 (1): 33-48.

—. 2005a. "Bourdieu the ethnographer: The ethnographic grounding of habitus and voice". *The Translator,* 11 (2): 219-236.

—. 2005b. "In and out of class, codes and control. Globalization, discourse and mobility". En Mike Baynham y Anna de Fina, *Dislocations / Relocations. Narratives of displacement.* Manchester, UK: St. Jerome.

—. 2010. *The sociolinguistics of globalization.* Cambridge: Cambridge University Press.

BRIGGS, Charles. 1993. "'I'm not just talking to the victims of oppression tonight – I'm talking to everybody': Rhetorical authority in an African American poetics of political engagement". *Journal of Narrative and Life History,* 3 (1): 33-78.

BRIGGS, Charles y BAUMAN, Richard. 1992. "Genre, intertextuality, and social power". *Journal of Linguistic Anthropology,* 2 (2): 131-172.

BOURDIEU, Pierre. 1977 (1972). *Outline of a theory of practice.* Trad. de R. Nice. Cambridge: Cambridge University Press.

—. 1991 (1984). *Language and symbolic power.* Trad. de Gino Raymond y Matthew Adamson. Cambridge: Polity Press.

CALSAMIGLIA, Elena y TUSÓN, Amparo, 1999. *Las cosas del decir.* Barcelona: Ariel.

CARDONA, Giorgio. 1988. *Diccionario de lingüística.* Barcelona: Ariel.

CARRANZA, Isolda E. 1999. "Winning the battle in private discourse: Rhetorical-logical operations in storytelling". *Discourse & Society,* 10 (4): 509-541.

—. 2003. "Genre and institution: Narrative temporality in final arguments". *Narrative Inquiry,* 13 (1): 41-69.

—. 2004. "Discourse markers in the construction of the text, the activity, and the social relations: Evidence from courtroom discourse". En Rosina Márquez y María Elena Placencia (comps.), *Current trends in the pragmatics of Spanish.* Amsterdam-New York: John Benjamins, pp. 203-227.

—. 2006. "Face, social practices, and ideologies in the courtroom". En María Elena Placencia y Carmen García (comps.), *Research on politeness in the Spanish-speaking world.* Mahwah, NJ: Lawrence Erlbaum, pp. 167-190.

—. 2007. "La construcción de la evidencia". En Patricia Vallejos Llobet (comp.), *Los estudios del discurso. Nuevos aportes desde la investigación en la Argentina.* Bahía Blanca: Editorial Universidad Nacional del Sur, pp. 17-36.

—. 2008. "Metapragmatics in a courtroom genre". *Pragmatics,* 18 (2): 169-188.

CHOULIARAKI, Lilie y FAIRCLOUGH, Norman. 1999. *Discourse in late modernity. Rethinking critical discourse analysis.* Edimburgh: Edimburgh University Press.

DAVIES, Bronwyn y HARRÉ, Rom. 1990. "Positioning: The social construction of selves". *Journal for the Theory of Social Behaviour,* 20: 43-63.

DURANTI, Alessandro. 1994. *From grammar to politics: Linguistic anthropology in a Western Samoan village.* Berkeley: University of California Press.

FAIRCLOUGH, Norman. 1989. *Language and power.* London: Longman.

—. 1995. *Critical discourse analysis.* London: Longman.

FOWLER, Roger. 1991. *Language in the news: Discourse and ideology in the press.* London-New York: Routledge.

GOFFMAN, Erving. 1981. *Forms of talk.* Philadelphia: University of Pennsilvania Press.

HANKS, William F. 1987. "Discourse genres in a theory of practice". *American Ethnologist,* 14 (4): 688-692.

—. 1990. *Referential practice, language and lived space among the Maya.* Chicago: The University of Chicago Press.

—. 1996a. *Language and communicative practice.* Boulder, CO: Westview.

—. 1996b. "Exorcism and the description of participant roles". En Michael Silverstein y Greg Urban (eds.), *Natural histories of discourse.* Chicago: The University of Chicago Press, pp. 160-200.

HELLER, Monica. 2001. "Critique and sociolinguistic analysis of discourse". *Critique of Anthropology,* 21: 117-142.

HEYD, Theresa. 2008. *Email hoaxes: Form, function, genre ecology.* Amsterdam: John Benjamins.

HODGE, Robert y KRESS, Günther. 1988. *Social Semiotics.* Cornell, MA: Cornell University Press.

—. 1993. *Language as ideology.* 2.ª ed. London-New York: Routledge.

KRESS, Greg. 1989. *Linguistic processes in sociocultural practice.* Oxford: Oxford University Press.

—. 2003. *Literacy in the new media age.* London: Routledge.

KRESS, Günther. 2009. *Multimodality: A social semiotic approach to contemporary communication.* London-New York: Routledge.

KUIPERS, Joel C. 1998. *Language, identity and marginality in Indonesia: The changing nature of ritual speech on the island of Sumba.* Cambridge: Cambridge University Press.

LEMKE, Jay L. 1995. *Textual politics: Discourse and social dynamics.* London: Taylor & Francis.

LEVINSON, Stephen. 2006. "Living with Manny's dangerous idea". *Discourse Studies,* 7 (4-5): 431-453.

LEVINE, Paul y SCOLLON, Ron. 2004. *Discourse and technology: Multimodal discourse analysis.* Washington, DC: Georgetown University Press.

SAUER, Beverly. 1999. "Embodied experience: Representing risk in speech and gesture". *Discourse Studies,* 1: 321-354.

SCOLLON, Ron. 2001. *Mediated discourse: The nexus of practice.* London-New York: Routledge.

TURK, Monica. 2007. "Self-referential gestures in conversation". *Discourse Studies,* 9: 558-566.

URBAN, Greg. 1991. *A discourse centered approach to culture.* Austin: University of Texas Press.

WILCE, Jim. 2002. "Genres of memory and the memory of genres: 'Forgetting' lament in Bangladesh". *Comparative Studies in Society and History,* 44 (1): 159-185.

SEGUNDA PARTE

LOS ANÁLISIS

EL DISCURSO DE LA PROPAGANDA.
UN INTENTO DE TIPOLOGIZACIÓN*

Patrick Charaudeau
CNRS

1. Introducción

Para enmarcar mi análisis desde un punto de vista teórico, propongo una serie de premisas que me sirven de postulados:

a) Todas las relaciones sociales están marcadas por un juego de influencias.

b) Este juego de influencias se manifiesta en el lenguaje según el principio de alteridad (no hay un *yo* sin un *tú*). La consecuencia es que, por una parte, la toma de conciencia del *yo* como sujeto comunicante depende de la posibilidad de reconocer la existencia del *otro,* para distinguir su identidad de sujeto hablante y, por la otra, esta diferencia de identidades representa una posible amenaza para cada uno de los interactantes, lo que implica que se recurra a estrategias de resolución de este problema tales como el rechazo o el abuso del otro.

c) Desde el punto de vista discursivo, todo acto de habla se realiza en una situación de comunicación sujeta a normas, lo que constituye el contexto del intercambio y aporta restricciones de la puesta en escena *(contrato de comunicación e instrucciones discursivas);* la situación y su contexto definen simultáneamente la posición de legitimidad de los hablantes: "en nombre de quién se habla".

d) Pero como la legitimidad no emerge sólo del acto de habla, es necesario que los hablantes se ganen la *credibilidad* y que sepan *cautivar* al interlocutor y al público. Por tanto, surge de un juego de influencias ejercidas por medio de estrategias discursivas que apuntan en cuatro direcciones: (1) la manera de *entrar en contacto* con el otro y el tipo de relación que se construye entre los interlocutores; (2) la construcción de la *imagen* del hablante (su *ethos*); (3) la manera de *llegar al afecto* del otro para seducirlo o persuadirlo (el *pathos*); (4) los *modos de organización del discurso* que permiten describir el mundo y explicarlo según los principios de veracidad (el *logos*).

    1) Entrar en contacto con el otro implica que se pueda justificar la razón por la cual se toma la palabra, puesto que tomar la palabra es un acto de imposi-

---

*Traducido por Martha Shiro del original en francés.

ción (cuando uno habla, el otro no puede/debe hablar). Al mismo tiempo que se legitima la toma de turno, se establece un tipo de relación con el otro, mediante la cual se le asigna un lugar, un rol. Esto corresponde a un proceso de *regulación de la interacción* que se logra según las normas vigentes del grupo social al cual se pertenece y que determina algunos de los procedimientos de este *ritual sociolingüístico.*

2) La construcción de la *imagen* del hablante responde a la necesidad de hacerse reconocer como una persona digna de ser escuchada (o leída), puesto que se le considera creíble o porque se le otorga confianza o porque representa un modelo carismático. Este proceso de identificación exige que el hablante construya una imagen propia que tenga cierto atractivo (poder de atracción) para el público; en otras palabras, se inscribe en la problemática del *ethos.*

3) Para *llegar al otro,* el hablante recurre a estrategias discursivas que se vinculan con la emoción, con los sentimientos del interlocutor o del público, con el fin de seducirlos o, por el contrario, de atemorizarlos. Éste es el proceso de dramatización, un ardid discursivo destinado a hacer caer al otro en las redes de las emociones. Esta problemática corresponde al *pathos.*

4) Finalmente, hablar es también organizar la descripción del mundo que se propone (o impone) al otro. Se hace posible, entonces, describir y relatar los acontecimientos que se producen en ese mundo, tratar de explicar el por qué y el cómo. Para ello, el hablante debe recurrir a los modos de organización discursiva, siguiendo una determinada retórica narrativa y argumentativa. Este proceso corresponde a la racionalización adicional vinculada al *logos* que se aplica a otros procesos para hacer que el discurso oscile entre esos dos modos de organización.

2. El contexto situacional y los aspectos discursivos

Veamos pues cómo se define la situación de la comunicación: su contexto y sus rasgos. El contexto de un acto de habla puede describirse en términos de rasgos que corresponden a la intencionalidad psico-socio-discursiva del hablante, quien se sitúa frente a un destinatario ideal, pero no puede controlar los efectos producidos en éste.[1] Es posible determinar la intencionalidad usando un criterio doble: por una parte, la intención pragmática del *Yo* con respecto al *Tú,* su posición de legitimidad, y, por la otra, la posición que se le atribuye al *Tú.* Sin entrar en detalles, ofreceré aquí los factores que intervienen en el discurso propagandístico:

---

[1] Para que se establezca la intercomprensión, el "sujeto interpretante" que se encuentra en la posición de receptor debe, al menos, reconocer la intención o el propósito. Para las definiciones de "sujeto destinatario" y "sujeto interpretante", véase Charaudeau y Maingueneau, 2005.

a) El aspecto prescriptivo: el *Yo* quiere *mandar a hacer* (o *pensar*) algo al *Tú,* y adquiere legitimidad porque adopta una posición de autoridad absoluta, es decir, se atribuye el poder de sancionar. El *Tú* se ubica en una posición de *deber hacer.* Se puede observar este aspecto prescriptivo en el discurso legal, de los reglamentos y de los discursos que se producen en los intercambios entre personas con diferentes jerarquías (profesor-alumno, padres-hijos, jefe-empleado, etc.).

b) El aspecto informativo: el *Yo* quiere *hacer saber* algo al *Tú* y adquiere legitimidad puesto que adopta una posición de conocedor. El *Tú* se ubica en una posición de *deber saber* algo relacionado con un acontecimiento o con una explicación.[2] Este aspecto predomina en el discurso producido en los centros públicos de información y constituye el fundamento del discurso mediático.

c) El aspecto incitativo: el *Yo* quiere *mandar a hacer* algo al *Tú,* al igual que en el aspecto prescriptivo, pero esta vez no adopta una posición de autoridad sino de incitar a alguien a hacer algo. Para ello, debe primero hacerse creer, para persuadir que el *Tú* se beneficiará con su propio acto y asegurar así que el *Tú* actúe y piense en la dirección deseada por el *Yo*. El *Tú* se encuentra en posición de *deber creer* lo que se le dice. Este aspecto es típico del discurso publicitario y político.

La interrelación de estos aspectos nos permitirá describir las características de los discursos propagandísticos, como contratos de habla, sin tomar en cuenta la intención de manipular, dado que los procesos de producción y recepción del discurso se subordinan a las condiciones de producción. Por tanto, la manipulación no puede ser tratada sin antes considerar esas condiciones.

3. Los tipos de discurso propagandístico

El discurso propagandístico se define entonces como el discurso que incita a hacer y, en cuanto tipo de discurso ideal, tiene las siguientes características:

a) El *Yo* adopta una posición de no autoridad y, por tanto, debe usar una estrategia para *hacer creer*. Por medio de esta estrategia, ubica al *Tú* en posición de *deber creer*.

b) Este discurso surge de un acto voluntario originado en el proceso de producción: un *Yo* que constituye la fuente individual o colectiva, a quien se le puede imputar una responsabilidad (es por eso por lo que no se incluye aquí el rumor).

c) La meta se constituye en una instancia colectiva, por lo que este tipo de discurso se inscribe siempre en un dispositivo de difusión y se le atribuye el calificativo de "propagandístico", en el sentido etimológico de difusión y de circulación del discurso en el espacio público para llegar al mayor número posible de personas *(propagare).*

d) Para lograr el objetivo de *hacer creer* y ubicar al receptor en posición de *deber*

---

2 Es decir, que no existe la posibilidad de "no querer conocer". El "deber conocer" se justifica *a posteriori* en muchas oportunidades.

creer, el discurso propagandístico se organiza según un esquema cognitivo doble: narrativo y argumentativo.[3] El primer esquema sirve, sobre todo, para seducir al interlocutor. De hecho, una narración no impone nada, sólo propone un imaginario de búsqueda en el cual el interlocutor podría, si así lo deseara, constituirse en el héroe de un relato que le sugeriría, al menos de manera implícita lo siguiente: *usted toma conciencia de que carece de algo > usted puede/debe emprender una búsqueda para compensar esta carencia > he aquí el objeto de la búsqueda que le permitirá satisfacer la búsqueda y compensar la carencia.*

El esquema argumentativo, a su vez, tiene por objeto persuadir al interlocutor, imponiéndole un modo de razonamiento y de argumentación para invalidar las objeciones posibles con respecto al esquema narrativo: (1) las objeciones relacionadas con el objeto de la búsqueda, mediante las cuales el receptor puede juzgar qué le concierne. Se trata de imponer la idea de que "usted no puede no desear el objeto de esta búsqueda (a usted esto le concierne necesariamente)"; y, si el receptor acepta estar interesado, (2) se le imponen objeciones relacionadas con los medios propuestos para realizar la búsqueda, dado que el interlocutor podría estimar que existen otras objeciones posibles. Se trata entonces de imponerle la idea de que "sólo el medio que yo le propongo permitirá realizar la búsqueda".

Definido de esta manera, el discurso propagandístico no puede considerarse manipulador, puesto que, una vez más, los dos participantes conocen los términos del contrato. Asimismo, habría que resaltar que el problema del engaño tampoco puede tomarse en cuenta en estas circunstancias, ya que varía según el uso que se hace de las condiciones de producción, razón por la cual habría que analizar dichas condiciones en el marco de las estrategias que usa el sujeto locutor, como se verá más adelante.

El discurso propagandístico es, pues, un tipo de discurso definido de manera ideal como un discurso que se materializa en diferentes géneros y que varía de acuerdo con los siguientes factores: el tipo de legitimidad del hablante, la naturaleza del objeto del habla (o el objeto de la búsqueda) que constituye *el hacer creer* y el *deber creer,* y la posición asignada al destinatario (como sujeto afectado, sobre quien recae la influencia que el emisor trata de ejercer).

3.1. EL DISCURSO PUBLICITARIO: UN CONTRATO DE SEMI-INGENUOS

El discurso de la publicidad se desarrolla en un dispositivo triangular entre el publicista, la competencia (con una marca similar) y un público:

---

[3]   Para los modos de organización discursiva, véase Charaudeau, 1992.

i) **La instancia del publicista**: la legitimidad del publicista proviene de su posicionamiento en una economía de mercado: el derecho de elogiar las cualidades de un producto, comparándolo con la competencia. De esta manera, el producto toma forma mediante la oposición a cualquier otra instancia de competencia. De esta rivalidad nace un discurso superlativo (el producto que les presento es el mejor); de ahí que este discurso se presente como benefactor, ya que le propone al receptor cómo realizar su sueño.

ii) **El objeto del habla** es doble: por una parte, se presenta el objeto de la búsqueda como una bondad absoluta (como un sueño); por otra parte, no se presenta el producto (un bien de consumo) como el objeto de la búsqueda, sino como el único medio (auxiliar) para realizar el sueño.

iii) **La instancia del público**: a la cual se le asigna el doble papel de "comprador/consumidor potencial" y el de "consumidor efectivo de la publicidad". En calidad de consumidor/comprador, debe creer que experimenta una falta y que sólo puede ser agente de una búsqueda que satisfará esta falta con la ayuda del auxiliar que se le propone. Como consumidor de la publicidad, se espera que aprecie la puesta en escena, es decir, que se le asigna el papel de cómplice de la instancia publicitaria. Así, el *deber creer* se reemplaza aquí con el *deber apreciar*. Sin embargo, no se sabe qué relación se establece entre los dos deberes, puesto que es posible apreciar una publicidad sin sentirse incitado a consumir lo que se ofrece o viceversa.

Así, la idealización del individuo, la superlatividad y el llamado a la complicidad hacen que el discurso publicitario obedezca a un contrato de "semi-ingenuos": todo el mundo sabe que *hacer creer* es tan sólo una opción posible, pero todos desearían que fuera un *deber creer* la única alternativa permitida.

3.2. EL DISCURSO PROMOCIONAL: UN CONTRATO DE BIENESTAR COLECTIVO

El discurso promocional no vende una marca, pero pretende prevenir alguna calamidad (una epidemia de alguna enfermedad), intenta persuadir a la población a actuar de cierta manera (dejar de fumar) o a adoptar ciertos hábitos (usar preservativos):

a) La instancia que promueve obtiene su legitimidad de su (supuesta) posición de saber y de una posición de moral social. No se trata de competir en un mercado de bienes de consumo, sino de responsabilizarse por un ideal social. Tampoco se trata de presentarse como un benefactor, sino como un consejero.

b) El objeto del habla se presenta como un bienestar colectivo que permite reparar un desorden social y participar así en un ideal ético. Difiere en esto de la publicidad que promociona el bienestar individual hedonista y no ético.

c) La instancia del público no es consumista, sino cívica y ciudadana: se le asigna el deber de reconocerse (desde el punto de vista moral) en el comportamiento estigmatizado y el deber de querer seguir un cierto modelo de comportamiento en nombre de una solidaridad social.

En la campaña promocional, la carencia, lo que falta, no es una ausencia, como en el discurso publicitario, sino un tipo de comportamiento estigmatizado que se trata de corregir. Lo que falta es, entonces, un *mal presente* (beber, fumar, engordar, conducir a altas velocidades), mientras que en la publicidad se advierte un *bien potencial* ausente ("usted no es suficientemente seductor, prestigioso, fuerte, exitoso").

De este modo, en las campañas promocionales, la carencia representa siempre una amenaza (de graves consecuencias) y el destinatario no puede pasar por inocente. Debe sentirse obligado a reconocer que su estado, o el de los demás, representa un peligro social y que debe esforzarse para aceptar una búsqueda no deseada.[4] No hay escapatoria posible, no puede contentarse con seguir siendo lo que es, puesto que está envuelto en una ética de responsabilidad (Weber, 1995).

3.3. El discurso mediático: un contrato de información ciudadana

Como el discurso publicitario, el mediático se desarrolla en un dispositivo triangular entre instancias de información que están compitiendo (con otros órganos de información) y una instancia del público. Pero la triangularidad constituye el único rasgo en común, puesto que el propósito del discurso mediático es el de aportar información a los ciudadanos, para que ellos puedan, en un mundo ideal, formarse una opinión acerca de los asuntos políticos y sociales en el mundo:

a) La instancia informadora obtiene su legitimidad de la posición de saber acerca de los eventos del mundo y de su deber (supuesto) de transmitir ese saber para fines ciudadanos. No obstante, esta instancia está limitada por otras exigencias que conciernen al hecho de que todo órgano de información está inmerso en una lógica mercantil: para (sobre)vivir económicamente, se necesita llegar al mayor número de lectores, oyentes, televidentes. Por lo tanto, hace falta seleccionar y presentar los eventos de la manera más atractiva posible.

b) El objeto de habla se presenta como un saber acerca del mundo, pero, como ya se ha mencionado, se trata de un saber seleccionado y de una puesta en escena destinada a capturar un público amplio, lo que hace que el discurso sea, por contrato, de dramatización.[5]

c) Una instancia del público a la cual se le asigna, como ciudadano individual o colectivo, el deber (moral) de querer informarse. Las limitaciones incluyen la ética de la convicción (Max Weber 1995): el principio que sostiene que todo individuo que convive en la sociedad está vinculado con los otros porque tiene el deber de la solidaridad social.

---

4   Así se explica el éxito de los programas de televisión del tipo *Téléthon*, *Sidaction*, etc.
5   Es por esto que "la puntualidad de los trenes" no se menciona a menudo.

Se puede decir, entonces, que el discurso mediático se inscribe en el contrato de complicidad ciudadana, pese a que (o tal vez porque) está marcado por la sombra de la sospecha. De hecho, los medios están siempre bajo la sospecha de que están manipulando o al menos desinformando. Se les condena, a veces, por su sensacionalismo; otras, por deformar los propósitos sustentados por tal o cual político. A menudo, se les critica también por apurarse a obtener una primicia que les permita dedicar la casi totalidad de la información a un evento dramático, susceptible de impresionar al lector, al oyente, al televidente (epidemias, conflictos y catástrofes naturales).

En efecto, las cosas no son tan sencillas. Es verdad que, debido a la selección de los acontecimientos que cubren, los medios imponen a su público la idea de que estos eventos son los únicos dignos de interés, pero son los medios también los que, con sus comentarios, imponen su interpretación de los eventos. No obstante, excepto en algunos casos en los que los órganos informativos dependen de los partidos políticos o en los que están sometidos a la censura, no puede decirse que los medios desean engañar a los ciudadanos: se ganarían el descrédito inmediato del público. Además, ellos mismos están sometidos a las manipulaciones de otras instancias, entre las cuales está la política, que les impone, a su vez, la agenda y los comentarios de los que ejercen el poder en la política (Charaudeau, 2005). La información dramatizada, rasgo predominante del discurso mediático, se produce con el consentimiento implícito de un público que, sin esa dramatización, no se motivaría por estar informado. Por ello, el discurso mediático, en principio, no es propagandístico. Se limita a ser tan sólo un medio de difusión.

Un ejemplo se nos ofrece en la posición adoptada por la prensa norteamericana en los inicios de la guerra de Irak: ella fue afectada por la mentira política del secretario de Estado de Bush y favoreció, de buena fe, la intervención dentro del contexto del atentado que ocurrió el 11 de septiembre y en vista de la amenaza que Al-Qaeda constituía para los Estados Unidos. Pese a que estaba en contra de Bush durante el segundo mandato, no hubo dificultades para reelegirlo cuando todavía la opinión pública no se había vuelto en su contra.

3.4. EL DISCURSO POLÍTICO: UN CONTRATO DE BIENESTAR DE LA CIUDADANÍA

La actividad de persuasión y de seducción es constitutiva del discurso político, puesto que, en democracia, se debe conquistar el poder o manejarlo con el asentimiento popular. El habla de los políticos no sólo pretende dirigirse al público; debe plantearse alcanzar el mayor número de miembros de un auditorio heterogéneo cuyo denominador común, con respecto a la comprensión, el análisis y la apreciación, es por definición reducido. Se debe partir de un principio que sostiene que, en el dominio político, no todo puede decirse.

Si se trata de conquistar el poder o de *gerenciarlo,* la instancia política se encuentra en una situación de *deber hacer* en la cual se requiere que los individuos en cuyos asuntos no se tiene injerencia se adhieran a las ideas de dicha instancia política. El discurso político, entonces, se inscribe en estos procesos de incitación a hacer. Pero hay que distinguir entre lo que son las estrategias de persuasión y seducción normales (incluyendo las demagógicas), por una parte, y lo que son las manipulaciones del espíritu, por la otra, pese a que, hay que reconocerlo, la frontera entre las dos sea bastante porosa. Esto nos conduce a interrogarnos acerca de lo que es la manipulación.

4. Los avatares del discurso político

Es posible darnos cuenta ahora de que el contrato del discurso político puede ser desviado con fines persuasivos, cuando se utilizan estrategias que pueden denominarse *manipulativas,* puesto que emprenden un engaño voluntario, hecho que ubica al manipulador fuera de toda postura ética. Es por eso por lo que usamos la expresión *avatares del discurso político.* Estas estrategias, por usarse siempre de la misma manera, terminan por constituirse en subgéneros. Examinaremos dos de sus formas: el populismo y la propaganda.

4.1. EL POPULISMO: UNA MANIPULACIÓN CONSENSUADA

El discurso populista es una forma de manipulación débil *(soft).* Se caracteriza por tocar temas recurrentes: las instituciones políticas perdieron toda la autoridad, la burocracia es la fuente de todos los males; las instituciones políticas y las élites son corruptas y están aisladas del pueblo; existe una persona (hombre o mujer) providencial, carismática, visionaria, capaz de romper con el pasado y convertirse en el salvador de la sociedad.

Es evidente que este discurso sólo puede ser comprendido en un contexto de crisis social (desempleo, inseguridad, injusticia), lo que hace que se pierdan los puntos de referencia de la identidad (como nación, como clase social). De este modo, el discurso populista responde también a condiciones de dramatización que influyen en la afectividad del público según un escenario triple: *i)* estigmatizar la crisis social cuyas víctimas principales son los ciudadanos; *ii)* identificar su fuente; y *iii)* anunciar la solución y el posible salvador.

Con la finalidad de poner en evidencia la situación de crisis, basta con acumular relatos y anécdotas que describen crímenes, delitos, actos de delincuencia que acompañan la vida cotidiana y amalgamarlas: amalgama de causas (la codicia, el tráfico de drogas, la locura, etc.); amalgama de la naturaleza de estos actos (crimen a gran escala o delincuencia menor, grandes atracos o robos menores, violaciones colectivas o palizas, etc.); todo esto con la ayuda, en lo posible, de cifras y porcentajes lanzados a ciegas, sin que el ciudadano común tenga los medios de verificarlos. Igualmente, basta con resaltar la situación económica desastrosa, el descalabro del servicio público (transporte, escuelas, hospitales, etc.), la disparidad entre ricos y pobres, el empobrecimiento general de la nación, todo lo que puede implicar un debilitamiento de los lazos sociales, la pérdida del civismo y, por tanto, decadencia generalizada: "[La juventud de Francia] conoce hoy los frutos amargos de la decadencia económica, social, política y moral, las calamidades del desempleo, el individualismo virulento que conduce al aislamiento y a la desesperanza" (Souchard *et al.,* 1997: 48). Y para que esta situación de crisis sea todavía más inquietante, conviene anunciar las consecuencias nefastas, las amenazas que se le presentan a todos y a cada uno: "Los pilares de la sociedad: el ejército, la policía, la justicia están vacilando y anuncian tiempos de anarquía y de desorden" (Souchard *et al.,* 1997: 48).

La fuente del mal debe identificarse de manera imprecisa y global para que se le considere todavía más inquietante: un movimiento colectivo, una entidad abstracta: "Un millón de inmigrantes, un millón de desempleados" *(Un million d'immigrés, un million de chômeurs)* proclamó Jean-Marie Le Pen en los años noventa del siglo pasado. Pero es posible ubicar la fuente del mal en las personas o en grupos de personas, presentadas de manera difusa e indeterminada, mostrados como adversarios que hay que combatir: los marxistas, los socialistas, los capitalistas, los fascistas y otros grupos que son juzgados por tener una ideología contraria; los partidos, de derecha o de izquierda; los *lobbies* (el *lobby* "antirracista" o el de los "derechos humanos" criticados por Jean-Marie Le Pen), los grupos de interés: "Los del capitalismo anónimo, los especuladores que hacen transferencias financieras masivas, las grandes multinacionales..." (Souchard *et al.,* 1997: 74), o las oligarquías: "Una oligarquía internacional y cosmopolita" (Souchard *et al.,* 1997: 76).

La *solución* consiste en proponer medidas que deberían reparar el mal existente y, al mismo tiempo, construir la imagen de aquel que se presenta como el salvador: en contra de la inseguridad, se propondrán medidas drásticas de coerción; para recuperar la situación económica, se propondrá reducir los impuestos a los particulares, aligerar las cargas sociales de las empresas, revalorizar los salarios o reducir el horario laboral, controlar, es decir, prohibir la inmigración de trabajadores para reducir el desempleo. Al mismo tiempo, el defensor de estas medidas parecerá tanto más creíble cuanto más proyecte una imagen de hombre fuerte (*ethos* de poder y de jefe) y de salvador de la nación.

Las condiciones de dramatización deben ser analizadas por sus efectos emocionales más que por su valor argumentativo. Es por eso por lo que se puede hablar de manipulación cuando se utiliza el sufrimiento de las víctimas, el temor de posibles amenazas, el señalamiento de chivos expiatorios (los inmigrantes) y de complots (el *lobby* judío), de la vergüenza (el deterioro del país) y de la culpa (el calentamiento global), todo esto para provocar una reacción colectiva. Ello satisface el rito de sacrificio colectivo que tiene como efecto la provocación de una catarsis social a través de un proceso de reconciliación (reparación) con respecto a una misma víctima expiatoria que debe hacer revivir al hombre nuevo.

4.2. LA PROPAGANDA: IMPONER UNA VERDAD POR MEDIO DEL ENGAÑO

En el discurso de la propaganda volvemos a encontrar las características más sobresalientes del discurso de la manipulación:

a) Una instancia de propaganda que se propone imponer una verdad con el fin de influir en el comportamiento de un grupo de opinión y, al mismo tiempo, de ocultar su intención, encubriéndola en una información mentirosa (engaño) y ubicándose en una posición de autoridad del saber.

b) Una instancia equipada con medios de comunicación que ponen en evidencia su poder ostensible (el espectáculo de grandes reuniones, artefactos de inculcación, uso de redes diversas).

c) Una instancia del público que se interpela como instancia ciudadana que no posee los medios de verificar la veracidad de los discursos que se le dirigen y que se deja atrapar por las apariencias de veracidad.

Sin embargo, más allá de estos rasgos generales, es posible distinguir dos tipos de propaganda según la naturaleza de sus propósitos: una propaganda táctica y otra profetizadora.

4.2.1. La propaganda "táctica"

Este tipo de propaganda se caracteriza por lanzar una información falsa de manera consciente, o por denunciar como falsa una información que circula en la sociedad, para que la opinión pública juzgue los acontecimientos de una cierta manera y que actúe en una dirección determinada. Por ejemplo, George W. Bush, mientras buscaba pruebas para confirmar la existencia de armas de destrucción masiva en Irak, denunciaba como falsas las declaraciones de Saddam Hussein, quien aseguraba no poseer tales armas. Este tipo de propaganda se denomina *táctica,* puesto que se usa puntualmente, en relación con acontecimientos de la actualidad inmediata, con el fin de obtener un resultado a corto plazo. Su propósito fundamental es el de asegurarse de que el público opine de cierta manera con respecto a una posible amenaza o peligro; por ejemplo, cuando los alemanes ocuparon Francia, las autoridades gubernamentales de Vichy hicieron circular la idea de que la ocupación era "amistosa" para que la población francesa acogiera a los ocupantes sin oponer resistencia. A la inversa, la propaganda puede estar destinada a desmoralizar para disuadir al público de mantener su opinión o de actuar como de costumbre. Es el caso de la propaganda de los alemanes, en la Segunda Guerra Mundial, dirigida a las tropas enemigas con el propósito de hacerles creer que su Estado Mayor había capitulado y lograr así que cesaran los combates.

La propaganda se despliega igualmente en el dominio comercial, donde se observa que los grandes *lobbies* comerciales pretenden influir en la opinión y en la conducta de los consumidores: las grandes firmas de fabricantes de tabaco que, en los años sesenta, denunciaron como falsas las campañas de las autoridades sanitarias, quienes insistían en la alta probabilidad de que el tabaco cause cáncer.

Aquí entramos en el terreno de la manipulación. Se engaña en el contrato: un cambio o una sustitución del contrato, político o comercial, por medio del cual se hace pasar algo como si fuera de interés general, pero que, en la realidad, se origina en intereses particulares y se apoya en una posición de falsa legitimidad.

De esta manera, la propaganda se diferencia de la publicidad porque esta última no se basa en el saber sino en el deseo y no requiere de una posición de autoridad (el contrato de los semi-ingenuos); se distingue igualmente del discurso de los medios, en el cual la legitimidad se fundamenta en el saber sin engaños y en el interés general (pese a la dramatización); difiere también del discurso promocional, en el cual la autoridad del saber se pone al servicio del interés general sin engaños. De hecho, el discurso de la propaganda es una combinación del discurso publicitario y del promocional: pretende servir al bienestar colectivo (el interés general del discurso promocional), pero sirve a los intereses particulares de aquellos que lo promueven (discurso publicitario) y su propósito es el de aumentar su propio poder político o comercial. Por ello, se le puede tildar de inmoral: la propaganda manipula las voluntades cuando juega sobre bases falsas que pretenden ser racionales, pero sólo defiende los intereses propios.

4.2.2. La propaganda "profetizadora"

Este tipo de propaganda pretende lograr que las masas se adhieran a un proyecto de ideales sociales o humanos. Para ello:

a) Debe referirse a la palabra *reveladora,* puesto que la verdad reside en esa revelación.

b) La palabra *reveladora* debe prometer, de una u otra manera, un futuro sonriente.

c) La instancia propagandística debe tener una posición de representación simbólica autorizada como portadora de esta palabra (el profeta/el "padrecito del pueblo"[6]), por lo que debe disponer de grandes medios de comunicación (el cine soviético, los espectáculos nazis).

d) Debe reconocerse a la instancia del público como deseosa de un absoluto.

Éste es el caso posiblemente de la manipulación extrema de las voluntades, el discurso del adoctrinamiento, en el cual el contrato asegura la adhesión ciega a una palabra de referencia, es decir, un llamado al desposeimiento de sí mismo. Este tipo de propaganda pretende lograr que el otro se desprenda de su propia identidad, de su propia existencia. Es lo que se observa en los regímenes totalitarios que se proponen, más allá de la exclusión de las categorías individuales, "la inclusión en un sistema donde cada uno debe ser localizado, supervisado, observado día y noche, donde cada uno debe ser encadenado a su propia identidad" (Foucault, 2001: 466). Es el sistema de supervisión panóptica imaginada por Bentham (2002), del cual Michel Foucault (1975) ha dicho que emerge a finales del siglo xviii y al cual recurre nuestra sociedad actual.

5. Conclusión

Esta tipología entonces evidencia que existe variación en los discursos propagandísticos. No son todos del mismo tenor. Los actos discursivos no son igualmente manipuladores; a menudo se juzga como manipulador el discurso del otro, de nuestro enemigo.

La Grecia Antigua ha visto nacer la retórica persuasiva debido a la necesidad de reglamentar los conflictos sociales y comerciales. Se sabe ahora que toda sociedad necesita *gerenciar* las relaciones de fuerza que se instauran en la vida colectiva por medio de discursos persuasivos cuya finalidad no se vincula a lo "verdadero" sino a lo que se "cree verdadero".

¿Será que los discursos persuasivos se convierten cada vez más en manipuladores, debido al predominio de los fantasmas de apropiación del poder en la opinión pública masificada: del poder en el ámbito político, de la ganancia en el comercial, de la competencia en el mediático? Habría que verificar la respuesta a esta interrogante, ya que los estudios de los antropólogos muestran que los

---

[6]   Así se le nombraba a Stalin, en los años cincuenta y sesenta.

miembros de cada sociedad necesitan del espectáculo que enfrenta las fuerzas del Bien y del Mal. Se observa en las sociedades más antiguas, más primitivas, a través de mitos y leyendas, y en las sociedades modernas, a través de la literatura, la fantasía cinematográfica *(Star Wars/Guerra de las Galaxias)* y de los diferentes espectáculos en los cuales se refleja la razón de ser de la población.

Sin embargo, no es posible dejar de mencionar que, en nuestra modernidad, la complejidad proveniente del desarrollo tecnológico implica que no se sepa muy bien quiénes son los mandatarios, los responsables, los organizadores de estos discursos, ni tampoco quiénes son sus verdaderos destinatarios, puesto que se trata de un discurso manipulador de la escena pública que requiere del consentimiento popular. Las diferentes maneras de manipular sólo pueden tener efecto en la medida en que responden a preocupaciones pujantes: el conjunto de la población, o una parte, se hace más susceptible de caer en la trampa de la falsedad, si vive en el descontento y si se siente impotente para resolver sus problemas. Asimismo, se hace más propenso a la manipulación, si necesita que se le ofrezcan explicaciones simplistas y relatos dramatizados.

Este fenómeno de *consenso blando* acerca de los fantasmas de la crisis y de las demandas de seguridad es posiblemente la marca de una sociedad "desideologizada". El síntoma sería la construcción del "discurso popular/del pueblo" *(discourse people)* en el campo del discurso político. Pero, tal vez, se debería evitar esa actitud paranoica que pretende que "todo es manipulación", ya que le hace daño a la formación ciudadana. Por ejemplo, en la actualidad, un amalgama discursivo impide pensar en las cuestiones del conflicto palestino-israelí y del antisemitismo puesto que se confunden en un mismo discurso, el "antijudaísmo" (conflicto religioso), el "antisemitismo" (conflicto étnico) y el "antiisraelismo" (conflicto de estado). Es posible que algunos quieran mantener la confusión, pero ¿podríamos creer que hay un gran manipulador que provoca la permanencia de esta amalgama?

Se plantea la interrogante de cuál es el lugar del discurso persuasivo y de sus avatares en una democracia. Las fronteras son porosas, como hemos visto, entre las estrategias legítimas de persuasión y las de la manipulación del espíritu. Es que, en democracia, se instaura un equilibrio de fuerzas entre el poder y el contrapoder mediante el cual se enfrentan los poderes institucionales contra los poderes ciudadanos. Este enfrentamiento se hace por medio del juego de máscaras: las máscaras de la fuerza de la Ley y de la Autoridad contra las máscaras de las fuerzas de protesta. Este antagonismo entre poder y contrapoder se origina en la acción política que se inscribe en el marco de lo posible, mientras que el deseo de la instancia ciudadana pertenece al marco de lo deseable. El discurso propagandístico entrelaza estos dos órdenes, para bien o para mal.

Referencias bibliográficas

BENTHAM, Jeremy. 2002 [1971]. *Le panoptique*. Paris: Édition Mille et Une Nuits.

CHARAUDEAU, Patrick. 1992. *Grammaire du sens et de l'expression*. Paris: Hachette.

—. 2005. *Les médias et l'information*. Bruxelles: de Boeck-Ina.

CHARAUDEAU, Patrick y MAINGUENEAU, Dominique (eds.). 2005. *Diccionario de análisis del discurso*. Buenos Aires: Amorrortu.

FOUCAULT, Michel. 1975. *Surveiller et punir*. Paris: Gallimard.

—. 2001. *Dits et écrits, 1978-1988*. Paris: Quatro-Gallimard.

SOUCHARD, Maryse; WAHNICH, Stéphanie; CUMINAL, Isabelle, y WATHIER, Virginia. 1997. *Le Pen. Les mots. Analyse d'un discours d'extrême-droite*. Paris: Le Monde Éditions.

WEBER, Max. 1995. *Le savant et le politique*. Paris: Plon, pp. 10-18.

CONSIDERACIONES ACERCA DE LA CONVERSACIÓN COLOQUIAL

Luisa Granato
Universidad Nacional de la Plata

1. Introducción

La interacción verbal coloquial está más expuesta que cualquier otro tipo de discurso a las variaciones que imponga el contrato conversacional del momento. No hay temas de tratamiento obligatorio, formas de contacto prefijadas, duración preestablecida del encuentro, como sí ocurre con interacciones en ciertos ámbitos del quehacer social en los cuales se desarrollan actividades de las que el lenguaje es constitutivo.

La conversación como forma de comunicación básica entre los seres humanos ha sido objeto de estudio por parte de investigadores representantes de vertientes teóricas diversas. Sabemos que el trabajo de Austin (1962), realizado desde la filosofía del lenguaje, constituyó un aporte crucial para el desarrollo del área, por considerar que la producción de emisiones por parte de los hablantes podía brindar datos útiles para identificar las características del lenguaje y sus funciones. Desde el campo de la sociolingüística, la antropología y la etnografía, surgen los primeros trabajos tendientes a demostrar que la conversación es ordenada y sistemática, características que, hasta ese momento, sólo se habían atribuido a la lengua escrita. En este marco, se llevan a cabo estudios que se centran especialmente en el micronivel del discurso y que describen las unidades de la interacción como los pares adyacentes, los turnos de habla y la forma en que se distribuyen entre los participantes, el funcionamiento de las interrupciones, etc. Se inicia así la disciplina conocida como *análisis de la conversación,* línea de investigación aún vigente que se renueva y actualiza en forma constante. Cabe recordar, una vez más, que Sacks, Schegloff y Jefferson fueron los principales pioneros de este campo en la década de 1960, y que uno de sus trabajos más relevantes fue "A simplest systematics for the organization of turn-taking in conversation", publicado en el año 1974. De esta manera, los estudios del discurso incorporan definitivamente la lengua hablada a sus intereses investigativos, lo que da origen a modelos teórico- metodológicos y marcos de análisis tendientes a dar cuenta de la estructura en los niveles micro, medio y macro de la interacción verbal, del desarrollo y la negociación de los significados y de las posturas personales, de los procesos cognitivos involucrados en la producción y la interpretación de las emisiones, y del contexto como factor determinante en el significado de la palabra hablada.

Después de haber realizado varios trabajos sobre la interacción coloquial desde una perspectiva socio-pragmática, y frente a la disparidad de opiniones relativas a los intercambios verbales que nos ocupan, nos preguntamos: ¿Es posible catalogar las conversaciones coloquiales como un género?

Cabe señalar que las evidencias empíricas a las que se hace mención aquí provienen del corpus utilizado en proyectos de investigación sobre la conversación coloquial que se realizan en la Universidad Nacional de La Plata, Argentina. Este corpus está compuesto por sesenta interacciones entre estudiantes universitarios de la institución mencionada, en las que participaron grupos de mujeres, hombres y mixtos, de entre 18 y 25 años de edad, a quienes se les solicitó que grabaran encuentros verbales con sus compañeros o amigos, en reuniones informales y/o casuales. Se solicitó que se efectuaran registros de media hora de interacción en audio o vídeo y se aclaró que no había ninguna limitación en cuanto a los temas a abordar.

2. Los géneros del discurso

2.1. LOS GÉNEROS SEGÚN BAJTÍN

La revisión de los escritos fundacionales de Bajtín fue la actividad a la cual nos abocamos en primer término. En su trabajo de [1979] 2005, el autor considera que el uso del lenguaje se manifiesta en las emisiones (nuestra traducción de *utterances* en inglés) que pertenecen a diferentes esferas de la praxis humana y, como tales, proyectan el objeto específico y las condiciones de cada una de estas esferas, no sólo en relación con los contenidos y el estilo verbal, es decir, con las expresiones lingüísticas utilizadas, sino especialmente con su composición y estructura. Bajtín sostiene que el estilo, la composición y los contenidos se vinculan con el discurso como un todo y que cada esfera de uso del lenguaje da forma a lo que él llama *géneros del discurso,* que exhiben una uniformidad relativa. Así señala:

> Una función determinada (científica, técnica, periodística, oficial, cotidiana) y unas condiciones determinadas, específicas para cada esfera de la comunicación discursiva, generan determinados géneros, es decir, unos tipos temáticos, composicionales y estilísticos relativamente estables (Bajtín, 2005: 252).

Emerson (1994) explica esta afirmación al sostener que lo que los géneros hacen es crear un ámbito para la producción de actividades futuras. Esto no significa que se copien o reiteren los patrones, sino que cada ámbito contiene aquellos recursos que son generalizables en eventos de un mismo tipo, porque cada espacio es irrepetible así como también son los propósitos que se plantean en cada caso particular. Es decir, que los géneros comienzan en lo dado y luego producen algo nuevo sobre esa base. Emerson cita a Voloshinov (1973), quien sostiene que los géneros discursivos pertenecen a un complejo más amplio que denomina *géneros de la vida* o *géneros de la conducta.*

Hasta aquí, podíamos pensar que la conversación coloquial pertenece a la esfera de la vida privada de los individuos y que, por lo tanto, todas sus manifestaciones comparten de alguna manera ciertos rasgos. Pero nos encontramos con dificultades al observar la distinción que Bajtín (2005) realiza entre *géneros primarios,* que se originan en la comunicación discursiva inmediata, y *géneros secundarios,* que son aquellos que resultan de condiciones culturales complejas. Se considera que la conversación es un género primario y que aun un diálogo cotidiano breve constituye un género de este tipo, en tanto exhibe una naturaleza lingüística común con la conversación. Pero el autor sostiene que es sólo cuando los géneros *primarios* son absorbidos y reelaborados cuando pierden su conexión con la realidad y su independencia, para formar parte de un género secundario dentro del cual se insertan. De modo que, en este sentido, sólo aquellos discursos institucionalizados en alguna medida podrían considerarse genéricos y ser reconocidos y reutilizados dentro de una cultura. Representamos en la figura 1 la idea de que los géneros de la vida o de la conducta contienen a los géneros discursivos *primarios* y *secundarios* y que los géneros secundarios están formados por los géneros primarios, o bien que los géneros primarios dan forma a los secundarios.

FIGURA 1

Representación de las relaciones entre géneros según Bajtín

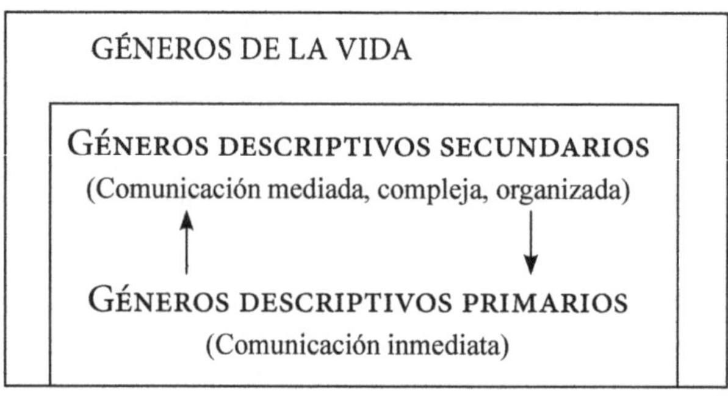

Emerson (1994) se refiere a los géneros primarios en esta clasificación como átomos o *formas de ameba,* dado que, como ya se dijo, para Bajtín sólo los *géneros secundarios* representan la comunicación cultural organizada. Es decir, que se interpreta que los géneros primarios funcionan como partes de emisiones más complejas que se interrelacionan, operan en el nivel de la experiencia directa y constituyen la materia prima de la comunicación no mediada.

Purvis-Smith (1994) sostiene que para efectuar la distinción entre género primario y secundario, Bajtín se basa en la relación entre el hablante y el receptor. Si la relación es simple y sólo se necesita que el hablante identifique el conocimiento del interlocutor sobre un tema dado, y si el vínculo que los une es familiar, serán muy débiles las limitaciones que impongan las convenciones sociales, mientras que si la relación es íntima, las convenciones podrían llegar a diluirse totalmente. De modo que la estructura externa o global de un texto se pone de manifiesto cuando el discurso que se produce proviene de interlocutores separados por una distancia amplia. Esto explica, en parte, las dificultades de establecer recurrencias formales en las conversaciones que se intentan caracterizar en este trabajo. Dado que la conversación coloquial sería una forma sin anclaje en situaciones sociales determinadas, Swales (1990) la categoriza como un *pre-género* y Fairclough (2003: 68) adopta también esta designación.

Vemos entonces que no se puede incluir la conversación o el diálogo cotidiano dentro de la comunicación mediada, y que la noción de *género primario* difiere sustancialmente no sólo de la de *género secundario* en Bajtín, sino de las concepciones posteriores de otros autores como Swales (1990 y 2004), Martin y Rose (2003 y 2008),   Bhatia (1993), Eggins y Slade (1997) o Charaudeau (2003), entre muchos otros. Ni el tema, que puede variar de manera impredecible, ni la estructura global del texto resultante ni las expresiones que determinan un estilo de lenguaje son esenciales. Lo que cuenta para la categorización de estos encuentros es fundamentalmente el vínculo entre los participantes y la función o funciones que se realizan en el intercambio verbal, que apuntan, en su gran mayoría, a la creación, el mantenimiento o el acrecentamiento de los vínculos sociales (Granato, 2007).

La conversación como género primario no puede categorizarse de la misma manera que los géneros secundarios, identificables a partir de las estrategias retóricas que ocurren en relación con las demandas de las instituciones, dada la amplia variabilidad en todos sus aspectos. Sin embargo, pensamos que este tipo de discursos tiene un espacio propio dentro de una esfera de la praxis humana, dentro del contexto cultural de sus usuarios, como una actividad más que se suma a las que conforman los géneros secundarios, que sí comparten aspectos comunes observables en cualquiera de sus manifestaciones.

Es claro que un tipo de texto que presenta tal variedad en su composición, contenidos y estilo, así como también en las expresiones lingüístico-discursivas utilizadas como lo hace la conversación coloquial, da como resultado una construcción de características muy heterogéneas.

2.2. LOS GÉNEROS EN LA LINGÜÍSTICA SISTÉMICO FUNCIONAL

En una segunda aproximación a los datos, se tomaron como punto de partida los principios de la lingüística sistémico-funcional (en adelante, LSF), vertiente de análisis iniciada ya en la década de 1970 con los trabajos de Halliday y continuada hasta la fecha por el mismo autor y por quienes se adhieren a sus postulaciones teóricas. Por un lado, adoptamos la gramática que surge de esta perspectiva, representada especialmente por los trabajos de Halliday (1994), Halliday y Matthiessen (2004), Eggins (1994) y Thompson (2004), entre otros. La elección de esta aproximación teórica se debe a que, tal como Halliday (1994) señala en la introducción de su *Gramática,* persigue el objetivo de facilitar el estudio de cualquier tipo de texto. Es decir, que el autor se interesa por contar con una herramienta de análisis que contribuya a ver cómo las características gramaticales que se ocupan del nivel de la cláusula pueden aplicarse a las unidades de significado de mayor extensión. En efecto, Halliday afirma que su *Gramática* describe el sistema, pero además constituye una gramática del texto. Por otra parte, la discriminación entre las tres funciones del lenguaje —ideacional, interpersonal y textual— contribuye a organizar nuestra búsqueda y da lugar a una consideración más adecuada de los distintos significados que se expresan en los discursos.

Asimismo, para iniciar el trabajo sobre las características genéricas de las conversaciones en estudio se aplicó la *teoría del género* desarrollada desde esta perspectiva. Esta noción de género se adoptó no como un modelo dentro del cual se forzarían nuestros datos, sino como una conceptualización abarcadora, cuyo valor, entendemos, reside en tener en cuenta los diferentes aspectos —funcional, estructural y lingüístico-discursivo— que intervienen en la composición de un texto o discurso, y de su contexto cultural y situacional, es decir, que contempla aspectos que hacen a la totalidad de los factores que inciden en la conformación de los géneros discursivos. La figura siguiente organiza los componentes del lenguaje y el contexto y las relaciones que se establecen entre sí. La figura 2 muestra la separación que se establece entre el contexto de cultura y el contexto de situación. Los géneros se conciben como formas que responden a actividades sociales que se encuentran dentro de la cultura de una comunidad y los integrantes de esa comunidad los utilizan en situaciones en que necesitan expresar funciones sociales diversas. Es claro que esta concepción se vincula con la noción de géneros secundarios de Bajtín (2005), en tanto ambas posturas proponen la existencia de modelos previos que se reutilizan cuando las situaciones sociales se reiteran. El contexto de situación se manifiesta a través de la *teoría del registro* con sus dimensiones de campo — las actividades que se llevan a cabo en el discurso—, tenor —las relaciones entre los interactuantes— y modo —la manera en que se desarrolla el discurso—. El nivel del lenguaje se concreta a través de **textos** o discursos a los que da forma el sistema léxico-gramatical. Las flechas a la izquierda indican la relación de realización existente entre los dos componentes —lenguaje y contexto— según los autores mencionados. Esta relación de realización es bidireccional, ya que se considera que el contexto realiza el lenguaje y que, en forma recíproca, el lenguaje realiza el contexto.

FIGURA 2

Relación entre contexto y lenguaje en la LSF

CONTEXTO	
CONTEXTO DE CULTURA **Géneros**	CONTEXTO DE SITUACIÓN **Teoría del Registro** Campo, tenor y modo
LENGUAJE	
	Discursos y Textos **Léxico-Gramática**

El género en esta vertiente se define como "…un proceso social que se desarrolla en etapas y está orientado hacia un objetivo"[1] (Martin y Rose, 2003: 8). En una línea similar, Fairclough sostiene que "el género se define como una forma social ratificada de usar el lenguaje en conexión con un tipo particular de actividad social"[2] (Fairclough, 1995a: 14). El autor utiliza esta noción como base para el análisis crítico que realiza de diferentes tipos de textos.

Eggins y Slade (1997) estudian las conversaciones coloquiales en inglés, también sobre la base de esta noción de género, y señalan que este tipo de dis-

---

[1] En el inglés original: "a genre is a staged, goal-oriented social process" (traducción de la autora).

[2] En el inglés original: "[I regard a genre] as a socially ratified way of using language in connection with a particular type of social activity" (traducción de la autora).

curso no responde a los requerimientos necesarios para conformar un género, con excepción de aquellos fragmentos que, incrustados en las interacciones, exhiben una organización textual reconocible como la narración y que cumplen funciones sociales determinadas. Estos segmentos, que denominan *chunks,* se diferencian del *chat,* secuencias que, al igual que la totalidad de una conversación, no pueden analizarse porque carecen de una estructura genérica más o menos recurrente. Es decir que, por ejemplo, un fragmento que tenga las características estructurales y lingüísticas del discurso narrativo que las autoras denominan *exemplum* cumplirá siempre la misma función en cualquier tipo de encuentro y momento en que se produzca. De esta manera, la estructura global y la función social no son independientes. Las autoras establecen los pasos o etapas para la identificación de un género. Señalan que, en primer lugar, se debe efectuar el reconocimiento de un *chunk* o segmento genérico, definir el propósito social de dicho segmento y denominar el género. Luego, se requiere la identificación de las etapas que componen el género y la distinción entre etapas obligatorias y opcionales. Teniendo en cuenta estas etapas, se diseñará una fórmula estructural. Finalmente, se llevará a cabo un análisis de los rasgos semánticos, léxico-gramaticales y discursivos que se observan en cada etapa del género. Así, la LSF sostiene que los géneros exhiben una estructura que los hablantes utilizan en cada ocurrencia de un evento comunicativo de las mismas características y objetivos.

Hemos analizado exhaustivamente los encuentros verbales de nuestro corpus en un intento de determinar las regularidades en cuanto a los tipos de fragmentos detectados. En primer lugar, se confirmó la hipótesis inicial de que, al igual que en la lengua inglesa, se producen fragmentos *genéricos (chunks)* y aquellos que denominamos *no genéricos (chat).* Más allá de esta distinción, encontramos dos clases generales de fragmentos que, de acuerdo a sus funciones, llamamos *transaccionales* e *interaccionales,* para diferenciar aquellos que básicamente transmiten información de los que se limitan a temas o comentarios más triviales (Granato, 2007). Dentro de los primeros, observamos tramos cuyas funciones son informar, intentar llegar a acuerdos, discutir temas de interés común o actividades por realizar, compartir conocimientos. En los segundos, se tiende a lograr aceptación del grupo, a crear o afianzar vínculos, a compartir vivencias y emociones, entre otros objetivos. Pero nos ha sido imposible determinar la función de estos tipos de fragmentos sólo teniendo en cuenta sus características estructurales y lingüístico-discursivas. Será siempre el contexto en el cual estos fragmentos se producen lo que ponga en evidencia la verdadera finalidad con que se introdujeron dentro de la conversación. En el análisis de los datos con que trabajamos, por ejemplo, en el caso de los discursos narrativos muy frecuentes en las interacciones estudiadas, vemos que, más allá de los rasgos estructurales y lingüístico- discursivos, estos discursos pueden tener diferentes interpretaciones en cuanto al tipo de estructura genérica que desarrollan. Esto se debe a que, con los elementos que se encuentran en la composición de muchos segmentos de conversaciones reales, se pueden encontrar las etapas necesarias para dar forma a más de un tipo genérico. En una de las conversaciones del corpus se identificaron las etapas constitutivas de una narración y también las de una anécdota, presentadas por Eggins y Slade (1997) como dos géneros que se distinguen entre sí fundamentalmente por la diferencia en la estructura global y en sus etapas constitutivas y por la función que cumplen dentro del discurso (Granato, 2005).

Las estructuras genéricas de la narración y la anécdota son similares, dado que se trata de dos discursos narrativos. Eggins y Slade (1997: 268) las diseñan de la siguiente manera:

Narración: (Resumen), (Orientación), Complicación, Evaluación, Resolución, Coda.
Anécdota: (Resumen), (Orientación), Hecho fuera de lo común, Reacción (Coda).

El fragmento 1 representa un discurso narrativo que es posible interpretar de dos maneras.

(1)
52. H1 (hombre): No sabés lo que me pasó.
53. H2 (mujer): No.
54. H1 (hombre): A la noche agarro y cuelgo la ropa, xxx plancho la ropa,
55. hasta la pongo arriba… viste al lado de la xxx ese que tiene el
56. perchero ese para poner la ropa. Entonces, bueno hasta pongo el
57. calzoncillo que me voy a poner a la noche. Agarro y como venía
58. haciendo xxx busco el calzoncillo el calzoncillo no estaba, digo
59. bueno agarro del cajón que uso para calzoncillos, qué sé yo…
60. y salgo. Cuando salgo, era temprano porque estaba acá viste el
61. hermano de Diego…
62. H2 (mujer): ah ¿Cuándo se fueron?
63. H1: y se fueron anoche.
64. H2: ah XXX.
65. H1: sí, 'a little bit'.
66. H2: (risas)
67. H1: bueno y como XXX estaban durmiendo acá abajo en el living porque no
68. querían arriba en el estudio dormir, viste, por miedo a que se despertara
69. el nene de noche, se cayera por la baranda que sé yo así que durmieron
70. acá en el living.
71. H2: XXX.
72. H1: Claro, entonces, viste, la escalera, miedo por la escalera, la baranda, qué

73. sé yo. Bueno, entonces salí temprano digo; tenía que terminar de leer
74. una cosa de Dicción. Me voy al Ritz, desayuno. Bueno, estaba leyendo,
75. miro la hora, mmm qué tarde, qué sé yo, agarro, salgo. En ese
76. momento, me encuentro con Laura Andreau. "Hola Sergio, ¿Cómo te
77. va?" "Hola, qué tal Laura" "¿Adónde vas?" "A dicción" "Bueno, se me hizo un
78. poco tarde" "Bueno, no importa", un chiste, bla bla bla. Bueno,
79. entro a la clase de dicción 2, en el laboratorio. Luisa estaba viste en el
80. frente y yo entro y viste, me siento en uno de los escritorios de al lado
81. del pasillo. Cuando me siento, empiezo a escribir, qué sé yo, miro y
82. veo así mi calzoncillo en el medio del pasillo (risas).
83. H2: Nooooo (risas).
84. H1: (risas) el calzoncillo mío gris en el medio del pasillo y yo digo ¿qué
85. hago? Viste ¿Qué m… hago?
86. H2: ay yo me muero.
87. H1: y yo ni te cuento, por suerte que estaba el calzoncillo nuevito, estaba
88. todo limpito; en el medio de…
89. H2: ay por Dios. ¿Y vos te diste cuenta? ¿Lo vieron todos?
90. H1: No. Yo te digo para mí, digo, Granato se dio cuenta para no hacerme
91. sentir mal se hizo, viste, la tarada qué sé yo, hizo como que no lo vio.
92. H2: (risas).
93. H1: agarro y digo qué hago entonces, me agaché, agarré la valijita, hice
94. como que como que agarraba una cosa, me agarré la mano, me agarré
95. el calzoncillo en la mano, me lo puse entre las piernas…, viste así, así,
96. entre las piernas agarré la valijita y metí el calzoncillo adentro. No y
97. después les conté a todos para que se rieran viste porque yo digo si
98. alguien lo vio, peor, quedo más ridículo. No, no, no…

Las dos primeras etapas, Resumen y Orientación, son comunes a la narración y la anécdota. En la narración, debe haber una Complicación, mientras que en la anécdota, se habla de un Hecho fuera de lo común. En la narración hay Evaluación y Resolución, en la anécdota sólo Reacción. Ambas pueden finalizar en una Coda. Podríamos considerar que entre las líneas 52 y 85 se producen las dos primeras etapas de las dos estructuras. Entre las líneas 82 y 93 se puede interpretar que se presenta un problema, que hace necesario sacar la prenda de la vista de los demás en forma inmediata. En las líneas 94 a 98 se Evalúa y se da una Resolución al problema (el dueño levanta la prenda del suelo y la esconde en su cartera). Esto daría como resultado la estructura global de una narración. Pero también vemos la posibilidad de considerar que ver una prenda interior de su pertenencia en un pasillo de un aula de la Facultad es un Hecho fuera de lo común y que en las líneas 85 a 93, y luego nuevamente en las líneas 97 y 98, el protagonista experimenta una Reacción. Entonces estaríamos frente a la producción de una anécdota. Desde el punto de vista funcional, las autoras diferencian estos dos tipos de discursos: las narraciones persiguen el objetivo de presentar

experiencias o hechos problemáticos y mostrar cómo quienes están involucrados los enfrentan. En las anécdotas, la función primordial es presentar a los demás participantes una reacción frente a algo no común y compartir esa reacción.
Pensamos que el fragmento podría responder a cualquiera de las dos funciones o
a ambas simultáneamente. Cabe señalar que, con respecto a la función, también
tendrían cabida funciones sociales distintas en el contexto de producción de un
texto y hasta no coincidentes con las atribuidas por las autoras a los dos géneros
mencionados.

Nuestros esfuerzos por identificar con mayor precisión las funciones y, especialmente, las sub-funciones expresadas en sus partes (Granato, 2007) no aporta-
ron mucho más, dado que las intenciones con las que se produce cada fragmento
distan de proyectarse con claridad en las conversaciones en estudio, más allá de
la función global y las funciones generales mencionadas, lo cual constituye un
inconveniente a la hora de intentar una clasificación abarcadora. Dado que no se
trata de encuentros en los que se persiguen fines específicos más o menos prefi-
jados por el anclaje de un texto a una institución, no parece haber aproximación
que asegure la comprobación de si lo que el interlocutor acepta como intención
del hablante, y que manifiesta a través de sus reacciones verbales o no verbales,
es realmente lo que el hablante quiso significar o el efecto que deseó producir.
Esta mirada difiere de la de Eggins y Slade, quienes sostienen, como ya se dijo,
que un fragmento con determinadas características cumplirá siempre la misma
función social.

La conclusión a que llegamos respecto de la conversación coloquial, si partimos de la LSF, es que no sólo no se trata de un género en su totalidad, sino que
tampoco es siempre posible aplicar la teoría a fragmentos incrustados dentro de
la conversación, más allá de que se identifique una forma textual o estructura
global determinadas.

La respuesta negativa a la primera pregunta que nos formulamos nos lleva
al planteo de nuevos interrogantes. ¿Qué clase de discurso constituyen las conversaciones coloquiales en su conjunto, considerando que exhiben innegables
similitudes entre sí y claras diferencias con otras formas de comunicación? ¿Es
posible establecer alguna clasificación atendiendo a las características que comparten?

3. La construcción del discurso coloquial

Dado que la estructura global, los contenidos ideacionales o las formas lingüístico-discursivas son muy variables, no pueden tomarse como base para la cons-

trucción de nuevos intercambios verbales coloquiales. Nos planteamos entonces la necesidad de indagar acerca de qué rasgos comunes comparten los discursos coloquiales. Ponemos el foco en tres características que nos parecen relevantes en este sentido: la existencia de modelos pre-existentes, la intertextualidad y la interdiscursividad, así como la forma en que dichos encuentros exhiben coherencia.

3.1. MODELOS PRE-EXISTENTES

En el modelo de la LSF, se afirma que los géneros son componentes del contexto de cultura que, conjuntamente con las dimensiones de campo, tenor y modo de la teoría del registro, representan los contextos en los que los interactuantes basan la realización de discursos en su vida de relación. Watts (2003), por su parte, desarrolla los conceptos de *redes latentes* y *redes emergentes* que, según el autor, corresponden a las nociones de *modus operatum* y *modus operandi* de Bourdieu (Watts, 2003: 153).

Las *redes latentes* se relacionan con las redes sociales creadas por los sujetos sociales a través de intercambios constantes.

> Así como el *modus operatum* para Bourdieu consiste en 'los productos objetivizados y los productos incorporados de la práctica histórica' y el *modus operandi* es la producción y reconstrucción de esos productos en el desarrollo de la práctica social, así también es el sistema de redes latentes en las cuales un individuo se fija un conjunto de estructuras sociales objetivizadas producidas por la 'práctica histórica' y la red emergente es un 'proceso dinámico' en el cual 'los participantes también forman una red para la realización de la interacción' (Watts, 2003: 153).[3]

La interacción verbal socio-comunicativa, sostiene Watts, posibilita que se formen y reproduzcan vínculos sociales entre los participantes, vínculos que se ponen en evidencia en la interacción y que constituyen las redes emergentes. Consideramos que la conversación coloquial como tal es una actividad social y un modelo sobre el cual se basan encuentros verbales futuros del mismo tipo. En efecto, el hecho de que sea posible interactuar adecuadamente en situaciones so-

---

[3]   En el inglés original: "Just as the *modus operatum* for Bourdieu consists of 'the objectivised products and the incorporated products of historical practice' and the *modus operandi* the reproduction and reconstruction of those products in ongoing social practice, so too is the system of latent networks in which an individual is situated a set of objectified social structures produced by 'historical practice' and the emergent network is a 'dynamic process' in which 'participants also form a network for the duration of the interaction'" (traducción de la autora).

ciales similares parece ser prueba suficiente de que los hablantes cuentan con los conocimientos previos de cómo componer estas prácticas discursivas y en qué circunstancias desarrollarlas. De modo que pensamos que la conversación coloquial se encuentra, al igual que los géneros discursivos, almacenada dentro del contexto de la cultura con características que le son propias y que la diferencian claramente de otros usos del lenguaje.

De Beaugrande y Dressler (1992) sostienen que la conversación se organiza basándose en la intencionalidad y la situacionalidad. Sin embargo, ningún texto se basa sólo en responder a las intenciones de los participantes o a la situación. Es necesario que sea relevante con respecto a otros textos dentro del mismo discurso. Esto se vincula con la selección, el desarrollo y el cambio de un tópico.

Y es respecto de la intencionalidad como me remito a la noción de *pre-texto* —en el sentido de 'anterior al texto'— planteada por Widdowson, que encuentro aplicable a este estudio.

> …la relación que se activa cuando se usa el lenguaje para comunicar no es entre palabras elementales y significados, sino entre palabras y otras palabras en textos, que a su vez están relacionados con las condiciones contextuales de su producción y percepción. El significado no se manifiesta en palabras, sino que se realiza como una función de sus relaciones internas y externas (Widdowson, 2004: 77).[4]

El autor también hace suyas las palabras de Garfinkel (1972) al sostener que la comunicación en la vida social es el producto de un proceso en el que se aplica la *razón práctica,* es decir, que tiene en cuenta lo que es relevante en la situación comunicativa concreta. Opone la noción de *razón práctica* a la de *razonamiento lógico* propuesta en la *teoría de la relevancia,* en la que se considera que la comunicación se logra mediante procesos inferenciales racionales. Este grado de especificidad, señala Widdowson, no se requiere en el análisis de la conversación coloquial, ya que su propósito es mantener activas las relaciones sociales más que transferir información. De modo que para el autor, lo que es común en estos tipos de discursos es la presunción de que su intención es crear un sentido de camaradería y acercamiento, de hacer "caricias verbales" *(verbal stroking)* (Widdowson, 2004: 78), y define de este modo el concepto de *pre-texto* como un motivo ulterior. Widdowson señala que los textos se diseñan y se entienden pre-

---

4   En el inglés original: "… the relationship which is activated in using language to communicate is not between elemental words and meanings but between words and other words in texts which are in turn related to the contextual conditions of their production and reception. Meaning is not manifested in words, but is realized as a function of their internal and external relations" (traducción de la autora).

textualmente. Sugiere que el efecto *perlocucionario* supera el significado de las palabras, lo que cuenta es el efecto deseado. De modo que los textos ocurren en condiciones *contextuales* y *pre-textuales*. Pueden surgir problemas cuando "el pre-texto que informa el diseño de un texto no se corresponde con aquel que los lectores aplican a su interpretación" (… when the pretext which informs the design of the text does not correspond with that which readers bring to their interpretation of it", Widdowson, 2004: 81). En las conversaciones coloquiales, se observan pocas instancias de este fenómeno, porque el propósito de estos discursos es muy claro para todos los interlocutores. Aquí, las presunciones y las expectativas de los participantes no suelen exhibir diferencias.

En la conversación, el pre-texto condiciona el significado de ciertas palabras, que si se analizan en profundidad pondrían en duda la interpretación que habría que hacer de lo que se escucha. El significado, dice Widdowson, está subordinado al propósito del discurso, de modo que "leemos en las palabras lo que queremos obtener de ellas" (we read into them [words] what we want to get out of them", Widdowson, 2004: 86).

Las posturas mencionadas tienen en común la idea de que, para desempeñarse adecuadamente en su entorno social, el individuo debe acudir a modelos y propósitos incorporados a su memoria como un aprendizaje social que tuvo lugar como consecuencia de su constante interacción con el medio. Observamos una relación cercana entre la noción de pre-texto de Widdowson y las nociones de redes latentes y emergentes de Watts y del contexto de cultura de la LSF. Sin embargo, la diferencia tal vez se encuentre en el énfasis que Widdowson pone en el hecho de que los participantes conocen y comparten el propósito que persigue el planteo de un encuentro verbal coloquial. Las intenciones son, entonces, aquellas que cada encuentro coloquial tiene en común con otros encuentros del mismo tipo; y el hecho de que estas intenciones sean reconocidas por todos los participantes parece ofrecer garantías de entendimiento entre los interactuantes. Se observa que estas posturas tienen en común la idea de que, para desempeñarse adecuadamente en su entorno social, el individuo debe acudir a su historial personal de textos producidos e incorporados a su memoria como parte de su constante interacción con el medio.

3.2. Intertextualidad en el discurso coloquial

Centramos ahora nuestra atención en la intertextualidad, entendida como un diálogo íntimo entre discursos y textos (Fairclough, 1992).

Fairclough (1995) sostiene, como ya sabemos, que el análisis de un texto es parte del análisis del discurso y reconoce la necesidad de considerar dos niveles de análisis que se complementan entre sí: el lingüístico y el intertextual. Entiende que es necesario el estudio de las expresiones lingüísticas utilizadas, así como también de la cohesión y de la organización textual que incluye las propiedades del diálogo de acuerdo con los trabajos realizados desde la perspectiva del análisis de la conversación. El análisis intertextual, por otro lado, pondrá en evidencia cómo se producen los textos de acuerdo con las configuraciones de las prácticas sociales existentes que Fairclough llama órdenes del discurso.

De Beaugrande y Dressler (1992: 182) definen la intertextualidad como "las formas en que la producción y la recepción de un texto dado dependen del conocimiento de otros textos por parte de los participantes".[5] Como se puede apreciar, los autores hacen hincapié en que la intertextualidad no sólo es relevante en el proceso de construcción del discurso, sino también en la forma en que el interlocutor percibe e interpreta el discurso. Sostienen, además, que los participantes aplican un proceso de *mediación* a través del cual las creencias y los objetivos de un participante se alimentan en el modelo de la situación comunicativa.

Asimismo, Cheng y Kui Sin (2008) entienden el discurso como la relación del conocimiento con las prácticas y la estructura social. Acuerdan con Bajtín en que las emisiones se originan en un diálogo social y forman parte de él. Esto significa que, para comprenderlas, es necesario recurrir al sistema de la lengua, así como también a emisiones que forman parte del mismo tema, sus opiniones y juicios de valor. Los autores enfatizan la relación entre un texto actual y otros textos anteriores. Señalan que la intertextualidad consiste en un diálogo entre textos y que las relaciones entre las emisiones y los puntos de vista sociales originan nuevas emisiones; esto significa, afirman los autores, que la mente de los individuos no opera aisladamente. Ven la intertextualidad como "la causa, el proceso y el resultado del diálogo" (Cheng y Kui Sin, 2008: 278). Distinguen dos tipos de intertextualidad: *ostensiva* (o *manifiesta,* en términos de Fairclough) y *encubierta.* Mientras en la intertextualidad ostensiva se hace atribución explícita a las fuentes de las que proviene lo dicho, la intertextualidad encubierta es el caso de la atribución que no se otorga en el momento de la emisión.

Más allá de las diferencias que puedan exhibir estas tres definiciones, de las innumerables que ofrece la literatura sobre el tema, las tres concuerdan en que ningún discurso se produce con independencia de discursos similares producidos con anterioridad.

Fairclough (1992) introduce una distinción entre *intertextualidad* e *interdiscurso.* Denomina *intertextualidad manifiesta* a la inclusión de palabras de otros

---

[5] En el inglés original: "The ways in which the production and reception of a given text depends upon the participants' knowledge of other texts" (traducción de la autora).

e *interdiscurso* o *intertextualidad constitutiva* a la combinación de diferentes géneros y discursos. También Cheng y Kui Sin (2008), y en coincidencia con Fairclough, proponen un marco de análisis en el que establecen, además de los dos tipos de intertextualidad mencionados —ostensiva y encubierta—, la *interdiscursividad* para referirse al tipo de discurso utilizado por los participantes.

Resulta asimismo interesante la contribución de Bhatia (2010), quien señala que el discurso profesional puede estudiarse en cuatro niveles: "Como texto, como representación de un género, como la realización de una práctica profesional y como una expectativa de la cultura profesional" (Bhatia, 2010: 33).[6] Al referirse al discurso profesional, el autor hace referencia a la interdiscursividad como la apropiación de recursos genéricos de naturaleza contextual y sostiene que se basa en las relaciones entre prácticas discursivas de diferentes profesiones que atraviesan culturas profesionales. Es decir que, por un lado, establece relaciones entre el texto y el contexto y, por el otro, entre la práctica discursiva profesional y la cultura profesional. Las primeras dependen de la utilización de recursos semióticos internos al texto; las segundas, de recursos semióticos externos. Así, considera que la apropiación entre textos representa relaciones intertextuales, mientras que la apropiación de géneros, culturas y prácticas profesionales da lugar a la interdiscursividad. El autor afirma:

> La intertextualidad se refiere al uso de textos anteriores mediante la transformación del pasado en presente, con frecuencia de maneras relativamente convencionalizadas y algo estandarizadas. La interdiscursividad, por otro lado, se refiere a intentos más innovadores de crear varias formas de construcciones híbridas y relativamente novedosas mediante la apropiación o explotación de convenciones o recursos establecidos que se asocian con otros géneros y prácticas (Bhatia, 2010: 33).[7]

Bhatia encuentra en la interdiscursividad un elemento crucial para la comprensión de los géneros profesionales utilizados en contextos que les son propios.

Diversas nociones relacionadas con los aspectos internos han sido abordados desde las perspectivas de los estudios del discurso y el género, y es allí donde se

---

[6]   En el inglés original: "as text, as representation of genre, as realization of professional practice, and as expectation of professional culture" (traducción de la autora).

[7]   En el inglés original: "Intertextuality refers to the use of prior texts transforming the past into the present often in relatively conventionalized and somewhat standardized ways. Interdiscursivity, on the other hand, refers to more innovative attempts to create various forms of hybrid and relatively novel constructs by appropriating or exploiting established conventions or resources associated with other genres and practices" (traducción de la autora).

han incluido reflexiones acerca de la intertextualidad. Sin embargo, el autor nota que los recursos externos no han recibido la misma atención. Se refiere aquí a las convenciones, las prácticas y la cultura de cada disciplina que condicionan las prácticas discursivas de cada área.

En cuanto a las características de los discursos que nos ocupan, De Beaugrande y Dressler (1992) se han referido a las dificultades de detectar sus características lingüísticas recurrentes. Por otra parte, estos autores sostienen que la mediación es leve en actividades tales como responder, refutar, informar y otros tipos de actos comunicativos que forman parte importante de dichos discursos. Lo que se analiza en este caso es el nivel micro del discurso en relación con la negociación continua que se desarrolla en tiempo real; se trata de la conducta interactiva de los participantes y que Sinclair (2004) denomina *plano interactivo*. En este desarrollo, cada emisión o paso limita la interpretación y la producción posible del paso siguiente. Los aspectos descritos en el ámbito del análisis de la conversación muestran, en gran medida, las características intertextuales de la interacción coloquial.

Cuando se construye sobre el texto producido con anterioridad, relacionando de esta manera lo nuevo con lo ya expresado, nos situamos en las experiencias que se suceden en el tiempo y se van registrando verbalmente. Este registro sólo tiene que ver con el lenguaje de los hablantes y es responsable de que se organice y se mantenga la estructura de un texto. Sinclair lo llama *plano autónomo* y, al igual que los autores mencionados, habla de las relaciones intertextuales.

En los textos del corpus, se percibe una cierta relación entre el discurso en desarrollo y textos anteriores, que se puede manifestar a través del uso de diferentes recursos como citas directas o indirectas, por lo general de dichos de compañeros, docentes, profesores, de discursos de medios gráficos o de radio y televisión, entre muchos otros. Observamos casos de intertextualidad manifiesta, encubierta y de interdiscursividad.

Las ideas tomadas de otros ámbitos se recontextualizan dentro de las interacciones entre amigos. Que un texto no se produce por primera vez está a veces marcado en el diálogo mediante una atribución manifiesta de autoría a un tercero ausente que se expresó en un encuentro anterior. El fragmento siguiente presenta evidencias de estos recursos:

(2)
9. Ma: Así es. Me dijo que cuando había hablado con vos no se acordaba bien
10. qué había dicho, pero que en realidad, bah, que ella decía: "Estoy casi
11. segura que le dije que… había clases y en realidad me equivoqué, no hay
12. clases". O sea, pasado en limpio, me dijo que recién hay clases el miércoles
13. siguiente porque…

En la línea 10 del fragmento 2, se hace una cita indirecta de lo dicho en una conversación anterior mediante el uso de discurso referido, *Me dijo que...* Al final de la línea 10, el hablante cita textualmente las palabras pronunciadas por el otro participante en un encuentro previo para transmitirlas al interlocutor, *Estoy casi segura que le dije que...*

El fragmento 3 ilustra el mismo fenómeno.

> (3)
> 332. Al: Y que dice que era, que es re tilinga la chica. Y dice re, porque el pibe
> 333.　　　decía, dicen que es, me decía: "El pibe vos lo ves y te cruzás de
> 334.　　　vereda" —dice— "porque tiene una cara que te da miedo". El Chucky,
> 335.　　　ese.
> 336. La: Sí.
> 337. Al: dice que el otro día hablaba de la rubia, "La rubia las da bien". Dice:
> 338.　　　"Yo que... Cuando aparece la rubia" —me dice—, "era las raíces
> 339.　　　negras...".

En este caso, la participante Al reproduce palabras de un hablante, que en una interacción previa hablaba de una tercera persona. *El pibe vos lo ves y te cruzás* (línea 333); ... *Porque tiene una cara que te da miedo* (línea 334); *La rubia les da bien* (línea 336); *Yo que... cuando aparece...* (líneas 337/8).

Los tres son casos de intertextualidad manifiesta.

También se reproducen expresiones que contienen intertextualidad encubierta, como ocurre en los fragmentos 4 y 5.

> (4)
> 16. Magdalena: Tiene que pagar. Entonces yo creo que hay *arancelamiento*
> 　　　　　　　*encubierto* en las facultades argentinas

> (5)
> 101. Magdalena: No. No le pagan, pero no es que había una super población en
> 102.　　　　　　el hospital. Eee... los 100 practicantes XXX, estaba él solo.
> 103. Giselee: Pero no, es como una *mano de obra barata,* o sea, el está
> 104.　　　　　trabajando.

Tanto *arancelamiento encubierto* (fragmento 4) como *es mano de obra barata* (fragmento 5) son expresiones muy comunes entre estudiantes universitarios. La primera entre quienes se oponen a que la universidad sea arancelada; la segunda forma parte de un comentario frecuente entre los estudiantes de Medicina cuando se refieren a los médicos que completan su formación desempeñando tareas diariamente en un hospital donde trabajan más de ocho horas por día, por una magra retribución monetaria.

En los textos de nuestro corpus, la intertextualidad también se observa en forma de autocitas: expresiones como "yo le dije" seguidas de palabras textuales del mismo hablante (véase fragmento 6).

(6)
88. Angelina: "Ché Eva…", le digo, "… pero qué", le digo, "¿hay que presentar
89.   tema?", le digo, "porque hoy nos encontramos con un flaco", le
90.   digo yo, "que nos dijo que… que había que presentar tema,
              [salvo…"].

En este caso, la participante repite sus propias palabras e intercala cuatro veces en su breve discurso *le digo … le digo …* (línea 88) *le digo …, le digo yo …* (línea 89).

En el fragmento 7, se realiza un reclamo de manera indirecta *y yo le digo que … (línea 166).

(7)
165. Al: [¿Viste la chica de acá al lado?] Está la amiga de Kelly, la chica de
166.   Lógica, yo le digo, que me lo devuelva por, por ahí Lógica no es
167.   importante, nunca esa, más lo voy a leer a eso pero…

En el tramo 8, se reproduce un encuentro anterior. El hablante hace uso del discurso directo en toda su reiteración de la conversación a que hace referencia (líneas 347-351):

(8)
347. Al: Sí… Y me dice: "¡Uh! ¿No vendrán ahora, no?". Ponéle, le digo: "No,
348.   Yely, que no vengan porque yo la veo…", después que ya había hecho
349.   todas las actuaciones de cómo la mina hablaba y todas las cosas que
350.   decía, yo digo: "Ahora, llega a venir me empiezo a c… de risa, mal
351.   delante de la mina" (risas de María). Y Paula dice: "No, sí, boluda". Y
352.   justo escuchábamos ruidos, y no, era Nacho solo… Pero es re feo
353.   cuando te dicen algo te, hablan tanto de una persona, viste que no…
354. La: Sí, después ya estás… pendiente de lo que [te dijeron].

La intertextualidad es un recurso altamente frecuente en los textos de nuestro corpus. No hay una sola conversación en la que no se haga uso de esta estrategia. Notamos que el efecto pragmático parece ser el de ofrecer datos más fidedignos y lograr una mejor transmisión de los sentimientos y las emociones que los hablantes experimentaron en el momento de la producción primera del intercambio que se recontextualiza. Se trata de reproducir formas de decir, incluyendo características fonológicas, especialmente suprasegmentales, que tenderían a preservar los significados adicionales que la prosodia agregó a las emisiones en su manifestación original. Sin duda, esto contribuye a dar mayor autenticidad a lo que se expresa.

3.3. INTERDISCURSIVIDAD Y COHERENCIA EN LA CONVERSACIÓN

Independientemente de la noción de interdiscursividad que se tome como base, se puede afirmar que los textos analizados son, en su gran mayoría, claras construcciones interdiscursivas.

Si bien, como dijimos, Bhatia (2010) centra su estudio en discursos profesionales que se producen en contextos profesionales, encontramos que las nociones desarrolladas en su artículo pueden aplicarse al análisis de géneros de este tipo incrustados en la conversación.

Otra de las características compartidas por las conversaciones del corpus, y relacionada con la interdiscursividad, es la forma de lograr coherencia en el discurso. En estos encuentros verbales, se detecta una forma particular de vincular partes del discurso entre sí. Para De Beaugrande y Dressler (1992), la cohesión y la coherencia de un texto se pueden determinar en consideración de otro texto en el mismo discurso, en el marco de todos los discursos en los que ese texto se incluye.

El hecho señalado por los autores de que la cohesión y la coherencia en la conversación son mucho menos rígidas y estrictas que en textos científicos se refleja también al comparar encuentros coloquiales con conversaciones institucionales. En los primeros, hay una necesidad mayor de que estos vínculos queden claramente expresados dado que esto contribuye a la calidad del contenido del mensaje, que es, por lo general, prioritario en este tipo de discurso. En la conversación, por el contrario, la coherencia no necesariamente se logra a partir de la conexión explícita o implícita entre los diferentes fragmentos de un discurso. Es muy frecuente que, a partir del amplio conocimiento común —real o presupuesto— y del mundo compartido por los participantes, las diferentes partes del discurso se relacionen entre sí y no se perciban como incoherentes, a pesar de la ausencia de elementos cohesivos. Esto se pone de manifiesto cuando un cambio de tópico brusco, sin ningún tipo de metadiscurso que lo anticipe, no produce signos de que se entorpezca la comunicación o de que los participantes se muestren desorientados y no puedan seguir la nueva línea iniciada. Se encuentran numerosos casos de este fenómeno en las conversaciones del corpus.

Los fragmentos 9 y 10 son muestra de estos casos.

(9) *De fondo, se escucha el "llanto" de una perra tratando de llamar la
atención.*
10. Ge: ¿Está dolorida?
11. Ce: ¿Qué pasa, Hannah?   ....   ¿Te fijaste si... le dolían las
12.   orejas?
13. Ge: Ehh... O sea, ahora creo que no... no está molesta... Debe ser el
14.   calor, que le da... (risa).
15. Ce: No, porque ayer me, me desperté porque empezó a gritar y
16.   estaba... ladrando, no sé. Y... tiene las orejas re sucias.
17. *Se escucha algo que cae.*
18. Ge: No sé, por ahí...
19. Ce: ¿Qué se cayó ahí?
20. Ge: ... por ahí hay que llevarla al, al veterinario.
21. Ce: Está bien… Bueno, voy a poner las co, las albóndigas acá.
22   ....
23. Ge: ¿A qué hora vas a lo de Pablo?
24. Ce: Tengo que estar tres y media.
25.   …
26. Ge: ¿Van a dar un final ahora o... o qué?
27. Ce: No sé, vamos a ver.
28. Ge: ¿Cómo?
29. Ce: No sé.
30. Ge: ¿Cuándo sería la fecha?
31. Ce: Ehh... esperá. Vení que, dale, y poné la tabla para... la jarra
32.   caliente.
33. Ge: ¿Está caliente? ... ¡Apoyala ahí!
34. Ce: ¿En la [mesada?]
35. Ge: [En la mesada], sí. ...   ¿Cuándo tienen fecha?
36. Ce: Ehh... el dos de marzo. ...   Ché, llamó Pablo recién, Germán. ...
37.   Se le rompió el monitor.
38. Ge: ¿Pero no estaba roto ya?
39. Ce: No, parece que lo... lo... lo encendió... viste, encendió la
40.   computadora y... empezó como a titilar, con una luz amarilla y
41.   se...
42. Ge: ¿Se quemó?
43. Ce: Se quemó, no sé. No a, no anda. Está todo...
44. Ge: ¿Y qué pasa?
45.   …
46. Ce: ¿Vos tenés el teléfono de... Carlos?
47. Ge: Sí, pero... Carlos no... mejor, no llamarlo.
48. Ce: Pero no, él, Esteban me dijo que... le había llevado un monitor y lo... lo
49.   había arreglado.
50. Ge: ¿Esteban?

(10)

165. Ge: (Carraspea)   ... ¿Fue Leandro al... fue al partido, no? ... ¿Contra de
165.   Independiente no fue, no?
165. Ce: Ehh... no, no... Fue contra Arsenal y... y el clásico.
165. Ge: No, una sola. *Hace referencia a algo del contexto.*
165. Ce: Dice que los vio a ustedes el otro día.
170.   ...
171. Ge: [Ehhh...]
172. Ce: [Con]tra el... estudiantes.
173. Ge: ¡Sí! En el auto, él estaba en el auto con Mauro y con... con los
174.   Giménez y... Florencia. Y no sé si, no si era Giménez, Mauro,
175.   Leandro y Florencia.
176.   ...
177. Ce: Che, hay que lavar todo esto porque si no.
178. Ge: Sí.
179.   ...
180. Ce: Ya no se puede trabajar más.
181.   ...
182. Ce: Y en química, ¿qué... qué están viendo? ¿Qué química?
183.   ¿Inorgánica?
184.   ...
185. Ce: Ehh... ... de todo un poco.
186. Ge: ¿Qué, también cosas orgánicas y eso? ... ¿Hidrocarburos?
187. Ce: Claro, llegamos hasta hidrocarburos...
188.   ...
189. Ge: Pero no ven nada de...
190. Ce: ... aceites, pinturas.
191. Ge: ... de... biomoléculas, digamos.
192. Ce: Todavía no. No, en marzo...
193. Ge: ¿Pero van a ver algo?
194. Ce: No creo que veamos tanto...
195. Ge: xxx. No, no relacionado con la biología.
196. Ce: Claro.

En estos extractos, se puede observar también cómo el contexto inmediato da sentido a muchas emisiones que no se interpretarían sólo a partir de su contenido. En el fragmento 9, la línea 19, *¿Qué se cayó ahí?*, se puede comprender a partir de que todos los participantes han estado expuestos a los mismos ruidos del ambiente. De igual modo, las líneas 31 a 35 se perciben como coherentes debido a su relación con las acciones que se realizan en el momento, es decir, tener una jarra en la mano e intentar apoyarla en algún sitio.

En las líneas 177 a 180 del fragmento 10, *Che... hay que lavar todo esto...*, sólo el hecho de señalar o simplemente dirigir la mirada a lo que se ha utilizado en la comida da sentido a lo que se expresa. Si bien esta incidencia del contexto en el significado se observa en otros tipos de discurso cara a cara, podemos afirmar que, en la conversación coloquial, constituye una característica más saliente que en muchas otras formas de interacción oral. Esto puede deberse a que es frecuente que, cuando un grupo de personas interaccionan informalmente, realizan al mismo tiempo otras actividades.

Ocasionalmente, se suceden intervenciones tal vez sólo comprensibles para los partícipes directos, pero cuyo sentido y finalidad escapan a la mirada objetiva de quienes las analizan.

Se advierte en el corpus la presencia de fragmentos incrustados con características de discursos profesionales diversos que, como señala Bhatia (2010), proyectan una cultura profesional y producen efectos determinados en cada caso. Es el caso de las conversaciones sobre temas que uno de los participantes conoce y expone en el transcurso de la conversación, como se puede apreciar en el fragmento 11.

(11)
46. Ca:	Mhm. Sí, y a mí me, a mí lo que me asombra es la, la, como la
47.	reproducción de lo que, la reproducción de las cosas como que si las
48.	hace todo el mundo está bien, o sea, hay como gente… un profesor nos
49.	había explicado una vez, un profesor de psicología, nos había explicado
50.	una vez que el, que está más elevado en la inteligencia de una persona es
51.	preguntarse por qué la existencia de las reglas, no dar como por sentado
52.	que las reglas existen y que uno las tiene por, que obedecer. Como que…
53.	hay un proceso de adquisición de la regla, eh… que lo… creo que es de
54.	Piaget, y que el estado superior, eh… eh, del adulto, es en el qu.. en el
55.	cual el adulto trata de… que sobre todo viene en la adolescencia y
56.	después la adultez, de entender esa regla.

Son escasas aquí las expresiones que un profesor no hubiera utilizado en su clase (posiblemente no hubiera presentado la cita de Piaget como posible, *creo que es de Piaget,* línea 53).

En este fragmento 12, se muestra otro ejemplo que ilustra este tipo de incrustación.

(12)
169. Ce:	¿Cuántas especies de cucarachas hay?
170. Ge:	Y... en el mundo hay como cuatro mil quinientas especies... De
171.	las cuales treinta y cinco o cuarenta y cinco especies son, digamos
172.	están en... en las casas. Acá en la cocina.
173. Ce:	Ay, sí. ¿Todas juntas?
174. Ge:	No, todas juntas no. Depende la zona, depende qué lugar...
175. Ce:	¿En la Argentina cuántas hay?
176. Ge:	No, no sé bien. Pero, tenés algunas especies que son menos

177.   características... .. que... .. que... .. son las que más estudiamos. Y
178.   después todo lo que son los bo, la zona de bosque... selva... suelen
179.   vivir, todos esos, se encuentran especies que son... que se alimentan
180.   de las hojas muertas, la corteza...
181. Ce: Sí.
182. Ge: ... toda la materia orgánica en descomposición.
183. Ce: ¡Qué bueno!
184. Ge: Y que, viste por ahí no son negras... son de colores. [Algunas...]
185. Ce: [¡Ahh! ¿Sí?]
186. Ge :   ... algunas s, son verdes… otras, otras pueden tener, por ejemplo en
187.   las selvas más tropicales puede... en Brasil, por ahí encontrás
188.   cucarachas de... de colores. .. *Se escucha la puerta de un horno*
189.   *abrirse.* Brillantes. .... Lo que pasa que qué se yo... .. Se conoce
190.   poco de las cucarachas. ...

Los segmentos 11 y 12 muestran la aparición predominante de los rasgos típicos del lenguaje y el discurso de una clase (líneas 169-172; 174-182, entre otras) que se alternan con preguntas y comentarios más característicos del lenguaje coloquial. *Ay, sí* (línea 173), *¡Qué bueno!* (línea 183), *Y que, viste por ahí no son negras* (línea 184). En el fragmento 12 se registra una participación más activa por parte del interactuante que escucha la descripción de su interlocutor, a diferencia del fragmento 11, en el que el experto produce un discurso más monológico.

En el segmento 13, un participante explica al otro el procedimiento necesario para utilizar el programa AutoCad.

(13)
237. JO: Tengo que dibujarlo en AutoCad. O sea, y… ehh… el profesor lo
238.   que nos da es lo que se llama el arreglo general, ¿sí? Ehh... que es más
239.   o menos un, una vista, ehh, de perfil, en planta, de todas las cubiertas,
240.   ¿no? Y vos con eso sacás algunas medidas, después te da otras
241.   medidas, y te da lo que se llama, un, una... una grilla de... de puntos,
242.   ¿sí? Lo llaman el, el cuadro de puntos. Eh y con esos puntos vos vas
243.   trazando, te dicen, o sea, en definitiva tenés altura y longitud y vas
244.   trazando pu[ntos]...
245. GE: [La re]ferencia.
246. JO: ... como si fuera una, una, ehh, ¿cómo es? Una, un, una grilla, un
247.   diagrama (carraspera de GE) de, cartesiano, digamos. Vas poniendo
248.   puntos y por ejemplo con eso vas haciendo las líneas de agua. Que las
249.   líneas de agua es, por ejemplo, tenés acá el buque, que sé yo, cortás
250.   con un plano acá, y te va a quedar una determinada línea, [¿no?]
251. GE: [Mhm]
252. JO: Entonces, lo proyectás, así, el plano y... y tenés las líneas de agua que
253.   serían lo que se llama "semimanga", porque va desde el centro del

254.   barco hasta el costado. Todo ese perfil del barco, y eso te va delimi, te
255.   va delineando toda la forma del barco, ¿no?
256. GE: Claro.
257. JO: Y uno que más o menos entiende el dibujo mira y sabe bien cómo es
258.   la, o sea, dibujo del barco, ¿no?
259. GE: Claro.
260. CE: Sí, sí.
261. JO: Entiende cómo es la forma, mirando las líneas nada más ya se da
262.   cuenta de cómo es el barco.
263. GE: [Y eso y vos...]
264. JO: [Después hay] otro corte que es transversal. Y ahí ves todas las
265.   formas así del barco, ¿no?... De la, de la otra forma veías a lo, a lo
266.   largo ¿no? [las líneas]
267. GE: [Sí, sí, sí, sí]

Se trata de un discurso instruccional, con retroalimentación frecuente del interlocutor. Se encuentran en otras interacciones múltiples incrustaciones que representan diferentes tipos genéricos en los que se desarrollan temas diversos. Puede darse el caso de que estas incrustaciones efectúen un cambio de registro como consecuencia del cual la conversación pierda momentáneamente algunas de sus características del lenguaje coloquial, para dar lugar al uso de construcciones más utilizadas en discursos profesionales. Éste es el caso en el fragmento 11, en el que se transcribe parte de la contribución de un participante en la que éste repite un concepto teórico vertido por uno de sus profesores, a partir del momento en que el participante señala *...un profesor nos había explicado una vez...* (línea 48) como introducción a un concepto teórico escuchado en una clase.

En los tres casos, se desarrollan discursos que comparten tanto la estructura de los textos como los recursos retóricos utilizados en discursos profesionales. Por un momento, se dejan de lado parcial o totalmente los rasgos que presentan las conversaciones coloquiales tanto en lo que hace a la conducta interactiva como a la utilización de recursos discursivos y léxico-gramaticales. Uno de los participantes asume la identidad de experto y proyecta la de desconocedor del tema a su interlocutor. En primer lugar, se altera la construcción canónica de los turnos. El experto produce turnos mucho más extensos dado que transmite un conocimiento específico que su interlocutor no posee y desea poseer. No hay interrupciones ni superposición de contribuciones en la medida que se pueden observar en tramos típicos de la conversación, porque se escucha con atención la palabra del experto. Aparece el vocabulario técnico privativo de la esfera de conocimiento en cuestión, que está habitualmente ausente en el tratamiento de temas triviales. Comprobamos entonces que, así como Bhatia lo señala en su análisis de los discursos profesionales, también en la conversación coloquial se producen discursos que resultan de mezclas, incrustaciones y modificaciones de normas genéricas de otras clases.

4. Conclusiones

En este trabajo, se intentó dar respuesta a algunos de los múltiples interrogantes que se plantean en los estudios de la conversación coloquial.

El primero, sobre si es factible considerar este tipo de discurso como un género, se respondió tomando en consideración las nociones de género de Bajtín y del modelo de la LSF. Vimos que las conversación coloquial se considera un género primario en términos de Bajtín, pero de características que lo alejan de los géneros identificables como formas recurrentes en situaciones sociales determinadas, es decir, de los géneros secundarios. No son géneros tampoco según la perspectiva sistémico-funcional. Sin embargo, consideramos que la esencia de estos discursos se encuentra de alguna manera almacenada en la memoria de los usuarios, ya que éstos reiteran varios de sus aspectos característicos en eventos comunicativos casuales, informales, no institucionales. Proponemos, por lo tanto, incluir estas formas de discurso en el gráfico que muestra los componentes de la vertiente sistémica, manteniéndolos separados de los géneros, pero ocupando parte de ese espacio en la cultura de los interactuantes.

FIGURA 3

Incorporación de las interacciones coloquiales al cuadro de lenguaje y contexto de la LSF

CONTEXTO	
CONTEXTO DE CULTURA **Géneros** **Interacción verbal coloquial**	**CONTEXTO DE SITUACIÓN** **Teoría del Registro** Campo, tenor y modo
LENGUAJE	
Discursos y Textos **Léxico-Gramática**	

Como ya dijimos, las conversaciones coloquiales ponen de manifiesto características poco sistematizables dada la enorme variación que exhiben. Y ésa es una realidad insoslayable que ha sido siempre un obstáculo para quienes han —hemos— intentado establecer esquemas que den cuenta de cualquier manifestación de un discurso de este tipo.

Con respecto a la segunda pregunta que nos formulamos, creo que la gran heterogeneidad que se observa en todos los aspectos del discurso coloquial —en la forma, el contenido que una conversación de este tipo puede desarrollar, la falta de estructuras globales predecibles o reiterables— es la característica más saliente que estos encuentros verbales poseen en común.

El estudio posibilitó describir rasgos de intertextualidad e interdiscursividad en las interacciones del corpus que analizamos, que se asocian con los planos interactivo y autónomo de la interacción. Finalmente, nos centramos en el modo en que las partes que forman las conversaciones coloquiales se relacionan entre sí y pudimos comprobar que la coherencia está, en muchos casos, dada por las expectativas de que se produzcan textos híbridos, dentro de los cuales ningún tema o tipo discursivo está prescripto.

Estas conclusiones nos remiten a Geertz (1983), en Swales (2004), quien señala:

> Las propiedades que conectan los textos entre sí, que los ubican, de todas maneras antológicamente, en el mismo nivel, se consideran tan importantes en la caracterización de dichos textos como aquellas que los dividen o los separan; y en lugar de enfrentar un conjunto de clases naturales o tipos fijos separados por diferencias cualitativas tajantes, nos encontramos cada vez más rodeados por un campo vasto, casi continuo de trabajos construidos de manera diversa que sólo podemos ordenar prácticamente, relacionalmente y de acuerdo con los propósitos que nos guían (Geerts, 1983: 20-21, en Swales, 2004: 22).[8]

Esta cita que Swales incorpora a su descripción de redes de géneros me lleva a reflexionar no sólo en la conveniencia de poner el énfasis en las similitudes entre los textos o discursos, sino en la metodología de abordaje a la hora de tratar de describir la conversación coloquial.

Este trabajo constituye un punto de partida para investigaciones posteriores, especialmente relacionadas con la cohesión y la coherencia en el tipo de discurso que nos ocupa.

---

[8] En el inglés original: "The properties connecting texts with one another, that put them, ontologically anyway, on the same level, are coming to seem as important in characterizing them as those dividing them; and rather than face an array of natural kinds, fixed types divided by sharp qualitative differences, we more and more see ourselves surronunded by a vast , almost continuous field of variously intended and diversely constructed works, we can order only practically, relationally, and as our purposes prompt us" (traducción de la autora).

Referencias bibliográficas

AUSTIN, John. 1962. *How to do things with words.* Oxford: Oxford University Press.

BHATIA, Vijay K. 1993. *Analysing genre. Language use in professional settings.* Essex: Longman.

—. 2010. "Interdiscursivity in professional communication". *Discourse and communication,* 4 (1): 32-50.

BAJTÍN, Mijaíl M. [1979] 2005. *Estética de la creación verbal.* Buenos Aires: Siglo Veintiuno Editores Argentina.

BOURDIEU, Pierre. 1990. *The logic of practice.* Cambridge: Polity Press.

CHARAUDEAU, Patrick. 2003. *El discurso de la información mediática. La construcción del espejo social.* Barcelona: Gedisa.

CHENG, Le y SIN, King Kui. 2008. "A court judgement as dialogue". En Edda Weigand. (ed.), *Dialogue and rhetoric.* Amsterdam-Philadelphia: John Benjamins, pp. 267-281.

DE BEAUGRANDE, Robert y DRESSLER, Wolfgang U. 1992. *Introduction to text linguistics.* London-New York: Longman.

EGGINS, Suzanne. 1994. *An introduction to systemic functional linguistics.* London: Pinter.

EGGINS, Suzanne y SLADE, Diana. 1997. *Analysing casual conversation.* London: Equinox.

EMERSON, Caryl. 1994. "Getting Bakhtin, right and left". *Comparative Literature.* Vol. 46, n.º 3 (Summer 1994): 288-230.

FAIRCLOUGH, Norman. 2003. *Analysing discourse. Textual analysis for social research.* London-New York: Routledge.

—. 1995. *Critical discourse analysis: Text analysis for social research.* Cambridge, UK: Polity Press.

—. 1992. *Discourse and social change.* London: Longman.

GARFINKEL, Harold. 1972. "Studies in the routine grounds of everyday activities". En David Sudnow (ed.), *Studies in social interaction.* New York: The Free Press, pp. 1-30.

GEERTZ, Clifford. 1983. *Local knowledge. Further essays in interpreting anthropology.* New York: Basic Books.

GRANATO, Luisa. 2007. "Towards a characterization of genre in informal spoken interaction". Presentación en la *11th IADA Conference "Dialogue analysis and rhetoric".* Universidad de Münster, Alemania, marzo de 2007.

—. 2005. "El género discursivo: enfoques y usos". Presentación en el *Congreso latinoamericano de estudios del discurso "América Latina y su discurso",* Pontificia Universidad Católica de Chile, 5-9 de septiembre de 2005.

HALLIDAY, Michael A. K. 1994. *An introduction to functional grammar.* London: Edward Arnold.

HALLIDAY, Michael A. K. y CHRISTIAN, M. I. Matthiessen. 2004. *An introduction to functional grammar.* 3.ª ed. London: Edward Arnold.

MARTIN, James y DAVID Rose. 2008. *Analysing discourse.* London: Continuum.

—. 2003. *Working with discourse.* London: Continuum.

PURVIS-SMITH, Virginia L. 1994. "Ideological becoming. Mikhail Bakhtin feminine écriture and Julia Kristeva". En Karen Ann y Hohne y Helen Wusson (eds.), *A Dialogue of voices. Feminist literary theory and Bakhtin.* Minneapolis-London: University of Minnesota Press, pp 42-58.

REISIGL, Martin y WODAK, Ruth. 2001. *Discourses and discrimination. Rhetoric of racism and antisemitism.* London-New York: Routledge.

SACKS, Harvey; Schegloff, Emanuel y Jefferson, Gail. 1974. "A simplest systematics for the organization of turn-taking in conversation". *Language,* 50: 696-735.

SINCLAIR, John. 2004. *Trust the text.* London-New York: Routledge.

SWALES, John. M. 1990. *Genre analysis: English in academic and research settings.* Cambridge: Cambridge University Press.

—. 2004. *Research genres. Explorations and applications.* Cambridge: Cambridge University Press.

THOMPSON, Geoff. 2004. *An introduction to functional grammar.* 2.ª ed. London: Arnold.

VOLOSHINOV, Valentin N. 1973. *Marxism and the philosophy of language.* Cambridge: Harvard University Press-The Academic Press.

WATTS, Richard. 2003. *Politeness.* Cambridge: Cambridge University Press.

WIDDOWSON, Henry. 2004. *Text, context and pre-text.* Cambridge: Blackwell Publishing Ltd.

EL DISCURSO ACADÉMICO ESPECIALIZADO: APORTES A LA CARACTERIZACIÓN DE LA TESIS DOCTORAL

Susana Gallardo
Universidad de Buenos Aires

1. Introducción

El discurso científico especializado se ha convertido, desde la década de 1980, en un objeto de estudio privilegiado por distintas líneas teóricas, como la lingüística del texto, la lingüística sistémico-funcional y los estudios de lenguajes para propósitos específicos, entre otras. En esas investigaciones, el mayor esfuerzo se ha destinado a caracterizar algunos géneros, como el artículo científico, el *abstract* y la tesis doctoral. Este último género académico, si bien ha recibido una atención menor que el artículo de investigación, en los últimos años ha comenzado a despertar el interés de los investigadores.

La tesis comparte algunas características con el artículo científico: por ejemplo, es una comunicación entre especialistas y su función es dar cuenta de los resultados originales de una investigación. Sin embargo, es posible especificar algunos rasgos, tanto en el nivel funcional como en el situacional, que pueden asociarse con diferencias en la organización retórica y la selección léxico-gramatical. En este capítulo intento hacer un aporte a la caracterización de la tesis doctoral a partir de la exploración de un corpus de textos correspondientes a dos disciplinas: la biología y la lingüística. En tal sentido, intento determinar las diferencias relacionadas con la disciplina, centrándome en el análisis de la estructura retórica del capítulo inicial ("Introducción"). Asimismo, intento establecer un contraste con otros géneros académicos y asociar los rasgos característicos de la tesis con sus aspectos funcionales y situacionales específicos. En cuanto al marco teórico, este trabajo se inscribe en la línea de la lingüística del texto, los estudios de lenguajes para propósitos específicos y el modelo de la *valoración* o *Appraisal* (Hunston y Thompson, 2003; Martin y White, 2005). Al contrastar las tesis de las dos disciplinas, se observan numerosas diferencias que nos llevan a preguntarnos si se trata efectivamente de ejemplares de un mismo género. También nos preguntamos qué rasgos son determinantes para establecer límites entre subgéneros. Estas cuestiones son relevantes tanto desde un punto de vista teórico como aplicado. Por consiguiente, la tesis doctoral, como género académico, resulta un interesante objeto de estudio, puesto que, por un lado, cuando se la compara con el artículo de investigación, permite indagar en la problemática de los géneros emparentados, las familias o colonias de géneros. Por otro lado, cuando se contrastan textos de diferentes disciplinas, es posible profundizar en la relación entre los géneros y las convenciones propias de las diferentes comunidades discursivas.

El interés de numerosos investigadores en analizar las tesis doctorales se ha debido, sobre todo, a la necesidad de brindar formación adecuada a los estudiantes de carreras de posgrado. Hopkins y Dudley-Evans (1988) han señalado su confianza en que una descripción explícita de la manera en que están organizados los textos podría ser de gran utilidad tanto a los docentes como a los estudiantes para saber qué se espera que estos últimos produzcan y cuáles son los rasgos que hacen que un texto sea adecuado. No obstante, tal vez, su mayor extensión y la dificultad de acceso (Paltridge 2002) hicieron que los estudios de este género fueran limitados. De todos modos, puede mencionarse un buen número de trabajos centrados en tesis: por ejemplo, Bunton (1999, 2005) examina los procedimientos metadiscursivos y también indaga acerca de la estructura retórica del capítulo "Conclusiones"; Thompson (2005) y Charles (2006) se centran en los procedimientos de cita; Araújo (2006) contrasta las tesis en inglés y portugués; y Borsinger de Montemayor (2005) efectúa una aproximación global al género.

Según Thompson (2005), un motivo de interés en el estudio de este género es que permite indagar el discurso de los estudiantes de doctorado y contrastarlo con el de los investigadores ya formados. Muchos de los trabajos mencionados consisten en el análisis contrastivo de textos de varias disciplinas que presentan diferencias tanto en la macroestructura y los propósitos retóricos como en la forma en que los escritores se posicionan frente al contenido y la audiencia. Esas diferencias nos llevan a preguntarnos por la tolerancia de variación dentro de un género.

2. La tesis como género

Las investigaciones sobre el discurso especializado parten de la noción de *género,* entendido como evento comunicativo con un propósito compartido por los participantes de la interacción (Swales, 1990; Bathia, 1993), y como una práctica lingüística que refleja las normas y las expectativas de una comunidad discursiva que conoce las convenciones y emplea esos géneros para alcanzar sus metas específicas. Si bien un género se define por un conjunto de parámetros, como la estructura, el contenido, la audiencia esperada, el canal o el soporte del mensaje, el propósito comunicativo parece ser central para autores como Swales (1990) y Bathia (1993), pues ellos consideran que a partir de estos parámetros se pueden distinguir los subgéneros. En este sentido, Bathia señala que existen variaciones en los textos que no significan un cambio de género, pero hay otras que sí permiten establecer líneas demarcadoras entre subgéneros. Por ejemplo, en la crónica periodística, que es un género bien establecido y con propósitos comunicativos claros, los periodistas de los diferentes medios pueden emplear distintas estrategias para presentar la información: algunos pueden presentar títulos más sensacionalistas y emplear material fotográfico de mayor impacto; otros pueden ahondar más en los detalles y presentar titulares más sobrios. Sin embargo, a pesar de las diferencias, los lectores no dudan en identificar los textos como ejemplares del mismo género, pues no ha variado el propósito comunicativo: informar sobre los hechos ocurridos.

Pero existen estrategias que Bathia (1993) denomina *discriminadoras* y que implican variación en el género porque introducen sutiles modificaciones al propósito comunicativo. Por ejemplo, un artículo que presente los resultados de un experimento, un artículo teórico y otro que postule una nueva metodología constituyen subgéneros del artículo de investigación. Todos ellos comparten el mismo objetivo: comunicar conocimiento nuevo, pero las diferencias sobre el carácter del conocimiento influyen en la estructura de los textos: sólo el trabajo experimental admitirá las secciones de metodología y de resultados.

En otros casos, las diferencias en cuanto al propósito comunicativo implican diferentes géneros, emparentados entre sí: es el caso de la noticia periodística y el artículo de opinión, que comparten el soporte del mensaje y la situación comunicativa. Sin embargo, los propósitos comunicativos diversos (información objetiva sobre un hecho frente al análisis de una situación) conducen a una estructura textual diferente. Pese a estas consideraciones de Bathia (1993), la distinción entre los conceptos de género y subgénero sigue siendo difícil de precisar.

Ahora bien, la comunidad académica emplea una serie de géneros (y subgéneros) cuyo conocimiento es fundamental para los nuevos miembros que desean ingresar a la comunidad: los aprendices de especialistas, es decir, los estudiantes de maestría y doctorado. Por ello el concepto de género resulta central en la enseñanza y el aprendizaje del lenguaje académico.

Para la lingüística sistémico-funcional, los géneros se caracterizan principalmente por su estructura esquemática y son descritos como configuraciones de significado, organizadas en etapas o pasos que responden a necesidades retóricas (Martin, 1997). Desde la perspectiva de la lingüística del texto, uno de cuyos intereses ha sido determinar criterios precisos para distinguir clases textuales, se ha propuesto una tipología que permite describir los géneros, o clases de textos, a partir de conjuntos de rasgos pertenecientes a los distintos niveles textuales: funcional, situacional, semántico y léxico-gramatical (Heinemann y Viehweger, 1991; Heinemann, 2000), niveles que se condicionan mutuamente. Las variaciones en alguno de ellos repercuten en los demás; por ejemplo, las diferencias en el nivel de estructuración textual pueden evidenciar distintos propósitos comunicativos.

En estos enfoques, los géneros son considerados como acciones comunicativas que se construyen socialmente y que evolucionan a medida que cambian las necesidades comunicativas. Son entidades dinámicas que presentan variación según los propósitos específicos o las características particulares de la situación comunicativa (Ciapuscio, 2005).

Con el fin de dar cuenta de la relaciones que pueden establecerse entre géneros que responden a propósitos comunicativos similares, se ha propuesto el concepto de *colonia* de géneros, que Bhatia (2002: 10) define como: "A constellation of closely related and overlapping genres, sometimes within but often across discourse communities". Ejemplos de colonias de géneros son las cartas (comerciales, de amor, de lectores, entre otros); los libros de texto (de enseñanza media, universitarios, de idiomas); y los géneros académicos.

Por su parte, Ciapuscio (2007, 2009), en virtud de la complejidad y la variación de los géneros, prefiere entenderlos en términos de *familias* (Bergmann y Luckmann, 1995) orientadas a la solución de tareas sociales e individuales, cuyos miembros —los géneros particulares— desempeñan tareas específicas de cada ámbito. En tal sentido, y en el dominio de la comunicación de la ciencia, la autora distingue dos campos diferenciados: por un lado, los géneros de la investigación (la producción y validación de conocimiento); y, por otro lado, los géneros de la comunicación de la ciencia a la sociedad.

Los géneros del proceso de investigación, que son empleados por una comunidad discursiva dada, comparten la meta social y comunicativa de producir y transmitir conocimiento nuevo, relevante y original en cada área disciplinar. Por otra parte, todos estos textos realizan, en forma textual y lingüística, el procedimiento científico mismo. Dentro de estos géneros, Ciapuscio distingue los *géneros de iniciación en la investigación* (monografía, proyecto de tesis, tesis) y los *géneros de la práctica disciplinar* (reseña, debates entre científicos, artículo de investigación, libro, informe de investigación, arbitraje de artículos científicos). Los textos de la práctica disciplinar comparten las cuatro partes centrales del proceso de investigación: el estado de la cuestión; el trabajo de investigación propio; la discusión de los resultados y las perspectivas para investigaciones futuras.

Los miembros de una familia de géneros poseen propósitos comunicativos similares y comparten ciertas convenciones retóricas y rasgos léxico-gramaticales, pero pueden presentar diferencias en otros aspectos, como en el caso de las funciones subsidiarias. Por ejemplo, el artículo de investigación y la tesis doctoral responden al propósito de comunicar resultados originales de una investigación, pero difieren en el alcance de la función directiva 'persuadir'. Mientras que el artículo busca persuadir a los lectores de que los resultados son válidos y confiables, la tesis intenta, además, persuadir sobre la capacidad del doctorando para llevar a cabo una investigación, y su dominio del tema. Estos propósitos se reflejan en el tipo de información que se incluye y en la forma en que ésta se despliega y estructura en el texto. Asimismo, dado que la tesis es una clase de texto mucho más extensa que el artículo, algunos autores han señalado que la principal diferencia entre ambos géneros reside en el mayor uso de los procedimientos metadiscursivos empleados en la tesis (Swales, 1990; Bunton, 1999). En efecto, los autores de tesis hacen uso de diferentes recursos para organizar el texto y guiar a los lectores a través de él, estableciendo nexos entre las distintas partes.

Como ya señalé, los estudios centrados en los géneros de iniciación en la investigación (como la tesis) tienen, en general, el objetivo de proporcionar herramientas útiles a los estudiantes para la producción de esos textos. De hecho, Dudley-Evans (1986) ha señalado que su interés en la sección "Discusión" se basó en que esa parte de la tesis es la que más dificultades suele presentar a los alumnos. Por su parte, Paltridge (2002) se ocupó de indagar si existe adecuación entre las guías destinadas a orientar a los estudiantes en la producción de sus escritos y la práctica real de escritura de tesis, y encontró que esas guías están alejadas de la realidad y no brindan herramientas válidas a los estudiantes. El mérito principal del trabajo de Paltridge fue poner en evidencia la variedad de tipos de tesis que se producen en las distintas disciplinas y aun dentro de una misma disciplina, hecho que ya había sido notado por Dudley-Evans (1999), Thompson (1999) y Dong (1998). Uno de los tipos de tesis, considerado como tradicional, se compone por las secciones canónicas de "Introducción", "Métodos", "Resultados" y "Discusión". Ahora bien, estas tesis tradicionales pueden ser de dos tipos: simples y complejas, según informen acerca de un único estudio o de varios. En este último caso, la tesis comprende numerosas secciones destinadas a presentar los resultados de cada estudio. Dudley-Evans también postula un tipo de tesis "basada en el tema", que no corresponde a un estudio particular sino que incluye varios capítulos que tratan subtemas asociados al tema principal.

Un cuarto tipo de tesis, reportado por Dong (1998), consiste en una compilación de artículos de investigación, algunos de los cuales fueron publicados con anterioridad a la defensa de la tesis. En estos casos, se dedica menor espacio que en las tesis tradicionales a la definición y explicación de conceptos. Además, en términos de audiencia, estas tesis no parece destinadas a ser presentadas frente a un jurado evaluador sino, antes bien, a una comunidad de pares que trabajan en la misma área de investigación.

Además de la existencia de distintos tipos o formatos de tesis, se observan diferencias en determinados rasgos del género según la disciplina. En efecto, si se comparan las tesis de ciencias naturales con las de las ciencias sociales, es posible hallar variación en la superestructura, los procedimientos metadiscursivos, la forma de inscripción del autor en el texto y el tratamiento de las citas de trabajos de otros investigadores (Gallardo, 2008a, 2008b, 2009).

3. Marco teórico

3.1. Estructura retórica

Como ya señalamos, los estudios acerca de la estructura retórica de secciones específicas de tesis doctorales se basan en el conocimiento acumulado sobre el artículo de investigación, como se evidencia en los aportes efectuados por Swales (1990) así como por otros autores, como Nwogu (1997), que se centró en los artículos de medicina; Peacock (2002), que examinó artículos de diferentes disciplinas; y Ruiying y Allison (2004), quienes estudiaron en especial los de lingüística. La comparación con el artículo de investigación se debe a que ambos géneros comparten ciertos rasgos, como lo es el propósito principal, el de comunicar conocimiento nuevo, es decir, dar a conocer los resultados de una investigación. También comparten una función secundaria, la de persuadir a los lectores de la validez de las conclusiones presentadas.

La estructura del capítulo introductorio de una tesis puede compararse con la de la sección "Introducción" del artículo de investigación, que ha sido ya bien establecida por Swales (1990), quien postula una estructura de situación-problema-solución, que se realiza mediante tres *movidas* retóricas destinadas a crear el espacio de investigación.[1] El concepto de *movida* fue definido con precisión por Nwogu (1997: 122) del siguiente modo:

> The term move means a text segment made up of a bundle of linguistic features (lexical meanings, propositional meanings, illocutionary forces, etc.) which give the segment

---

[1]   Para describir la "Introducción" de un artículo de investigación, Swales (1990), haciendo una analogía con la ecología, ha postulado el modelo que denomina CARS *(Create a Research Space)*, que consiste en tres movidas, cada una de las cuales corresponde a tres etapas del desarrollo argumentativo: la situación, el problema y la solución. Las movidas son: 1. 'Establecimiento del territorio' (el autor de un artículo afirma la importancia del tema y reseña las investigaciones previas); 2. 'Establecimiento del nicho' (se señala una brecha en el conocimiento, un problema no resuelto o una pregunta no respondida); y 3. 'Ocupación del nicho' (se afirma el propósito principal del trabajo). Cada una de estas movidas se compone de submovidas, o pasos.

a uniform orientation and signal the content of discourse in it. Each move is taken to embody a number of constituent elements or slots which combine in identifiable ways to constitute information in the move.

Una movida retórica puede comprender unidades menores: *submovidas* (Nwogu, 1997) o *pasos* (Swales, 1990). También se emplea el término *segmentos textuales* para referirse tanto a las *movidas* como a las *submovidas* (Gnutzmann y Oldenburg, 1991). Por ejemplo, dentro de la primera movida de la "Introducción", que da cuenta de la situación, los autores de tesis realizan una primera submovida al afirmar la importancia del tema, y otra al reseñar las investigaciones previas. En la introducción de una tesis hay una submovida (que no suele aparecer en los artículos de investigación) donde se describe con detalle el objeto de estudio, que es definido, caracterizado y clasificado dentro de una taxonomía.

Las movidas y submovidas son reconocibles por ciertos rasgos lingüísticos, como la presencia de fórmulas prototípicas (*el propósito de esta tesis es*), de tipos de verbos, de conectores así como de adjetivos y de nombres indicadores de actitud (*la importancia de este tema reside*). El concepto de *movida* posee un doble carácter: funcional y semántico. Por un lado, cada una responde a un propósito retórico y forma parte de un esquema organizativo del texto, y en este sentido contribuye a la superestructura textual. Por otro lado, se define también por su contenido semántico, conformando la macroestructura[2] del texto (Van Dijk 1989).

En cuanto al capítulo "Discusión" de tesis doctorales o de maestría, se destacan los estudios realizados por Dudley-Evans (1986, 1994) y Hopkins y Dudley-Evans (1988), que han propuesto una superestructura de tres partes: 1. "Introducción" (se reafirma el propósito y se describe el trabajo realizado); 2. "Evaluación de resultados"; y 3. "Conclusiones" (en muchos casos incluye recomendaciones para trabajos futuros). Para la segunda parte, que es la más extensa, Dudley-Evans (1994) postula varias movidas retóricas, como: 'Presentar un resultado', 'Comparar con investigaciones previas' (mostrando coincidencia o discrepancia), 'Afirmar una conclusión'. Estas movidas se organizan en ciclos[3] recurrentes, con una o dos movidas obligatorias ('Presentar un resultado' y 'Afirmar una conclusión'), y otras optativas, como 'Comparar con investigaciones previas' o 'Indicar si el resultado fue inesperado'. Para estos autores, la noción de *ciclo,* compuesto por movimientos obligatorios y movimientos opcionales, es la unidad principal de organización en secciones de gran extensión.

---

[2]   Nwogu (1997: 135) señala: "The moves and their constituent elements assign functions to segments of information which together in the research paper constitute the overall semantic macrostructure of such texts".

[3]   Hopkins y Dudley-Evans (1988: 120) definen *ciclo:* "The cycle is the main unit of organisation in long informing sections. It is made up of obligatory and optional moves".

En los corpus analizados por estos autores, las conclusiones forman parte de la sección "Discusión". No obstante, en otras disciplinas, como las ciencias sociales y las humanidades, tanto las tesis como los artículos de investigación no incluyen una sección denominada "Discusión", sino que se pasa de los resultados directamente a las "Conclusiones", sección que, de este modo, adquiere mayor relevancia (Bunton, 2005). Bunton observa que en las ciencias sociales y las humanidades, el capítulo "Conclusión" es más extenso y tiene más secciones que en las ciencias exactas y la tecnología. En esta última, se hace un énfasis mayor en las investigaciones futuras y las aplicaciones prácticas. Más allá de las diferencias, este autor encuentra en el capítulo final tres movidas que aparecen en todas las disciplinas: 'Introducción', 'Consolidación del espacio de investigación' e 'Implicaciones futuras'.

3.2. LA TEORÍA DE LA EVALUACIÓN

El análisis de la estructura retórica de los géneros académicos puede complementarse con los conceptos que aporta la teoría de la valoración (*Appraisal*), línea que se ocupa de los recursos lingüísticos mediante los cuales los textos expresan determinadas posiciones intersubjetivas (Hunston y Thompson, 2003; Martin y White, 2005). Esta teoría se centra particularmente en la expresión lingüística de la valoración, la actitud y la emoción, y el conjunto de recursos que posicionan de manera explícita al emisor frente al contenido proposicional y a su audiencia. Estudia los significados que hacen variar los términos del compromiso del hablante con sus emisiones. La evaluación forma parte de la función interpersonal del lenguaje (Halliday, 1985), que se relaciona con la forma en que se produce la interacción entre los participantes de la comunicación, incluyendo los sentimientos compartidos. La valoración (*appraisal*) incluye tres componentes o subsistemas: la actitud, el compromiso y la gradación. La actitud se refiere a los sentimientos y opiniones del emisor, y comprende la expresión de:

a) Afecto: expresión de reacciones emocionales, como *feliz, triste* y *temeroso.*
b) Juicio: valoración del comportamiento humano de acuerdo con principios normativos. A través del juicio de estima social, se critica o se elogia una conducta de personas o grupos. Los juicios de sanción social condenan o aplauden las conductas o acciones.
c) Apreciación: valoración de los objetos, incluyendo los fenómenos naturales; puede ser una apreciación estética (*elegante, armonioso*) o no estética, sino de valor social, como *importante, significativo* o *perjudicial.*

La valoración que resulta de la actitud puede ser positiva o negativa, e implica la comparación y el contraste con la norma. Además, puede ser graduable, es decir, que su intensidad puede ajustarse según una escala. Por otra parte, todas las formas de la valoración pueden ser explícitas —codificadas en el léxico— o implícitas, es decir, evocadas, sugeridas o provocadas, a partir del contenido ideacional. Por ejemplo, en la siguiente afirmación: "El gobierno es incompetente", el adjetivo expresa un juicio de capacidad respecto del gobierno. En cambio, en la oración: "El gobierno carece de una política económica", no se afirma un juicio en forma explícita, sino que ese juicio es evocado en la audiencia. No obstante, la evaluación de incompetencia en la segunda oración sólo puede ser evocada en aquellos lectores que compartan la misma visión de la economía y del rol del gobierno. Esto significa que la actitud sólo puede ser evocada en el contexto ideológico y cultural en el que es expresada (Martin y White, 2005).

Dentro de los significados que indican actitud invocada (que no se encuentra inscripta o codificada en el léxico), Martin y White postulan una gradación entre significados que invitan o sugieren, y significados que provocan actitud en la audiencia. Esta gradación se relaciona con los grados de libertad permitidos a la audiencia para alinearse con los valores expresados en el texto.

Para el análisis de los recursos evaluativos se pueden establecer ciertas categorías específicas como 'entidad evaluada' y 'categoría evaluadora' (Hunston y Sinclair, 2003). En nuestra opinión, el análisis de estas categorías puede contribuir a caracterizar la estructura retórica de secciones específicas de los géneros académicos, donde los autores efectúan juicios y apreciaciones acerca del dominio temático, del objeto de estudio o de las investigaciones previas.

4. Las tesis doctorales de biología y lingüística

Con el fin de contribuir al conocimiento del género tesis doctoral en español, me propongo brindar una descripción de la estructura retórica del capítulo inicial, "Introducción", estableciendo los movimientos retóricos y los pasos o submovidas que los componen. Considerando que los recursos evaluativos pueden contribuir a identificar los distintos segmentos textuales, aquí se estudian los recursos empleados para evaluar entidades de acuerdo con un sistema de valores o normas aceptadas por la comunidad académica y disciplinar.

4.1. Corpus

El corpus se compone de diez tesis de biología molecular y celular,[4] y ocho de lingüística, correspondientes a diferentes líneas teóricas: discurso, gramática y

---

[4] La elección de la disciplina biología molecular y celular se relaciona con el proyecto Corpus Textual del Español Científico de la Argentina (Coteca), dirigido por Guiomar Ciapuscio y financiado por el Consejo Nacional de Investigaciones Científicas y Técnicas (Conicet) de la Argentina, en el período 2005-2006.

lenguas indígenas. Las tesis de biología fueron defendidas en la Facultad de Ciencias Exactas y Naturales de la Universidad de Buenos Aires (UBA) entre los años 1999 y 2006. En todos los casos se trata de trabajos experimentales, y el objeto de estudio son células y moléculas biológicas de organismos animales y vegetales, como por ejemplo, bacterias, sanguijuelas, cangrejos y, también, células de tejidos humanos. El acceso a los textos se efectuó mediante un contacto personal con cada uno de los autores con la ayuda de los directores de tesis respectivos. En general los resultados ya habían sido publicados en revistas especializadas en forma de artículos científicos.[5]

En lingüística, disciplina en que resultó más difícil reunir los textos por el carácter inédito de los resultados, seis tesis fueron defendidas en la Facultad de Filosofía y Letras de la UBA; una, en la Universidad Central de Venezuela, y otra en la Universidad Pompeu Fabra, de Barcelona, España. El objeto de estudio en todas ellas es los textos, orales y escritos, en lengua española, excepto una de las tesis, que trabaja con la lengua mapuche, correspondiente a pueblos originarios que habitan la Patagonia argentina.

Todos los tesistas contaron con la supervisión de un director de tesis o tutor, quien, trabajando en la misma línea de investigación que el tesista, efectuó un control no sólo del trabajo teórico y empírico sino también de la escritura. Asimismo, las tesis fueron evaluadas por un jurado compuesto por tres miembros, uno de los cuales pertenece a la institución en que la tesis es defendida y trabaja en una línea próxima al tema de la tesis. Los otros dos jurados son externos a la institución y pueden trabajar en áreas alejadas del tema en cuestión. Estos jurados leen la tesis con detenimiento y dictaminan si debe ser aprobada o no.

En los textos se consideró en primer lugar la estructura global en capítulos, considerando en cada caso los títulos elegidos por los mismos autores. Luego seleccionamos el capítulo inicial, denominado "Introducción", con el fin de explorar en cada una de las tesis la estructura retórica aplicando los conceptos de movidas y submovidas retóricas. En algunos casos, el inicio de una movida puede coincidir con el inicio de una nueva subsección con un subtítulo del autor.

4.2. ESTRUCTURA GENERAL DE LA TESIS

En el dominio de la biología, al igual que en otras disciplinas del área de las ciencias naturales y exactas, las tesis doctorales muestran la estructura estándar

---

[5]   En las ciencias exactas y naturales, cuando el doctorando defiende su tesis, ya publicó gran parte de los resultados en revistas especializadas. En lingüística, en cambio, la publicación de resultados suele ser posterior a la defensa de la tesis.

del artículo de investigación, el formato IMRYD (acrónimo de Introducción, Métodos, Resultados y Discusión).[6] De este modo, se componen de cuatro secciones o capítulos principales: "Introducción", "Materiales y métodos", "Resultados" (que muchas veces comprende tres o más capítulos) y un capítulo final que puede denominarse "Discusión" o "Discusión y conclusiones". Algunas de las tesis del corpus presentan un capítulo final, adicional al de la "Discusión", denominado "Conclusiones".

La estructura de las tesis de lingüística no responde al formato estándar; todas comprenden una serie de capítulos con títulos funcionales, como "Introducción", "Marco Teórico" y "Conclusiones", pero no aparecen capítulos con el título de metodología ni resultados. La información sobre la metodología puede aparecer incluida en el capítulo correspondiente al marco teórico. Los capítulos centrales, que presentan el trabajo realizado (equivalente a los resultados), no poseen títulos funcionales sino temáticos, que resumen el tema desarrollado. En la tabla 1 se muestra una estructura general prototípica para cada una de las disciplinas.

TABLA 1
Estructura global de la tesis según las secciones
y los títulos elegidos por los autores

	BIOLOGÍA	LINGÜÍSTICA
CAPÍTULOS	1. Introducción 2. Objetivos 3. Materiales y Métodos 4 - 6. Resultados 7. Discusión o Discusión y Conclusiones 8. Conclusiones (opcional)	1. Introducción 2. Marco teórico y estado de la cuestión (incluye métodos) 3 - 6. Desarrollo del tema con resultados (títulos temáticos) 7. Conclusiones

Teniendo en cuenta las diferencias tanto en la estructura general de la tesis como en la estructura de la sección "Introducción", aquí se analizan por separado las introducciones en cada una de las disciplinas.

---

[6]   La estructura IMRYD comenzó a emplearse en 1940 en las ciencias biomédicas y en 1972 el American National Standards Institute la estableció como norma de presentación para los artículos científicos. Ha sido adoptada en la mayoría de las ciencias experimentales, especialmente en las disciplinas biomédicas, la física y la biología. También este formato fue recomendado por la American Psychological Association.

4.3. Estructura de la "Introducción" de las tesis de biología

En el capítulo "Introducción" de las tesis de biología, según lo observado en el corpus, los doctorandos llevan a cabo los movimientos retóricos postulados por Swales (1990) para la misma sección del artículo de investigación, estructura que corresponde a lo que este autor denominó 'Creación de un Espacio de Investigación' (CARS, por *Create a Research Space*). No obstante, los movimientos del modelo ('establecimiento del territorio', 'establecimiento del nicho' y 'ocupación del nicho') se realizan en ciclos recurrentes, en un desarrollo en espiral que se inicia en el tema más general en el que se inserta la investigación y continúa con la introducción de temas cada vez más específicos, hasta llegar al tema de la investigación. Todos los ciclos se inician con el primero de los movimientos, algunos incluyen también el segundo, y en el último de los ciclos se efectúa la ocupación del nicho mediante la afirmación del propósito general. No obstante, los objetivos generales y particulares se detallan en una sección independiente.

El establecimiento de cada uno de los sucesivos territorios se realiza a través de algunos de los segmentos o pasos postulados por Swales ('Afirmación de la centralidad del tema' y 'Revisión de la bibliografía'), pero se agregan otros segmentos (que no figuran en el modelo de Swales), que denominamos 'Descripción del objeto de estudio' y 'Justificación del modelo/marco teórico'. En el corpus de biología, el objeto de estudio es un organismo o entidad del mundo natural; en el corpus de lingüística, son objeto de estudio el léxico especializado, ciertas categorías gramaticales o aspectos discursivos. En cuanto al modelo, en biología, éste puede ser un organismo animal (un cangrejo, ratón o bacteria) sobre el que se efectúan los experimentos. En lingüística, los autores justifican la elección del marco teórico con sus categorías de análisis.

El segmento 'Descripción del objeto de estudio' se compone de secuencias expositivas que brindan conocimiento enciclopédico. La presencia de esta información, que está ausente en el artículo de investigación, puede deberse, por un lado, a la necesidad de que el contenido sea comprendido por una audiencia más amplia que el estrecho círculo de pares (Thompson, 2005), pues alguno de los miembros del jurado, como ya señalamos, puede pertenecer a un área disciplinar ajena al tema específico de la tesis que debe ser evaluada. Además, las tesis suelen ser leídas no sólo por los especialistas en el área, sino también por otros doctorandos y estudiantes que se inician en la investigación y que no necesariamente se desempeñan en la misma área específica de trabajo. Por otro lado, el tesista, en su intento para que sus afirmaciones sean aceptadas, no sólo brinda evidencias claras que sostengan su posición, sino que también da cuenta de su profundo conocimiento del tema. En consecuencia, los rasgos funcionales (persuadir sobre el dominio del tema) y situacionales (una audiencia más amplia) posiblemente incidan en la elección del tipo de información que se incluye y en los procedimientos de estructuración temática, así como en el nivel léxico-gramatical. De este modo, el despliegue temático comprende definiciones de conceptos, explicaciones y descripciones detalladas de objetos, técnicas y procesos, que, por un lado, permiten que el tesista muestre un gran dominio del tema y, por otro, aportan información útil para los jóvenes que se inician en la investigación.

4.3.1. Movidas retóricas en la "Introducción" de tesis de biología

El capítulo "Introducción" en las tesis de biología se encuentra organizado en secciones separadas por títulos y subtítulos temáticos que son indicadores de la macroestructura. Por ejemplo, la introducción de la tesis 1 del corpus está organizada en diez secciones que desarrollan otros tantos subtemas[7] que se presentan en un orden que va del más general (una gran familia de virus denominada *arenavirus*) al más específico: la evaluación de compuestos para atacar un virus de esa familia, que produce una enfermedad grave, conocida como *fiebre hemorrágica argentina*. Ahora bien, esta estructura temática no coincide con la estructura retórica, es decir, no hay una correspondencia de uno a uno entre subtema y comienzo de un ciclo retórico, pues, de hecho, un movimiento retórico puede abarcar más de un subtema.

En tal sentido, una forma de identificar el inicio de un ciclo o de un movimiento es indagar acerca de los recursos evaluativos. Así, se puede observar que cada uno de los ciclos se inicia con el segmento 'Afirmación de la centralidad del tema', y este segmento presenta, por lo general, apreciaciones sobre el tema de estudio y/o el problema que se intenta resolver, como se puede observar en los ejemplos siguientes.

> (1) Los virus son estudiados tanto por causar **graves enfermedades** en humanos, animales y plantas, como por ser **herramientas muy útiles** para corroborar fenómenos biológicos, químicos, genéticos y en Biología molecular en general. Los arenavirus son de **particular interés** en ambos aspectos. [TB1]

---

[7]   Los títulos de los apartados de la tesis B1, que dan cuenta de la macroestructura del capítulo, son los siguientes: 1) Los arenavirus; 2) Propiedades estructurales y genómicas de los arenavirus; 3) Proteínas virales; 4) Proteína Z; 5) Infección viral, célula huésped y animales de laboratorio; 6) El virus Junín y la fiebre hemorrágica argentina (FHA); 7) Tratamiento y prevención de la FHA; 8) El ciclo replicativo y los posibles blancos para agentes terapéuticos; 9) Motivos RING fingers: nuevo punto de ataque en la quimioterapia antiviral; 10) Nuevos compuestos reactivos contra motivos Zn fingers con posible uso antiviral.

En el fragmento (1), párrafo inicial del capítulo "Introducción" de la TB1, se afirma la importancia de los virus, tema general en que se inscribe la investigación. Los virus son valorados, mediante sintagmas nominales, desde una doble perspectiva: en cuanto al problema que causan (*graves enfermedades*) y en relación con su aporte al conocimiento biológico (*son herramientas muy útiles*). Desde el punto de vista de la graduación, el adverbio y los adjetivos intensifican la apreciación, reforzando la argumentación. Así, cuanto más grave sea el problema, más importante es la solución que puede brindar la investigación. Luego de afirmar la centralidad del tema, la autora realiza el segundo paso retórico, que consiste en la 'Descripción del objeto de estudio', como se muestra en (2):

> (2) Los miembros de la familia Arenaviridae son virus envueltos, con una bicapa lipídica que adquieren en el momento de la brotación del virus. Sin embargo, la composición lipídica de los arenavirus no es la misma que la de la membrana plasmática de las células infectadas (Rosas, 1984). Durante la brotación también se incluye parte del citoplasma adyacente a la membrana, conteniendo ribosomas celulares, que dan el aspecto arenoso bajo microscopía electrónica, característica física que le da el nombre "arena" (Farber y Rawls, 1975). [TB1]

El párrafo ejemplificado en (2) es el iniciador de una secuencia expositiva, donde se brinda conocimiento enciclopédico sobre los arenavirus. En este segmento no se observan ítems evaluativos.

El tercer tema del capítulo, las proteínas virales, da lugar a que la autora realice el segundo movimiento retórico del primer ciclo, el establecimiento del nicho, que también incluye el segmento descriptivo, como se puede ver a continuación:

> (3) Respecto de los arenavirus, son **escasos** al presente los conocimientos sobre la real participación de las proteínas virales (Figura I. 4) en la infección tanto in vivo como in vitro. [TB1]

Vemos en (3) que el conocimiento acerca de la participación de las proteínas virales en la infección es valorado en forma negativa mediante el adjetivo (*escasos*), lo cual implica una brecha en el conocimiento y permite establecer un nicho, afirmando la necesidad de estudiar el tema.

En resumen, los diez subtemas que constituyen la estructura temática de la introducción de la tesis 1 dan lugar a cuatro ciclos retóricos, cada uno de los cuales se inicia con una afirmación de centralidad, seguida por segmentos que describen el objeto de estudio y segmentos donde se revisan las investigaciones previas. En cada uno de estos ciclos también se establece un nicho de investigación. A continuación, en la tabla 2, se muestra la estructura retórica de la tesis 1 y la correspondencia con la estructura temática.

TABLA 2

Estructura de la introducción de la tesis T1 de biología

Ciclos	Movimientos y segmentos retóricos	Subtemas
C. 1	**ESTABLECIMIENTO DEL TE-RRITORIO 1 – Los arenavirus** Afirmación de centralidad tema virus y arenavirus (una familia de virus) Clasificación de los arenavirus Descripción de arenavirus	1. Los arenavirus 2. Propiedades de los arenavirus
	NICHO 1 - proteínas virales Escasos conocimientos sobre proteínas virales	3. Proteínas virales
C. 2	**TERRITORIO 2 – la proteína Z** Afirmación de centralidad de la proteína Z Revisión de la bibliografía	4. Proteína Z
	NICHO 2 El correcto funcionamiento de la proteína depende de su integridad	Proteína Z
C. 3	**TERRITORIO 3 - La fiebre hemo-rrágica** Afirmación de centralidad de la fiebre hemorrágica Descripción enfermedad: síntomas y desarrollo Descripción tratamientos	5. Infección viral, célula huésped y animales de laboratorio 6. El virus Junín y la FHA 7. Tratamiento
	NICHO 3 Desventajas terapia contra la enfermedad Descripción de la droga	7. ... y prevención de la FHA
C. 4	**TERRITORIO 4** Afirmación de centralidad de la porción Zn finger de la proteína viral	8. El ciclo replicativo del virus y los posibles blancos para agentes terapéuticos 9. Motivos RING fingers
	NICHO 4 Continuación de una tradición, búsqueda de blancos alternativos para atacar el virus **OCUPACIÓN NICHO** Formulación de los objetivos: comprobar que la proteína Z es blanco de acción y demostrar que es esencial en la multiplicación de los arenavirus	10. Nuevos compuestos contra motivos Zn fingers con uso antiviral

Todos los textos del corpus de biología presentan en la "Introducción" una estructura cíclica, con variación en el número de ciclos, de movimientos en cada ciclo (no todos los ciclos establecen el nicho) y de pasos en cada movimiento. Cada uno de los pasos o segmentos textuales en el interior de los movimientos retóricos se caracteriza por la mayor o menor presencia de recursos evaluativos. Así, podemos hablar de segmentos *más evaluativos* y segmentos *menos evaluativos*, respectivamente. Por ejemplo, la afirmación de la centralidad del tema o la revisión de las investigaciones previas son segmentos *más evaluativos,* y sus valoraciones son, por lo general, de signo positivo. Los segmentos correspondientes al establecimiento del nicho también son más evaluativos, pero con signo negativo. Los segmentos que podemos considerar como *menos evaluativos* son aquellos en los que se describe el objeto de estudio, se formulan los objetivos y se adelanta la estructura del trabajo. A partir de estas observaciones, podemos postular una estructura tentativa, por el momento sólo válida para los textos analizados, que se muestra en la tabla 3.

TABLA 3
Estructura tentativa para la introducción de una tesis de biología

Ciclos	Movimientos	Segmentos
CICLO I	Establecimiento del territorio	Segmentos más evaluativos (evaluación +) - Afirmación centralidad del tema - Justificación modelo de estudio - Revisión bibliográfica Segmentos menos evaluativos - Descripción del objeto de estudio - Indicación estructura de la tesis
	Establecimiento del nicho	Segmentos más evaluativos (evaluación −) - Indicación de una brecha - Formulación interrogantes - Contra-argumentación
CICLO II, III, IV…	Territorio	Segmentos más evaluativos (evaluación +) y segmentos menos evaluativos
	Nicho	Segmentos más evaluativos (evaluación −)
CICLO FINAL (N)	Establecimiento del territorio más específico	Segmentos más evaluativos (evaluación +) y menos evaluativos
	Establecimiento del nicho más específico	Segmentos más evaluativos (evaluación −)
	Ocupación del nicho	Segmentos menos evaluativos - Formulación de la hipótesis - Formulación de los objetivos

4.3.2. Recursos evaluativos en tesis de biología

En determinados segmentos textuales de la "Introducción" de las tesis de biología se observa la presencia de recursos evaluativos explícitos e implícitos, correspondientes al subsistema de la apreciación. Los ítems léxicos de valoración implícita son sustantivos, adjetivos, verbos, adverbios y expresiones cuantificadoras mediante los cuales son evaluadas las entidades que constituyen el objeto de estudio de la tesis.

El primer movimiento retórico de la "Introducción" en biología se inicia con el segmento en que se afirma la centralidad del tema y en éste se evalúan las entidades que son objeto de estudio: organismos vivos, compuestos o sustancias biológicas. Éstos son presentados como: *sensibles* o *interesantes* para ser estudiados, o se afirma que es el organismo mejor estudiado, caracterizado o descrito. También, en el caso de compuestos o sustancias biológicas, se señala que desempeñan un rol *crucial, esencial, decisivo, clave o importante* en algún proceso vital, o que cumplen una multiplicidad o variedad de funciones. En algunos casos se evalúa su utilidad para el hombre, o su capacidad en relación con algún fin. En todos los casos se trata de una apreciación explícita, es decir, inscripta en el léxico, y de signo positivo, aunque también aparece una evaluación no inscripta en el léxico, que evoca o provoca valoración en la audiencia.

> (4) Desde hace mucho tiempo los hombres han **aprovechado**[8] la **capacidad** de las bacterias lácticas de producir ácido láctico a partir de sustratos fermentables como un método de preservación de alimentos. [...] Desde los comienzos de la microbiología, los procesos de fermentación en los que participaban bacterias lácticas adquirieron **gran relevancia**. [...] Aunque durante mucho tiempo los procesos de producción de alimentos se realizaron en forma empírica, actualmente han adquirido un **alto** desarrollo tecnológico en el que prima mantener la **calidad** y **constancia** de un producto. Este desarrollo tecnológico fue posible en parte por la acumulación de conocimientos de la biología de las bacterias lácticas. [TB8]

El ejemplo (4) pertenece a una tesis en la que se estudia una bacteria empleada en la industria láctea (*Lactobacillus casei*), y se indaga acerca de los cambios que se producen en esa bacteria cuando ésta es cultivada en un medio con muy alta concentración de sal y poca agua. En el fragmento ejemplificado (los primeros párrafos de la "Introducción") se afirma la centralidad del tema más general de la tesis: la biología de las bacterias lácticas, y para ello la autora hace uso de numerosos ítems léxicos evaluativos. Éstos son, en la primera oración, el verbo

---

[8]   Se destacan en negrita los ítems léxicos en los que se inscribe la evaluación. No se marcan los que evocan evaluación.

aprovechar, que entraña una valoración positiva del objeto del cual se extrae el provecho o beneficio, y el sustantivo *capacidad,* que refiere a una cualidad positiva del objeto. En la oración siguiente, el ítem evaluativo es el sintagma nominal *gran relevancia* —aplicado a los procesos de fermentación—, en el cual el adjetivo cuantificador aumenta el valor positivo del sustantivo. Este primer párrafo induce a la conclusión de que las bacterias lácticas son importantes por su utilidad para el hombre. En el segundo párrafo del fragmento se afirma la importancia del conocimiento de la biología de las bacterias lácticas a partir de su aplicación en la producción de alimentos. El léxico evaluativo (*calidad, constancia*) se asocia con el sintagma nominal *desarrollo tecnológico,* que invoca una apreciación positiva, que es reforzada mediante el adjetivo. El contraste temporal, reforzado por la cláusula concesiva, contribuye a poner de relieve a la cláusula principal y conduce a la conclusión de que el conocimiento de la biología de las bacterias lácticas es más importante en el presente que en el pasado.

En los segmentos en que se describe el objeto de estudio, los recursos evaluativos se encuentran casi ausentes, por lo cual decimos que se trata de segmentos *menos evaluativos.*

> (5) Las bacterias lácticas son microorganismos Gram positivos, no esporoformadores, inmóviles, anaerobios aerotolerantes, que carecen de catalasa. Su metabolismo es estrictamente fermentativo y presentan altos requerimientos nutricionales. [TB8]

El ejemplo (5), perteneciente también a la tesis TB8, constituye el segmento 'Descripción', y su carácter menos evaluativo reside en que no conduce a una conclusión acerca de la importancia de estudiar las bacterias lácticas. Se trata de una secuencia expositiva mediante la cual se incluye un concepto en una clase (exposición sintética, según Werlich, 1975) y se lo caracteriza. Los adjetivos (que en este caso son términos especializados) no parecen tener un carácter evaluativo, sino sólo descriptivo, al igual que el adverbio *estrictamente,* que delimita el concepto. Por ejemplo, al decir que son microorganismos *Gram positivos,* no se los está valorando, sino simplemente se los incluye en una clase.

En el mismo texto (T8), luego de haber presentado los temas más generales, la autora inicia un nuevo ciclo retórico, introduciendo el tema más específico de su investigación. De este modo, establece un nuevo territorio afirmando la importancia de este objeto de estudio específico.

> (6) La proteínasa PrtP y el transportador Opp son **esenciales** para el crecimiento en leche ya que están involucrados en el primer paso de degradación de la caseína y en la incorporación de los péptidos resultantes hacia el interior de la célula. [...] Esto sugiere un **rol crucial** en el metabolismo de péptidos en la célula. [TB8]

Como se puede observar en el ejemplo (6), el adjetivo *esencial* evalúa de manera positiva las sustancias que se mencionan. Esta idea está reforzada con la atribución de un *rol crucial* a esas sustancias, lo que lleva a la conclusión de que es importante estudiarlas. Esta valoración permite caracterizar el segmento como 'afirmación de la centralidad del tema'.

Dado que en las tesis del corpus de biología, por su temática, se estudian las moléculas o ciertos mecanismos específicos, cuando los autores argumentan sobre la centralidad de esos objetos de estudio, destacan el papel que ellos desempeñan en procesos vitales de los seres vivos que se estudian.

(7) En la decodificación de la frecuencia de las señales de Ca2+ las quinasas CaM-KII y PKC juegan un papel **decisivo**. [TB6]

El sintagma *papel decisivo* (7), al igual que *rol crucial* (ejemplo 6), constituye una fórmula recurrente en los textos científicos correspondientes al área de la biología.

En algunas tesis, el objeto de estudio puede ser una entidad cuyo conocimiento puede ayudar a resolver un problema concreto, por ejemplo, la cura de una enfermedad. En tal sentido, los autores afirman la centralidad del tema destacando la importancia del problema que se procura resolver. Los recursos evaluativos empleados son, principalmente, datos numéricos, como cuantificadores numerales, cardinales, y también ordinales y partitivos. Estos ítems no expresan apreciación en forma explícita, sino que invocan una valoración en la audiencia sobre la base de los conocimientos compartidos.

(8) Durante las últimas tres décadas el área endémica de la FHA fue **extendiéndose** desde su sitio original, en las plantaciones de áreas rurales de la provincia de Buenos Aires, **hasta alcanzar** hoy en día una **vasta área** de **150.000 km²** de la zona agrícola-ganadera **más importante** de la Argentina (Figura I. 6). Esta región está habitada por **3,5 millones** de personas y la población en riesgo se compone principalmente de trabajadores rurales (cita). Existe aproximadamente **un total de 30.000** casos notificados. [TB1]

En el ejemplo (8), además de los cuantificadores numéricos, encontramos algunos verbos así como sintagmas nominales y preposicionales que sugieren en la audiencia una valoración de la magnitud del problema. Desde el punto de vista de la cantidad de personas afectadas, hay una relación directa entre el número y la gravedad del problema: cuanto más alto es el número, más grave es el problema. Del mismo modo, hay una relación directa entre la gravedad (valoración negativa) y su importancia en cuanto al estudio (valoración positiva). Vemos así que la evaluación de la magnitud del problema se expresa mediante una acumulación de recursos variados que en el contexto de una enfermedad provocan un tipo de apreciación (Ferrari y Gallardo, 2006).

Así como los cuantificadores numerales cumplen un rol relevante en los segmentos en que se afirma la centralidad del tema y se destaca la magnitud del problema, en otros segmentos parecen desempeñar un papel principalmente descriptivo.

> (9) En un decápodo adulto encontramos, entonces, **tres** centros nerviosos principales: los lóbulos ópticos, el ganglio supraesofágico y el ganglio toráxico. **Cada** lóbulo óptico se encuentra conectado con el ganglio supraesofágico por el tracto protocerebral. Estos **dos** centros nerviosos cumplen, como describiremos más adelante, funciones fundamentalmente de percepción sensorial y cognitivas, mientras que el ganglio toráxico cumple principalmente funciones vegetativas y motoras. [TB3]

En el ejemplo (9) encontramos cuantificadores cardinales (*tres, dos*) y distributivos (*cada*). Pero ¿por qué decimos que los cuantificadores cumplen una función evaluativa en algunos casos y una función meramente descriptiva en otros? Por un lado, el fragmento (8) induce una conclusión en el lector: la enfermedad en cuestión es seria, o importante, pues se ha extendido en las últimas décadas y ha afectado a muchas personas. En cambio, del fragmento (9) no parece derivarse una conclusión de carácter apreciativo. De todos modos, consideramos que es necesario examinar este tema con mayor detalle.

4.3.2.1. Justificación del modelo de estudio

En la sección "Introducción" de las tesis de biología, los autores justifican su elección de un organismo vivo, o un compuesto determinado, como modelo para efectuar su investigación. En estas justificaciones, los recursos evaluativos juegan un rol importante. Por ejemplo, los autores pueden elegir un organismo vivo para contrastar sus hipótesis y justifican esa elección mediante una evaluación positiva de esa entidad en términos del aporte que su estudio puede hacer al conocimiento del organismo humano, como se observa en el ejemplo (10).

> (10) Esta neurona es uno entre muchos ejemplos de neuronas de gran tamaño y con gran capacidad de integrar información presente en los cerebros artrópodos. Lo anterior hace a estos invertebrados **modelos interesantes** y **adecuados** para estudios electrofisiológicos. Más allá de poseer cerebros pequeños, muchos artrópodos poseen un repertorio comportamental **extremadamente rico**. Constituyen un grupo que ha sido **muy exitoso** desde el punto de vista evolutivo, de hecho, **superan** a los otros grupos de animales tanto en cantidad de individuos como en especies y han colonizado ambientes muy variados. [TB7]

En el ejemplo (10) se resalta la importancia del empleo de invertebrados como modelo de estudio mediante la apreciación positiva explícita (los adjetivos *interesante* y *adecuado*). La adecuación del modelo (también del marco teórico o del corpus textual) a los objetivos del trabajo es requisito de toda investigación, de acuerdo con los valores compartidos dentro de la comunidad científica y, por este motivo, aparece con frecuencia en las tesis. Por otro lado, en el fragmento ejemplificado arriba, también se evalúa el organismo estudiado mediante juicios explícitos de estima social en términos de la capacidad: los adjetivos *rico* y *exitoso* (intensificados por los adverbios cuantificadores *extremadamente* y *muy*), así como el verbo *superar*. Estos juicios de estima social que son propios de las personas (pero no tanto de los animales) legitiman de algún modo la extrapolación a los seres humanos que pueda hacerse de los resultados del estudio de estos invertebrados.

4.3.2.2. Evaluación de las evidencias previas

Al presentar un estado de la cuestión, los tesistas realizan una revisión más o menos exhaustiva de las investigaciones previas. La cantidad de trabajos previos, o de evidencias que sustenten determinado conocimiento, desempeña un rol retórico importante para apoyar el trabajo propio. La abundancia de evidencias parece ser un argumento fuerte para fundamentar la importancia del tema y la continuidad de la tradición. La escasez de conocimientos da sustento al establecimiento del nicho.

(11) Existe una **gran cantidad de evidencia** acerca de daño oxidativo tanto en pacientes con ELA como en modelos animales SOD1. [...] De forma consistente con el incremento en el daño oxidativo, existe **cuantiosa** evidencia de disfunción mitocondrial en ELA. [TB6]

(12) Así se encontraron **numerosas evidencias** de que las MAPKs p38 tienen un rol muy importante en las respuestas inmune e inflamatoria. [TB2]

En los ejemplos (11) y (12) los cuantificadores indefinidos permiten evaluar las evidencias previas en forma positiva. Cabe señalar que en (12) la abundancia de evidencias sirve para apoyar la valoración positiva de las sustancias que son estudiadas en la tesis (las MAPKs p38). Por consiguiente, podemos afirmar que, en la jerarquía ilocutiva, la evaluación de las evidencias previas se encuentra subordinada a la afirmación de la centralidad del tema.

4.3.2.3. Establecimiento del nicho

Como fue señalado por Swales (1990) para el artículo de investigación, el establecimiento del nicho puede realizarse mediante segmentos textuales en los que se indica una brecha en el conocimiento, se formulan preguntas o se afirma la continuidad dentro de una tradición. En la tesis, según lo observado en el corpus, puede realizarse más de uno de esos segmentos. Los indicadores, al igual que en el artículo de investigación, son los conectores contraargumentativos (*sin embargo, no obstante*), los adverbios con valor negativo (*desafortunadamente*), los cuantificadores negativos (*poco, escaso, ninguno, insuficiente*), las negaciones léxicas (*carece*), las preguntas directas e indirectas, y las expresiones de necesidad. Veremos a continuación algunos ejemplos:

> (13) Al mismo tiempo cabe destacar que todas las observaciones realizadas dan evidencia que un mecanismo en particular podría estar involucrado, **pero desafortunadamente no es posible** distinguir si éste es causa o consecuencia de la enfermedad. En consecuencia una tarea clave es identificar qué mecanismos inician la cascada de eventos que conducen a la ELA (esclerosis lateral amiotrófica), ya que **no existe suficiente** evidencia a favor de ninguno de los mecanismos que se presentarán a continuación, e inevitablemente permanecemos alejados de comprender cómo y por qué mueren las motoneuronas en la ELA. [TB6]

En el ejemplo (13), el nicho se establece con el planteo de preguntas que surgen de los estudios realizados y con la afirmación de una brecha en el conocimiento. Los indicadores son: el conector *pero,* el adverbio *desafortunadamente,* la negación y la pregunta indirecta. A partir de esta pregunta, surge la expresión de una necesidad o recomendación (*una tarea clave es*), que se encuentra justificada mediante una cláusula negativa.

4.4. Estructura de la "Introducción" de las tesis de lingüística

El capítulo "Introducción" en las tesis de lingüística es más breve que en biología y presenta mayor variación entre los diferentes autores. Si bien es posible identificar las movidas retóricas prototípicas, éstas no se presentan en un orden fijo. En efecto, algunas tesis se inician con el planteo del objetivo general, luego afirman la centralidad del tema, esbozan alguna brecha en el conocimiento o señalan la continuidad de una tradición, efectúan una mención al marco teórico y lo justifican, y luego formulan los objetivos específicos. Los extensos segmentos expositivos hallados en las introducciones de biología aparecen en el capítulo destinado al marco teórico o, incluso, pueden aparecer en los que se desarrolla el tema investigado.

4.4.1. Segmentos textuales
Como ya señalamos, en la "Introducción" de las tesis de lingüística no hemos podido identificar una estructura fija con la secuencia de movimientos retóricos

según el modelo de Swales. Se observan, en cambio, algunos de los segmentos textuales, o submovidas, que encontramos en biología, pero éstos son presentados en un orden variable. Cabe destacar que, mientras que en la "Introducción" de las tesis de biología los títulos de las secciones son temáticos y resumen el contenido informativo, en la "Introducción" de las tesis de lingüística los subtítulos son funcionales, del tipo: Antedecentes, Marco Teórico, Métodos. No obstante, las introducciones de algunas de las tesis no presentan división en secciones.

Hicimos un relevamiento de los segmentos textuales presentes en las introducciones de las tesis de lingüística con el fin de determinar cuáles son los segmentos obligatorios y cuáles los opcionales. Se muestra en la tabla 4.

TABLA 4

Segmentos textuales en la "Introducción" de las tesis de lingüística

Segmentos textuales	TL1	TL2	TL3	TL4	TL5	TL6	TL7
Centralidad del tema	-	X	X	-	X	X	X
Propósito general	X	X	X	X	X	X	X
Objetivos específicos	X	X	X	X	X	X	X
Fundamentación de la investigación	-	X	X	-	X	X	X
Descripción del objeto de estudio	-	-	-	-	-	X	X
Preguntas de la investigación	X	-	X	X	-	-	X
Brecha en el conocimiento	X	-	-	-	X	X	X
Necesidad de un estudio	-	-	-	-	-	X	-
Investigaciones previas	X	X	X	X	X	X	-
Supuestos	X	-	X	X	-	-	X
Hipótesis	X	-	X	X	-	-	X
Marco teórico	X	X	X	X	X	X	X
Justificación del enfoque	-	-	X	X	-	X	X
Método y corpus	-	-	X	X	X	-	X
Valoración del aporte	X	X	-	X	X	-	-
Organización de la tesis	X	X	X	X	-	-	X

El propósito general, los objetivos específicos y el marco teórico son segmentos textuales que podemos considerar como "obligatorios", pues aparecen en todas las tesis. Los segmentos que tienen escasa presencia en el corpus son: la descripción del objeto de estudio y la afirmación de la necesidad del estudio. Cabe aclarar que la revisión de investigaciones previas, si bien se encuentra ausente en una sola de las tesis, es muy breve, y se encuentra desarrollada en extenso en un capítulo independiente.

La descripción del objeto de estudio, el estado de la cuestión y el marco teórico, que en biología forman parte de la "Introducción", en lingüística se desarrollan en capítulos independientes. Este hecho sugiere que la sección "Introducción" tal vez cumpla diferentes roles en cada disciplina. En biología, la "Introducción" tiene la función de desarrollar el contexto en el que se inserta el trabajo y crear el espacio de investigación. En lingüística, en cambio, la "Introducción" pone mayor énfasis en presentar la investigación propia, afirmando los objetivos, justificando el marco teórico y presentando la organización de la tesis. El contexto en que se inserta la investigación es desarrollado en capítulos aparte.

4.4.2. Recursos evaluativos en tesis de lingüística

En esta sección consideramos los recursos evaluativos presentes en la "Introducción" de las tesis de lingüística, que aparecen en los segmentos en que se afirma la centralidad del tema, se justifica el enfoque o el corpus, o se indica una brecha en el conocimiento. Se ejemplifica a continuación:

> (14) En esta tesis se estudia el habla mapuche actual en la provincia de Río Negro. Presente en los topónimos, la onomástica, las denominaciones de viviendas, establecimientos e instituciones; en el discurso público de las organizaciones étnicas; en la palabra de las ceremonias religiosas y de diversos eventos sociales intraétnicos, la lengua mapuche es un elemento **fundamental** en la construcción identitaria de los miembros de esta etnia y, aunque su vigencia en el área está actualmente en cuestión, opera como vehículo para la comunicación y, a la vez, como índice de otros sentidos superpuestos. [TL6]

En el ejemplo (14), la autora formula el propósito de la tesis y a continuación afirma la importancia del tema de estudio (la lengua mapuche), que aprecia como *elemento fundamental* para la comunidad de hablantes. La afirmación acerca de la función que cumple la lengua en la comunidad opera como evaluación implícita, que evoca en el lector una apreciación positiva.

Si bien los recursos evaluativos, en general, pertenecen al dominio de la apreciación, en una de las tesis aparecen ítems léxicos indicadores de afecto, como se muestra a continuación:

> (15) La capacidad del niño para comunicarse lingüísticamente constituye, sin duda, uno de los aspectos más llenos de **misterio** y de **asombro** a la vez. El proceso de producción lingüística, por un lado, y su interacción con el de la comprensión, por el otro, ha dado origen a muchas investigaciones en diferentes lenguas. [...] La adquisición y desarrollo de estructuras en relación de subordinación ponen de manifiesto **complejos** procesos que el niño debe adquirir no sólo para transmitir información, sino para hacerlo de una manera sintácticamente organizada, lo cual lo lleva a realizar relaciones que requieren el dominio de varios aspectos que va adquiriendo del input que recibe. [...] Dada la **complejidad** que encierra el uso de las proposiciones en el habla del niño, orienté mi investigación hacia esa área de la gramática. [TL2]

El ejemplo (15) pertenece a una tesis que estudia los aspectos de la capacidad lingüística en los niños, y esa capacidad se encuentra valorada en términos de afecto: *misterio* y *asombro;* así, la autora expresa su propia respuesta afectiva frente al objeto de estudio y, al mismo tiempo, evoca esa respuesta en su audiencia. Más adelante en el texto, la autora refuerza la centralidad haciendo énfasis en la complejidad de los procesos cognitivos del niño. Este tipo de valoración adquiere su valor positivo en el contexto de la investigación, en función de valores compartidos en la comunidad discursiva: cuanto más complejo es el objeto de estudio, mayor necesidad de que sea estudiado.

En las tesis de lingüística, el objeto de estudio son los textos, o los corpus textuales, y los autores justifican su elección, de modo similar a los tesistas de biología y la elección de un modelo animal, como veremos en el siguiente ejemplo:

(16) Los corpus especializados suelen clasificarse como 'corpus pequeños' (hasta 250.000 palabras) en comparación con los corpus generales, que pueden alcanzar varios millones de palabras (Flowerdew, 1996, pp. 11-33). El corpus utilizado para esta investigación es especializado y tiene un total de 357.317 palabras. Desde una perspectiva metodológica, asumimos que si se quiere comprender el discurso de la academia y de las profesiones, es probable que el análisis de un corpus especializado proporcione datos lingüísticos mucho **más adecuados** que los que proporcionaría el análisis de un corpus general (Flowerdew, 1996). [TL3]

En el ejemplo (16), se brindan argumentos para apoyar la elección de un corpus especializado que, siendo considerado pequeño por la comunidad académica, la autora lo evalúa como *más adecuado,* empleando el mismo adjetivo de apreciación positiva que observamos en los textos de biología (ejemplo 10).

Como ya señalamos, en las introducciones de lingüística no se puede identificar una estructura fija como en biología, y los segmentos textuales aparecen en un orden variable y, en algunos casos, diferentes segmentos retóricos se incluyen en un mismo párrafo, como podemos observar en los ejemplos siguientes:

(17) Esta tesis se propone contribuir a una caracterización semántica del léxico a partir del análisis ejemplar de las unidades léxicas empleadas en un corpus de textos especializados en ecología. La **relevancia** de la investigación que se presenta radica en que se aborda un tema propio de la terminología, una disciplina que ha merecido un **escaso** tratamiento en nuestro país. En este sentido, esta tesis procura **cubrir un vacío** respecto de los estudios de semántica especializada en español y también respecto de la caracterización de los textos científicos producidos en esta lengua en el ámbito de la ecología. De este modo, a lo largo de los seis capítulos que conforman este trabajo se intenta responder una serie de preguntas que podrían formularse de la siguiente manera: ¿en qué consiste el significado especializado?, ¿cómo puede describirse y explicarse? [...] estas preguntas vinculan el problema que intenta resolver esta tesis con una

larga tradición que incluye, desde los estudios del léxico y los lenguajes de especialidad, a autores como Eugen Wuster [...] [TL4]

(18) Otro motivo de interés para estudiar el tema es, tal como lo señalaré más adelante, el hecho de que **no hay** trabajos referidos específicamente al tema de las ii (inte-
rrogativas indirectas) en lengua infantil. Los existentes abordan o bien el estudio del
sistema de las sustantivas en general o el de las sustantivas subjetivas u objetivas (cfr.
Rodríguez Fonseca, 1987). [TL2]

El fragmento (17), que constituye el primer párrafo de la "Introducción" de
una tesis, se inicia con la formulación del propósito y, a continuación, se afirma
la centralidad del tema junto con el establecimiento de una brecha en el conocimiento, la formulación de preguntas y la indicación de la continuidad de una
tradición. Se observa así que, en el mismo párrafo, se realizan los segmentos retóricos prototípicos del modelo de creación de un espacio de investigación. Sin
embargo, se pueden establecer algunas diferencias con el modelo. El sintagma
nominal *relevancia* expresa una apreciación positiva, pero no sobre el tema, sino
sobre la propia investigación. Al afirmar la brecha (*vacío*), ésta se encuentra incluida en la afirmación del propósito del trabajo; de este modo, el nicho es ocupado al tiempo en que se lo crea.

Es interesante destacar que en las tesis de lingüística los autores no crean el espacio de investigación para luego ocuparlo. En cambio, parecen operar en forma
opuesta, parten del propio trabajo y luego lo vinculan con las necesidades o bre-
chas existentes en el campo disciplinar. Algo similar se observa en el ejemplo (18),
en que la autora justifica su interés en el tema con la ausencia de trabajos en el área.

5. Consideraciones finales

En este capítulo hemos intentado determinar la estructura retórica de la sección
"Introducción" de un corpus de tesis doctorales de dos ámbitos disciplinares:
biología y lingüística, y hemos hallado algunos rasgos en común y también algunas diferencias. En primer lugar, podemos señalar que las tesis reproducen, en
líneas generales, la estructura global del artículo de investigación de cada área
disciplinar. En efecto, en biología, la tesis presenta la estructura estándar IMRyD
del artículo de investigación. En lingüística, no hay una estructura estándar y se
observa una mayor variación entre los autores. No obstante, al igual que en los
artículos de investigación de la disciplina, la sección "Introducción" es seguida por el "Marco Teórico" (que puede incluir un "Estado de la cuestión") y a
continuación se incluye un número variable de capítulos (con títulos temáticos)

que desarrollan el trabajo de investigación propiamente dicho; el capítulo final corresponde a las "Conclusiones". De este modo, a diferencia de los textos de biología, las tesis de lingüística carecen de la sección "Discusión", que en las ciencias naturales cumple un rol retórico relevante, pues allí se brindan las evidencias para sostener las conclusiones. De hecho, en esta sección los biólogos efectúan una comparación detallada entre los resultados propios y los de otros investigadores; la coincidencia con los resultados previos contribuye a persuadir a la audiencia sobre la validez de las propias conclusiones.

También se observan importantes diferencias entre ambas disciplinas en la estructura retórica de la sección "Introducción". En biología, se identifican los movimientos prototípicos postulados por Swales para el artículo de investigación, y éstos tienen un carácter recursivo, es decir, forman parte de una estructura cíclica, en la que la introducción de cada nuevo tema, con mayor especificidad, implica el inicio de un nuevo ciclo. Dentro del movimiento en que se establece el territorio, además de la afirmación de la centralidad del tema y de la revisión de las investigaciones previas, aparecen segmentos en que se describe el objeto de estudio y se justifica la elección del modelo. En resumen, en esta sección de la tesis, los autores, además de crear el espacio de investigación, presentan un estado de la cuestión muy detallado y brindan información de carácter enciclopédico sobre el objeto de estudio. De este modo, los tesistas justifican la importancia de su investigación al tiempo que dan cuenta de su solvencia en el tema.

En lingüística, en cambio, la sección "Introducción", de menor extensión, parece cumplir una función diferente. No constituye un compendio del conocimiento sobre el tema, sino que su función principal es presentar los objetivos de la investigación y esbozar algunos contenidos que son desarrollados en forma pormenorizada en capítulos posteriores. Así, la revisión de las investigaciones previas y la descripción del objeto de estudio se realizan en un capítulo específico, con el título de "Marco teórico" o "Estado de la cuestión". Las funciones de formular el propósito, afirmar la importancia del tema, indicar una brecha y justificar el corpus o el marco teórico elegido aparecen con un orden variable, pero la afirmación del propósito se efectúa, en general, en primer término, mientras que en biología se realiza al final, como conclusión de todo el desarrollo previo.

Los recursos evaluativos, que permiten identificar las funciones textuales y, por ende, los diferentes segmentos retóricos, consisten principalmente en ítems léxicos que expresan apreciación en forma explícita. En biología se destacan las expresiones cuantificadoras, que se aplican, sobre todo, a la valoración del problema que se intenta resolver; en las tesis de lingüística analizadas, en cambio, los cuantificadores no parecen tener un papel relevante. En biología, las entidades evaluadas son, principalmente, el tema y los objetos de estudio, ya sean organismos vivos o sustancias biológicas. En lingüística se valora el marco teórico y el corpus como adecuados a la investigación, y se valora sobre todo la propia investigación, en relación con el aporte que realiza al conocimiento.

Nos preguntábamos al comienzo cuánta variación pueden admitir los ejemplares de un género para poder seguir siendo adscriptos a la misma clase. Las diferencias que observamos en las tesis de las dos disciplinas se presentan a nivel de la estructura textual y de la formulación léxico-gramatical. En este último nivel pueden señalarse algunos rasgos de los que no nos hemos ocupado en este trabajo, por ejemplo, las referencias a trabajos previos o la forma en que los autores se inscriben en los textos; en efecto, en lingüística puede aparecer la primera persona del singular, mientras que en biología esta persona gramatical aparece sólo en los agradecimientos (Gallardo, 2008a , 2009b, 2009).

La presencia o ausencia de una sección denominada "Discusión", además de relacionarse con las normas de la comunidad disciplinar, tal vez también se vincule con la distinta naturaleza del objeto de estudio y el diferente tipo de conocimiento que alcanza cada una de las disciplinas. En efecto, los fenómenos naturales tienen un carácter universal y están sujetos a leyes de causalidad y necesidad, mientras que los fenómenos humanos, en cambio, no responden a leyes necesarias, sino a normas sociales que pueden transgredirse; asimismo, estos fenómenos tienen un carácter histórico y no admiten explicaciones causalistas. Por otra parte, en unas y otras disciplinas hay una relación diferente entre sujeto y objeto de investigación. Como ha señalado López Serena (2009), en las humanas, el investigador, como ser social, es al mismo tiempo sujeto y objeto de investigación, y el conocimiento que produce es un conocimiento de agente, mientras que en las naturales obtiene un conocimiento de observador.

Volviendo a la pregunta por los límites del género, si bien los textos analizados presentan diferencias en el nivel de estructuración temática y el de formulación léxico-gramatical, hay similitud en los rasgos funcionales y situacionales. En efecto, la tesis, que forma parte de los géneros de iniciación en la investigación, posee la función principal de dar a conocer una investigación original y la función subsidiaria de persuadir a la audiencia sobre la validez de los resultados y la capacidad del tesista para ser considerado como investigador formado con derecho a pertenecer a la comunidad científica. Por otra parte, a pesar de las diferencias observadas, ambas disciplinas formulan, en la sección "Introducción", los objetivos de la investigación.

Si tenemos en cuenta la estructura ilocutiva (Brandt y Rosengren, 1992) de la sección "Introducción", es decir, la configuración jerárquica de actos de habla, la afirmación del objetivo del trabajo puede ser considerada como la ilocución principal, pues aparece como una conclusión que se deriva de un conjunto de premisas. Sin embargo, cada una de las disciplinas elige una secuencia diferente para presentar la argumentación.

En síntesis, la tesis, cualquiera sea la disciplina, constituye un género que es producido en un contexto institucional, tiene una audiencia determinada y unos propósitos claramente definidos. Los rasgos diferenciales, como la organización de la información, la forma de desplegar el contenido y de argumentar, parecen estar determinados por las normas de cada comunidad discursiva y, a su vez, esos rasgos son compartidos por otros miembros de la familia de géneros en cada disciplina.

Referencias bibliográficas

ARAÚJO, Antonia D. 2006. "Práticas discursivas em conclusões de teses de doutorado". *Revista Linguagem em (Dis)curso,* 6 (3): 447-462.

BERGMANN, Joerg R. y LUCKMANN, Thomas. 1995. "Reconstructive genres". En Uta Quasthoff (ed.), *Aspects of oral communication.* Berlin: Walter de Gruyter, pp. 289-304.

BHATIA, Vijay K. 1993. *Analysing genre: Language use in professional settings.* London: Longman.

—. 2002. "Applied genre analysis: a multi-perspective model". *Ibérica,* 4: 3-19.

BORSINGER DE MONTEMAYOR, Anne. 2005. "La tesis". En Cubo de Severino (coord.), *Los textos de la ciencia: principales clases del discurso académico-científico.* Córdoba: Comunicarte, pp. 267-282.

BRANDT, Margareta y ROSENGREN, Inger. 1992. "Zur Illokutionstruktur von Texten". *Zeitschrift für Literaturwissenschaft und Linguistik,* 86: 9-51.

BUNTON, David. 1999. "The use of higher level metatext in Ph.D theses". *English for Specific Purposes,* 18: S41-S56.

—. 2005. "The structure of Ph.D Conclusion chapters". *Journal of English for Academic Purposes,* 4 (3): 207-224.

CHARLES, Maggie. 2006. "Phraseological patterns in reporting clauses used in citation: A corpus-based study of theses in two disciplines". *English for Specific Purposes,* 25 (3): 310-331.

CIAPUSCIO, Guiomar. 2005. "La noción de *género* en la Lingüística Sistémico Funcional y en la Lingüística Textual". *Revista Signos,* 38 (57): 31-48.

—. 2007. "Géneros y familias de géneros: aportes para la adquisición de competencia genérica en el ámbito académico". Ponencia presentada en las *Primeras Jornadas de la Lectura y la Escritura "Lectura y escritura críticas: perspectivas múltiples".* San Miguel de Tucumán, 1, 2 y 3 de agosto de 2007.

—. 2009. "La noción de *familia de géneros* en el análisis de la comunicación de la ciencia". En Alejandro Parini y Alicia Zorrilla (eds.), *Escritura y comunicación*. Buenos Aires: Universidad de Belgrano, pp. 29-56.

FERRARI, Laura y GALLARDO, Susana. 2006. "Estudio diacrónico de la evaluación en las introducciones de artículos científicos de medicina". *Revista Signos,* 39 (61): 161-180.

DONG, Yu Ren. 1998. "Non-native graduate students' thesis/ dissertation writing in science: self-reports by students and their advisors from two U.S. institutions". *English for specific purposes,* 17 (4): 369-390.

DUDLEY-EVANS, Tony. 1986. "Genre analysis: An investigation of the introduction and discussion sections of MSc dissertations". En Malcolm Coulthard (ed.), *Talking about text.* Birmingham: University of Birmingham, pp.128-145.

—. 1994. "Genre analysis: an approach for text analysis for ESP". En Malcolm Coulthard (ed.), *Advances in written text analysis.* London: Routledge, pp. 219-228.

—. "The dissertation. A case of neglect?" En Paul Thompson (ed.), *Issues in EAP writing research and instruction.* Reading: The University of Reading, pp. 28-36.

GALLARDO, Susana. 2008a. "Evaluación y citación en tesis doctorales". *Actas del XI Congreso de la Sociedad Argentina de Lingüística (SAL),* Facultad de Humanidades y Ciencias, Universidad Nacional del Litoral, Santa Fe, 9 al 12 de abril de 2008.

—. 2008b. "Formas de citación en tesis doctorales y artículos de investigación". *Actas del XV Congreso Internacional de la ALFAL,* 18 al 21 de agosto de 2008, Universidad de la República, Montevideo.

—. 2009. "Funciones del discurso referido en tesis doctorales". En Isolda Carranza (comp.), *Actas del IV Coloquio de Investigadores en Estudios del Discurso,* pp. 1-10. Regional Argentina de la Asociación Latinoamericana de Estudios del Discurso (ALEDar) y Facultad de Lenguas de la Universidad Nacional de Córdoba, 16 al 18 de abril de 2009.

GNUTZMANN, Claus y OLDENBURG, Hermann. 1991. "Contrastive text linguistics in LSP-Research: Theoretical considerations and some preliminary findings". En Hartmut Schröder (ed.), *Subject-oriented texts: Languages for special purposes y text theory.* Berlin: Walter de Gruyter, pp. 103-136.

HALLIDAY, Michael A. K. 1985. *An introduction to functional grammar.* London: Edward Arnold.

HEINEMANN, Wolfgang. 2000. "Textsorten. Zur Discusion um Basisklassen des Kommunizierens. Rückschau und Ausblick". En Kirsten Adamzik (ed.), *Textsorten.* Tübingen: Stauffenburg Verlag Brigitte Narr GmbH, pp. 9-29.

HEINEMANN Wolfgang y VIEHWEGER, Dieter. 1991. *Textlinguistik. Eine Einführung*. Tübingen: Neimeyer.

Hopkins, Andy y Dudley-Evans, Tony. 1988. "A genre-based investigation of the discussion sections in articles and dissertations". *English for Specific Purposes*, 7: 113-121.

HUNSTON, Susan y SINCLAIR, John. 2003. "A local grammar of evaluation". En Susan Hunston y Geoff Thompson (eds.), *Evaluation in text*. New York: Oxford University Press, pp. 74-101.

HUNSTON, Susan y THOMPSON, Geoff (eds.). 2003. *Evaluation in text*. New York: Oxford University Press.

LÓPEZ SERENA, Araceli. 2009. "Eugenio Coseriu y Esa Itkonen: lecciones de filosofía de la lingüística". *Energeia*, 1: 1-49.

MARTIN, James. 1997. "Analysing genre: Functional parameters". En Frances Christie y James R. Martin (eds.), *Genre and institutions*. London: Continuum, pp. 3-39.

MARTIN, James y WHITE, Peter. 2005. *The language of evaluation. Appraisal in English*. London: Palgrave Macmillan.

NWOGU, Kevin Ngozi. 1997. "The medical research paper: Structure and functions". *English for Specific Purposes*, 16 (2): 119-138.

PALTRIDGE, Brian. 2002. "Thesis and dissertation writing: an examination of published advice and actual practice". *English for Specific Purposes*, 21: 125-143.

PEACOCK, Matthew. 2002. "Communicative moves in the discussion section of research articles". *System*, 30: 479-497.

RUIYING, Yang y ALLISON, Desmond. 2004. "Research articles in applied linguistics: structures from a functional perspective". *English for Specific Purposes*, 23 (3): 264-279.

SWALES, John. 1990. *Genre analysis. English in academic and research settings*. Cambridge: Cambridge University Press.

THOMPSON, Paul. 1999. "Exploring the contexts of writing: interviews with PhD supervisors". En Paul Thompson (ed.), *Issues in EAP writing research and instruction*. Reading: University of Reading, pp. 37-54.

—. 2005. "Points of focus and position: Intertextual reference in PhD theses". *Journal of English for Academic Purposes*, 4: 307-323.

VAN DIJK, Teun A. 1989. *La ciencia del texto*. Barcelona: Paidós.

WERLICH, Egon. 1975. *Typologie der Texte*, trad. de Guiomar Ciapuscio. München: Fink.

TEXTOS, IDENTIDAD GENÉRICA
Y MEZCLAS DE GÉNEROS

Florencia Miranda
Universidad Nacional de Rosario, Argentina
Centro de Lingüística-UNL / FCT, Portugal

1. Introducción

En este capítulo, presentaré de forma necesariamente sumaria un instrumento y algunas categorías de análisis de textos y de géneros textuales. Este instrumento fue elaborado en el marco de la investigación para una tesis doctoral (Miranda, 2010) que se ocupó de caracterizar un proceso particular de construcción de textos: proceso al que se propuso denominar *intertextualización*.[1]

Esta propuesta retoma en gran medida el modelo de análisis de textos desarrollado en el marco del interaccionismo sociodiscursivo,[2] y amplía algunos aspectos a partir del aporte de teóricos de otras corrientes del análisis del texto y del discurso que resultan compatibles con ese marco (Adam, 2001; Charaudeau, 1992; Maingueneau, 2002; Rastier, 2001).

Además de la presentación de este instrumento de análisis, este capítulo tiene el objetivo de mostrar en qué consiste el proceso de intertextualización y cómo puede ser analizado mediante tal instrumento. Para ello, el capítulo se organiza en tres etapas. En la primera etapa, se especifican algunos aspectos de la producción textual, destacando, en particular, la relación que se establece entre el texto y el género en el cual necesariamente el texto se inscribe. En la segunda etapa, se presentan el instrumento y las categorías de análisis, y se discute, además, la di-

---

[1] La tesis fue presentada a la Universidade Nova de Lisboa y defendida en el año 2007. Una versión revista y con prólogo de Jean-Paul Bronckart fue publicada con el mismo título en el año 2010 y es la que se indica en la bibliografía.

[2] Para una descripción más detallada de este enfoque, consúltese el otro capítulo de Miranda en este libro y también Bronckart, 1997, 2008, entre otros.

ferencia entre análisis textual y análisis de géneros. En la tercera y última etapa, se aborda específicamente el proceso de intertextualización. Esto se realiza primero en términos teóricos —diferenciándolo de la noción de *intertextualidad*— y luego en términos empíricos, a partir del análisis de algunos textos.

2. Texto, género y textualización

El término *textualizar* puede entenderse llanamente como la acción de construir textos. Pero, si asumimos que la construcción de todo texto se inicia siempre en un procedimiento doble de adopción y adaptación de un modelo de género, la textualización será el proceso (y el resultado)[3] de la producción de un texto, en función de las posibilidades (e imposibilidades) previstas por el género en que se inscribe.

Tal como indica Rastier (2001: 230), el género no es ni un tipo ni una clase de textos, ya que no resulta de una tipologización o clasificación de textos *a posteriori*. El género es, como señala el autor, un "programa de prescripciones positivas o negativas (y de licencias) que regulan la producción y la interpretación de los textos". De hecho, ningún sujeto decide simplemente producir "un texto". Aun en el caso de algunas imprecisas consignas escolares ("escribir un texto sobre..."), los sujetos adoptan un modelo de género: el de la redacción escolar. Por eso textualizar es producir un texto (en cualquier modalidad o soporte) a partir de los parámetros de un determinado género textual.

Textos y géneros son unidades de comunicación complejas que funcionan en la interrelación de tres dimensiones: una *dimensión social,* que incluye factores de orden sociológico, cultural e histórico; una *dimensión psicológica,* que involucra aspectos relacionados con las representaciones, los conocimientos, las estrategias, las intenciones y las emociones; y una *dimensión semiolingüística,* que organiza y posibilita la semiotización.

En el esquema (véase Figura 1), texto y género son representados mediante triángulos, cuyos vértices corresponden a cada una de las dimensiones. Esta imagen busca graficar la relación global entre un texto y el género en el que se inscribe. En esa relación hay dos facetas simultáneas: *encuadramiento* y *distanciamiento* del texto con respecto al género, dado que si un texto se construye necesariamente a partir de un modelo de género, también se aleja de ese modelo por presentar siempre un carácter individual.

La distancia de los textos en relación con el modelo de género es lo que permite, además, las modificaciones históricas del propio modelo. Esto corresponde

---

[3]   Como toda nominalización, el término *textualización* permite dar cuenta simultáneamente tanto de un proceso como del resultado de ese proceso.

a los dos principios identificados por Adam (2001: 28): por un lado, un principio de identidad (centrípeto), orientado hacia el pasado, la repetición, la reproducción y gobernado por reglas (nudo normativo), y, por otro lado, un principio de diferencia (centrífugo), orientado hacia el futuro, la innovación y la variación.

FIGURA 1

Dimensiones del texto y del género

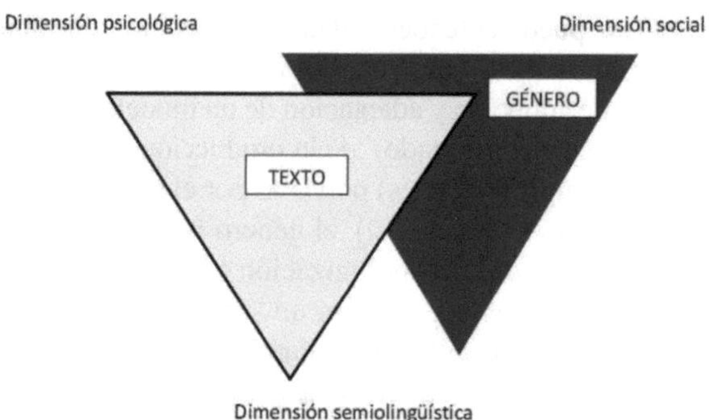

La textualización puede verse, entonces, como el proceso primario de construcción de textos o, incluso, como el propio texto producido. Todo texto es siempre una textualización. En ese proceso, el texto (oral, escrito o multimodal) es producido por uno o más sujetos o agentes que adoptará(n) un modelo de género de su repertorio personal de géneros (el *architexto*, en términos de Bronckart, 2008) y lo adaptará(n) a las características particulares de la situación comunicativa en que se encuentra(n). Más adelante veremos que este proceso es origen, asimismo, de otro proceso de construcción de textos, para el cual utilizamos el término *intertextualización*. Pero, antes de eso, presentaré un instrumento y algunas categorías de análisis para describir los textos y los géneros.

3. Un instrumento de análisis

El instrumento de análisis que propongo a continuación fue concebido para analizar tanto textos singulares como géneros textuales. Sin embargo, es necesario explicitar que el análisis de textos y el análisis de géneros son dos tareas metodológicamente diferenciadas.

El análisis de un género tiene como objetivo fundamental caracterizar ese género de texto. Para ello, es necesario reunir un conjunto de ejemplares inscritos en tal género y observar recurrencias y divergencias significativas, a nivel del funcionamiento psicosocial y de la organización semiótica interna. Las características del género surgen de la identificación de rasgos recurrentes en ambas dimensiones, incluyendo, también, los márgenes de variación. Por el contrario, el análisis de textos puede perseguir objetivos variados y puede ser tan relevante el análisis de un único texto como el análisis de dos o más textos empíricos, sean o no del mismo género, ya que esto depende de los objetivos del propio análisis.

A pesar de las diferencias, estos dos tipos de análisis o abordajes tienen fuertes puntos de contacto. En efecto, para analizar géneros es preciso realizar un análisis textual y siempre que se propone un análisis de textos se toma en cuenta —de modo más o menos consciente— el hecho de que ese objeto depende de un género en particular. Explícitamente o no, el análisis textual implica el análisis genérico. Es por esta relación de implicaciones mutuas, entre otras razones, por lo que podemos asumir que un mismo instrumento de análisis puede ser útil para la caracterización tanto de géneros como de textos.

El dispositivo de análisis contempla aspectos situacionales (o psicosociales) y aspectos de la organización semiótica interna de los textos. Para la presentación de este instrumento, utilizo el formato de dos grillas (una para cada dimensión). Este formato puede parecer demasiado estático o poco flexible; sin embargo, no se pretende eliminar el carácter necesariamente dinámico del funcionamiento psicosocial y de la organización interna de los textos y los géneros, sino que se busca, simplemente, señalar ángulos de abordaje de los fenómenos que pueden ser distinguidos, aun cuando, en realidad, funcionan de forma articulada.

3.1. ASPECTOS SITUACIONALES

FIGURA 2

Grilla de la dimensión situacional

DIMENSIÓN SITUACIONAL						
	CONDICIONES DE PRODUCCIÓN		CONDICIONES DE CIRCULACIÓN		CONDICIONES DE RECEPCIÓN	
	CONTEXTO FÍSICO	CONTEXTO SOCIO-SUBJETIVO	CONTEXTO FÍSICO	CONTEXTO SOCIO-SUBJETIVO	CONTEXTO FÍSICO	CONTEXTO SOCIO-SUBJETIVO
SUJETO/S (O AGENTES)						
TEMPORALIDAD						
ESPACIO/S						
SOPORTE/S						
FINALIDAD/ES FUNCIÓN						
OTROS PARÁMETROS RELEVANTES						

En la dimensión situacional se incluyen factores de los mundos físico, social y subjetivo (sujetos o agentes, temporalidad, espacio, soporte, finalidad, función y otros) que intervienen en la situación de comunicación lingüística. Aquí se retoma la distinción entre dos tipos de contexto (el físico y el socio-subjetivo), propuesta en el marco del interaccionismo sociodiscursivo (Bronckart, 1997, 2008), y se agrega una distinción en tres vertientes del acto comunicativo: la producción, la circulación y la recepción.

Cada uno de los factores (sujetos o agentes, tiempo, espacio, etc.) constituye un ámbito complejo y, por lo tanto, en el análisis se deben integrar descripciones detalladas que den cuenta de esta característica. Por ejemplo, el proceso de producción de un aviso publicitario involucra varios agentes y se desarrolla en un tiempo prolongado que incluye diversas etapas.

Aunque considero que en términos globales la grilla puede resultar transparente para cualquier analista, quizá convenga aclarar que los términos *finalidad* y *función* no son equivalentes. Las finalidades son entendidas como los objetivos que movilizan a los agentes (productores o interpretantes) para producir o interpretar un texto, mientras que la función corresponde al papel que ese texto (o género) desempeña socialmente. En tal sentido, la función de un texto (o de un género) se puede analizar en el ámbito de las condiciones de circulación, mientras que las finalidades del productor o del receptor se analizan en las condiciones de producción y recepción, respectivamente.

En la grilla, los cuadros grises señalan que, en principio, en ese espacio no se puede aplicar el análisis. En un proceso de descripción (de textos o géneros) algunos de los cuadros podrán no ser completados con informaciones específicas. Esto puede deberse a la imposibilidad de acceso a la información (lo que se indica como "no identificable") o al hecho de que ese parámetro no sea relevante para los objetivos del estudio (lo que se indica como "irrelevante").

3.2. (SUB)DIMENSIONES SEMIOLINGÜÍSTICAS

La segunda sección de la grilla permite abordar la vertiente de semiotización de los textos y/o de los géneros de texto. Se distribuye en seis módulos o planos que corresponden a subdimensiones (o dimensiones subordinadas) de la dimensión semiolingüística.[4]

---

[4]   Empleo las formas *módulos, planos, dimensiones (subordinadas)* y *subdimensiones* como equivalentes, pero no utilizo para esto el término *niveles,* que, como se verá, tiene un sentido diferente en mi propuesta.

FIGURA 3
Grilla de la dimensión semiolingüística

(Sub)Dimensiones Semiolingüísticas	
TEMÁTICA	Tema(s). Progresión temática Léxico y fraseologías (expresiones ritualizadas) Cohesión nominal, temporal y aspectual Ficción/no ficción

ENUNCIATIVA	Deixis temporal / organización del tiempo
	Deixis espacial / referencias espaciales
	Sujetos:
	     - yo / otro(s) (deixis personal)
	     - Imágenes
	     - Responsabilización
	Modalización

COMPOSICIONAL	Plan de texto (secciones) [5] Tipos de discurso [6] Articulaciones entre tipos de discurso Estructura secuencial Secuencias prototípicas y otras formas de planificación Estructuración frásica y transfrásica Estructuración morfológica Estructuración grafo-fónica
ESTRATÉGICA-INTENCIONAL	Objetivos / Subobjetivos (actos de habla) Estrategias y procesos discursivos Figuras de lenguaje
DISPOSICIONAL-PRESENTACIÓN O ASPECTO MATERIAL	Segmentación y organización de las secciones Soporte escrito: formatación tipográfica, cromática, etc. Soporte oral (o audiovisual): variaciones de ritmo, entonación, tono, etc. Sonidos. Gestos y movimientos
INTERACTIVA	Relaciones entre las diferentes secciones del plan de texto Relaciones entre diversos sistemas semióticos (verbales – no verbales) Intertextualidad Discurso referido Intertextualización Otras interacciones (como las referencias metatextuales o metagenéricas)

---

[5] Las nociones de *plan de texto, secuencia* y *estructura secuencial* son tomadas de los trabajos de Jean-Michel Adam.

[6] Sobre la noción de *tipo de discurso* como componente textual, véase Bronckart (1997).

Cada módulo o plano reúne conjuntos de fenómenos (unidades, mecanismos, procesos) que presentan una cierta unidad y la posibilidad de tratamiento relativamente independiente. Esta distribución retoma, en parte, una propuesta de Adam (2001) e incorpora algunos de los valiosos aportes del modelo del interaccionismo sociodiscursivo. A esta articulación de los elementos considerados en ambos modelos agrego un espacio específico para el tratamiento de las relaciones interactivas en la organización textual.

Como cualquier modelo o instrumento que pretende dar una visión panorámica, este dispositivo pierde en profundidad lo que gana en extensión. Como es evidente, no será posible en el ámbito de este capítulo dar una descripción detallada de todo lo que está presente en cada uno de los planos. Por eso, los elementos listados en la grilla deben considerarse como una síntesis de algunos de los aspectos más destacados de cada plano. A cada una de las **subdimensiones** corresponde una clase de **organización**. Y en cada una de ellas se pueden identificar fenómenos de diferentes **niveles.** Por un lado, se debe distinguir entre un **nivel global** (correspondiente a fenómenos que se verifican en la totalidad del texto) y un **nivel parcial** (en el caso de fenómenos que inciden sobre partes del texto). Por otro lado, el nivel parcial se puede también subdividir en dos **subniveles: macro** y **micro.** Así, fenómenos del nivel *parcial macro* son aquellos que se presentan en partes o segmentos de texto —como una secuencia narrativa en el interior de una conferencia— y fenómenos del nivel *parcial micro* (o *local*) corresponden a aspectos localizados puntualmente en los textos —por ejemplo, la introducción de un neologismo en un artículo científico.

3.3. CATEGORÍAS DE ANÁLISIS: PARÁMETROS, MECANISMOS, MARCADORES

Retomando brevemente la cuestión del análisis textual y del análisis de géneros, importa notar que si bien este instrumento puede ser aplicado a cualquiera de esos dos ámbitos, se hace necesario contar con categorías descriptivas diferenciadas. Es decir, categorías que permitan explicitar qué datos corresponden al dominio del género y qué datos dan cuenta de especificidades del dominio de los textos.

En concreto, si mi objetivo de investigación es caracterizar un determinado género textual (en la inestable estabilidad de una época y de una sociedad), debo reunir, a partir de criterios bien definidos, un conjunto de ejemplares de ese género y observar sus recurrencias y particularidades de organización y funcionamiento. Ese relevamiento de aspectos recurrentes (y sus posibilidades de variación) mostrará una configuración de propiedades o características del género en cuestión. De cierta forma, esta construcción de la configuración de propiedades psico-socio-semióticas implica la (búsqueda de la) restitución de aquello que para los sujetos sería el "modelo de género" adoptado. En el proceso de producción textual los sujetos *actualizan* —adaptándolas, siempre— las características asociadas al género adoptado. En este sentido, eso que llamamos "características" de un género son **parámetros de textualización** o **parámetros genéricos**. Estos parámetros son dinámicos, ya que se estabilizan y se modifican sociohistóricamente, configurando rasgos que permiten reconocer una relativa "**identidad genérica**".

Ahora bien, cuando analizo un texto empírico, lo que observo son los mecanismos y los procesos semiolingüísticos que lo organizan y, también, el modo como este texto particular funciona (o se constituye) psicosocialmente. Los rasgos de un texto singular deben ser diferenciados, por lo tanto, de los rasgos que conforman el género textual en el que ese texto se inscribe. En otras palabras, los rasgos de los textos singulares (unidades, mecanismos y procesos efectivamente realizados) son actualizaciones de los parámetros genéricos. Para estos rasgos, utilizo la designación **mecanismos de realización textual**.[7] Específicamente, estos mecanismos son los modos de gestión de los recursos semiolingüísticos observables en un determinado texto empírico. Los mecanismos actualizan los parámetros, pero importa explicitar que la correspondencia entre ambos no es biunívoca (ya que un mismo parámetro puede ser actualizado por mecanismos diferentes) y no se debe reducir la producción textual a una mera aplicación mecánica de un conjunto de parámetros rígidos. De hecho, la existencia de parámetros genéricos (en tanto que orientadores y hasta cierto punto *normatizadores* de la textualización) no borra el papel activo de los sujetos, que pueden "jugar estratégicamente con los condicionamientos del género", tal como explicita Charaudeau:

> (...) Le locuteur a toujours la possibilité de jouer avec les contraintes du genre; il peut les respecter, les subvertir ou les transgresser partiellement selon ce qu'il considère être l'enjeu de son acte de communication. Du même coup, tout texte est le résultat d'une confrontation entre les *contraintes* du genre et les *stratégies* mises en place par le locuteur (Charaudeau, 1992: 156).

En el proceso de recepción o comprensión textual (incluyendo las situaciones de análisis o de crítica de textos), los mecanismos de realización textual funcionan como indicios o marcadores de los parámetros genéricos. Así, los mecanis-

---

[7]   Esta designación ha sido propuesta por un equipo de investigadores del Centro de Lingüística de la Universidade Nova de Lisboa, coordinado por Maria Antónia Coutinho, en el marco de un proyecto sobre géneros textuales y organización del conocimiento (GeTOC), desarrollado en el período 2004-2007. Véase Coutinho *et al.* (2005).

mos —vistos desde la perspectiva de la comprensión textual— desempeñan el papel de **marcadores de género.**

Podemos distinguir dos clases de marcadores: los **autorreferenciales,** que expresan de forma explícita la inscripción o la identidad genérica de un texto, y los **inferenciales,** que funcionan como indicios implícitos o indirectos del género, por lo que exigen un mayor trabajo interpretativo. Este trabajo de interpretación implica la activación de saberes sobre el género que el sujeto interpretante dispone (o ha ido construyendo) a partir de su experiencia con textos del género en cuestión.

Ejemplos de marcadores autorreferenciales son las etiquetas genéricas colocadas en el *peritexto*[8] de ejemplares de ciertos géneros (*publicidad, cuentos, reseña, entrevista,* etc.), así como también los sintagmas nominales que, integrados en el cuerpo del texto, explicitan el género en el que el texto se inscribe ("te escribo *este mail* para...", "en *el presente artículo* se discute...", "en *la clase de hoy* vamos a analizar...", etc.).

Contrariamente, los mecanismos que funcionan como marcadores inferenciales son mucho más variados y difíciles de sistematizar. De hecho, cualquier mecanismo de realización textual (es decir, un mecanismo de cualquier subdimensión semiolingüística) puede, potencialmente, funcionar como marcador de género. Un ejemplo muy evidente de esta clase de marcadores son las expresiones ritualizadas (que pertenecen al dominio de la subdimensión temática), tales como las fórmulas de inicio de ciertos cuentos y cartas: *"Había una vez..."* y *"De mi mayor consideración...".*

Una diferencia importante entre ambas clases de marcadores es que la presencia de un marcador autorreferencial (si no forma parte de un juego estratégico que busque confundir al destinatario) es suficiente para categorizar un texto en términos genéricos. Los marcadores inferenciales, por el contrario, son indicios que el receptor debe aprehender, en la mayor parte de los casos, de forma interligada. Un ejemplo: no basta reconocer la presencia de una estructuración composicional parcial micro, impersonal, con verbo en infinitivo (cocinar) más objeto directo (el pollo), para identificar un género preciso. De hecho, este mismo mecanismo (la construcción local "cocinar el pollo") podría ocurrir en una receta de cocina o en una agenda personal, entre muchos otros géneros. Esto es así porque los marcadores de género —tal como los parámetros a los que se asocian— son *específicos* de un género, pero no son *exclusivos.*

---

[8]   Utilizo el término *peritexto* retomando la distinción del paratexto propuesta por Genette (1987) entre *peritexto* y *epitexto.* Véase infra la noción de *paratextualidad.*

4. El proceso de intertextualización

Si la textualización es el proceso primario de producción textual, la intertextualización puede concebirse como un proceso (interactivo o dialógico) secundario, basado en el anterior. Pero el término *intertextualización* puede confundirse con el de *intertextualidad*. Por eso, es importante distinguir ambos términos antes de avanzar en la caracterización y ejemplificación del proceso que nos interesa. Así, esta sección se inicia con la distinción de los términos para luego pasar a la observación de algunos textos empíricos. Para esa observación se utilizarán elementos del dispositivo de análisis presentado.

4.1. ¿Textos o géneros en interacción?

Cuando Julia Kristeva, en la década de 1960, introduce la noción de **intertextualidad** en el campo de la teoría literaria, se inspira en el concepto de *dialogismo* surgido en el marco de la obra del llamado Círculo de Bajtín. Una de las ideas centrales del *dialogismo* —o de los "matices dialógicos"— es la siguiente:

> Todo enunciado concreto viene a ser un eslabón en la cadena de la comunicación discursiva en una esfera determinada. (...) Cada enunciado está lleno de ecos y reflejos de otros enunciados con los cuales se relaciona (...): los refuta, los confirma, los completa, se basa en ellos, los supone conocidos, los toma en cuenta de alguna manera (Bajtín, [1979] 2005: 281).

Asumiendo estas consideraciones, Kristeva habla de intertextualidad para dar cuenta de un rasgo inherente a los textos: "Todo texto se construye como un mosaico de citas, todo texto es absorción y transformación de otro texto" (Kristeva, 1969: 145).

Más tarde, la noción fue recibiendo nuevos sentidos y, con toda su polisemia, migró hacia otros campos —especialmente, hacia el análisis del discurso y la lingüística textual—. Para citar sólo un ejemplo, recordemos la obra de *Introducción a la lingüística del texto* que Beaugrande y Dressler publican en 1981. En esta obra se menciona la intertextualidad como una de las siete normas de textualidad. Según los autores,

> (...) se refiere a la relación de dependencia que se establece entre, por un lado, los procesos de producción y de recepción de un texto determinado y, por otro, el conocimiento que tengan los participantes en la interacción comunicativa de otros textos anteriores relacionados con él (Beaugrande & Dressler, [1981] 1997: 249).

Compartiendo la perspectiva literaria de Kristeva (1969), Gérard Genette (1982) marca un punto de inflexión en las reflexiones acerca de las formas relacionales del texto. En su obra *Palimpsestes* propone una taxonomía de las formas de la transtextualidad o "trascendencia textual del texto", es decir, de "todo lo que pone al texto en relación, manifiesta o secreta, con otros textos". El autor identifica cinco formas de transtextualidad, que presenta en una escala creciente de abstracción, implicitación y globalidad. La primera de esas formas —la más concreta y más explícita— es *la intertextualidad*, sobre la que volveré más adelante. Las cuatro restantes son:

Paratextualidad: es la relación del texto (de la obra literaria en la perspectiva de este autor) con su paratexto (títulos, prefacios, epígrafes, etc.). Esta modalidad fue profundizada en Genette (1987), donde el autor propone una subcategorización y adopta un criterio básicamente espacial: por un lado, el *peritexto*, constituido por los elementos situados en la frontera del texto (título y subtítulos, por ejemplo) y, por otro lado, el *epitexto*, constituido por los elementos que se originan fuera del texto (como las entrevistas y la correspondencia que tratan de la obra en cuestión).

Metatextualidad: es la relación de comentario, en la que un texto retoma otro texto para hablar sobre él (sea en forma de citas o de alusiones). Según Genette, ésta es la relación crítica por excelencia.

Hipertextualidad: esta forma, que constituye el objeto específico de la obra de 1982, es definida por Genette como "toda relación que une un texto B (hipertexto) con un texto anterior A (hipotexto), sin que se trate de un comentario". Se trata de formas derivacionales como la parodia y el pastiche.

Architextualidad: es la relación del texto con las diferentes clases en las que se inscribe (modos de enunciación, géneros, etc.).

La intertextualidad corresponde, para Genette, a la presencia efectiva de un texto en otro, o sea, a la relación de co-presencia de dos o más textos empíricos. Como vemos, si bien la noción es tomada de los trabajos de Kristeva, este autor restringe su sentido para dar cuenta de modalidades particulares, tales como la cita, la alusión y el plagio.

Como indica Maingueneau (2002), el término *intertextualidad* recibe dos acepciones: una, en la línea inaugurada por Kristeva, que corresponde a la *propiedad constitutiva* de todo texto, y otra que, de acuerdo con autores como Genette, se refiere al *conjunto de relaciones* que un texto (o un grupo de textos) establece con otros textos. La primera acepción del término, a pesar de conservar el sentido originario de la noción, ha sido cuestionada por diferentes autores. Por ejemplo, Piégay-Gros (1996: 2) afirma que el hecho de considerar que todo es intertexto desdibuja la especificidad de la noción de intertextualidad y, por lo tanto, le hace perder eficacia. En este sentido, y siguiendo el razonamiento de Samoyault (2001: 19), "parece ser preferible conservar el término dialogismo para designar la primera concepción y reservar el de intertextualidad para la segunda concepción". Así, el *dialogismo* sería la propiedad constitutiva de todo texto en su relación con los textos que lo anteceden (y con los que necesariamente dialoga), mientras que la *inter-*

textualidad correspondería a un conjunto específico de operaciones a través de las cuales dos o más textos singulares se ponen en relación de co-presencia.

Asumiendo esta opción, defino sumariamente la intertextualidad como un proceso de interacción entre dos o más textos-fuente (o fragmentos textuales) en el interior de un texto de llegada. Las formas de la intertextualidad son diversas y difícilmente clasificables de modo exhaustivo. Puede decirse que estas formas se sitúan en una escala gradual (o un *continuum*) que incluye desde la alusión (forma menos explícita) hasta la cita textual con indicación de fuente (forma más explícita). Podemos identificar, entonces, dos grandes clases de operaciones o mecanismos: la reproducción o introducción "fiel" y la reformulación. La primera clase incluye prácticas como la cita y el plagio, y la segunda clase incluye todas las posibilidades de transformación de un texto-fuente, por ejemplo, la paráfrasis y la parodia.

El término *intertextualización* es utilizado eventualmente para dar cuenta de la vertiente dinámica de la intertextualidad. Con ese sentido, intertextualización sería la *acción* de poner en relación dos o más textos empíricos. Sin embargo, en esta propuesta, el término asume un sentido diferente. Entre las razones que justifican la opción por otro sentido, tal vez la más relevante se encuentre en la noción de textualización, que es parte y origen de este término.

El concepto de **intertextualización** que propongo parte de la idea de que intertextualizar es construir un texto realizando posibilidades de textualización previstas por dos o más géneros diferentes. Este proceso produce un efecto de co-presencia de géneros, porque se origina en (y se percibe como) un cruzamiento de características de dos o más géneros en un mismo texto. Es un "efecto" y, en general, no una verdadera "mezcla" o presencia simultanea de géneros. En otras palabras, hay intertextualización en un determinado texto (que se inscribe en un género) cuando contiene rasgos que se asocian a un género diferente del propio. En términos relacionales, podemos decir que el género del texto en el que hay intertextualización es un género "convocante" o un "hipergénero", mientras que el (o los) género(s) "convocado(s)" funciona(n) como "hipogéneros". Por ejemplo, en una publicidad que se imita una noticia, la publicidad es el hipergénero y la noticia es el hipogénero.

Como la intertextualidad, este proceso también puede presentar formas diversas. Estas formas están menos sistematizadas que las formas de la intertextualidad, pero pueden situarse en una escala gradual que iría desde la alusión o reminiscencia hasta el pastiche de género.[9] Es decir, hay intertextualizaciones

---

9 Sobre la noción de *pastiche de género* y su diferencia con el *pastiche de estilo,* véase Bouillaguet (1996).

más o menos difusas o más o menos explícitas o perceptibles. En todos los casos, lo que notamos son características de la organización textual que, asociadas a géneros diferentes, conviven en un mismo texto. Se trata de la coexistencia de marcadores de géneros distintos. El efecto provocado por la co-presencia de géneros puede afectar al texto completo (en el caso del pastiche) o a una parte del texto (especialmente en los casos de alusiones o reminiscencias). Además, se pueden observar dos modalidades de realización de los parámetros del género convocado: la *ficcionalización* y la *actualización* (véanse Miranda, 2010 y Coutinho y Miranda, 2009).

Este proceso es propio de los géneros secundarios (Bajtín, [1979] 2005) o de los géneros rapsódicos (Rastier, 2001), es decir, de aquellos géneros en cuya naturaleza se encuentra la "absorción" de otros géneros. Pero también puede tratarse de una opción estratégica, como en los ejemplos que veremos abajo (véase, también, Miranda, 2004 y 2010).

Si la intertextualidad se basa en la memoria textual, la intertextualización se apoya en la "memoria genérica" de los sujetos, es decir, en la experiencia de los sujetos con diferentes géneros textuales. Por lo tanto, si un sujeto no ha tenido contacto con un género determinado, y si ese género participa en un proceso de intertextualización, es probable que el sujeto no identifique el juego de intertextualización que se le propone.

La diferencia esencial entre intertextualidad e intertextualización se plantea en las entidades que participan en cada uno de los procesos. En el primero, se trata de textos empíricos y en el segundo, de géneros textuales. A pesar de esto, los procesos comparten varias características: están sometidos a condicionamientos discursivos y genéricos, presuponen ciertos conocimientos que el destinatario deberá activar para su interpretación, participan en variadas estrategias discursivas y forman parte de textos producidos bajo diferentes regímenes (véase Miranda y Coutinho, 2004).

4.2. LA INTERTEXTUALIZACIÓN EN TEXTOS EMPÍRICOS

Veremos, ahora, unos ejemplos de textos en los que hay intertextualización. Para dar cuenta de aspectos del funcionamiento y del reconocimiento de este proceso, recurriré al dispositivo de análisis antes presentado. Cabe aclarar, sin embargo, que no aplicaré para esta ejemplificación el dispositivo en su totalidad, sino que utilizaré algunos de sus componentes y categorías.

Los tres textos que analizamos son ejemplares de géneros publicitarios: dos avisos y un folleto. Como señala Adam (2001: 37), a propósito de la gran variedad y de la evolución de los géneros, "los dominios de la literatura y de la publicidad presentan la particularidad común de tomar de otras formaciones sociodiscursivas sus formas genéricas", es decir, ambos son ámbitos sensibles al cruzamiento de géneros. También en un trabajo anterior, el propio Adam y Marc Bonhomme (1997), en una obra dedicada a la argumentación publicitaria, habían observado brevemente esta modalidad de construcción en los textos publicitarios, bajo el título "la tentación de la copia intertextual".

EJEMPLO 1

Revista *Viva*, Argentina, 04/I/09, p. 41.

Espacio de Publicidad

LOGRAN REDUCIR EL RIESGO CARDIOVASCULAR

Los riesgos cardiovasculares, en hombres y mujeres con niveles de colesterol bajos o normales y Proteína C-Reactiva de alta sensibilidad elevada como un marcador de riesgo cardiovascular, se lograron reducir en un 44% a partir de la utilización de rosuvastatina.

Estos resultados responden al ESTUDIO JUPITER llevado adelante por el laboratorio ASTRAZENECA y fue presentado el pasado 9 de noviembre, en las Sesiones Científicas de la Asociación Americana del Corazón. (AHA.)

Esto indicaría que el uso de rosuvastina ayuda a reducir significativamente los riesgos cardiovasculares en personas aparentemente sanas.

El conocimiento de los factores de riesgo y los aspectos epidemiológicos de la enfermedad cardiovascular provienen fundamentalmente de estudios de los Estados Unidos y Europa, por lo que se cuenta con escasa información relacionada con el ámbito local.

En el año 2006, la Federación Argentina de Cardiología llevo a cabo una encuesta que revelaba que el 39,2% de la población investigada padecía enfermedades cardiovasculares, incluyendo infarto agudo de miocardio (IAM) (18,8%), enfermedad vascular periférica (10.2%) y enfermedad vasculoencefálica o accidente cerebro vascular (ACV) (10.2%).

Cabe destacar que la población argentina tiene una expectativa de vida de 72 años (68-75) y las cifras de mortalidad CV anual son las siguientes: 98.500/año. De ese total, 50.000 corresponden a varones y 48.500 a mujeres.

A pesar que las enfermedades cardiovasculares son prevenibles, y esto se logra gracias a un adecuado control de los factores de riesgo (por ejemplo, tratar la dislipemia), la incidencia de estas enfermedades va en aumento, siendo este crecimiento más marcado en los países en vías de desarrollo.

Las posibles causas son múltiples, entre las que se pueden mencionar el mal control de los factores de riesgo, la mala adherencia a los tratamientos farmacológicos, la dieta inadecuada y el aumento de la incidencia de sedentarismo, obesidad y estrés.

Situación de la Argentina comparada con el resto del mundo

Existe un estudio llamado "Carmela" que compara el riesgo CV de 7 ciudades de América latina, entre las cuales está Buenos Aires. El resultado arrojó que Bs.As. tiene la tasa más alta de HTA, la segunda tasa más alta de dislipemia y tabaquismo, y la Argentina es el país que tiene más riesgo de tener un evento CV a 10 años (score de framingham alto).

Estudio JUPITER

Involucró a pacientes con bajo o normal C-LDL, quienes tenían riesgo CV elevado identificado por niveles de PCR altos, los cuales no califican para tratamiento hipolipemiante basado en las guías de tratamiento actuales.

La población que participó (17.800 pacientes) fueron hombres y mujeres sin antecedentes cardiovasculares. Los varones debían tener más de 50 años y las mujeres, más de 60. Aproximadamente, el 38% de toda la población eran mujeres.

Este estudio se realizó en 26 países (Argentina, Bélgica, Brasil, Bulgaria, Canadá, Chile, Colombia, Costa Rica, Dinamarca, El Salvador, Estonia, Alemania, Israel, México, Holanda, Noruega, Panamá, Polonia, Rumania, Rusia, Sudáfrica, Suiza, Estados Unidos, Reino Unido, Uruguay y Venezuela).

Para ingresar al estudio, debían tener un LDL-C menor de 130 mg/dl y PCR de alta sensibilidad (proteína C reactiva) mayor de 2 mg/L. A la mitad de la población, se les dio placebo y, a la otra mitad, Rosuvastatina 20 mg.

Resultados de la investigación

Los riesgos cardiovasculares, en hombres y mujeres con Proteína C-Reactiva de alta sensibilidad elevada, pero con niveles de colesterol bajos o normales, se lograron reducir en un 44% a partir de la utilización de rosuvastatina.

"Estos resultados proveen nueva información de los efectos de rosuvastatina sobre el riesgo de eventos cardiovasculares (CV). El estudio confirma que la rosuvastatina reduce radicalmente los niveles de C-LDL y ahora demostró cerca de un 50% de reducción en el riesgo de un infarto agudo de miocardio y evento vascular cerebral en una población de pacientes que tenían proteína C reactiva (PCR) de alta sensibilidad elevada, pero con niveles de colesterol bajos o normales", aseguró Howard Hutchinson, Chief Medical Officer de AstraZeneca.

El facultativo agregó que, como es apropiado, "la comunidad médica, autoridades regulatorias y comités a cargo de guías de tratamiento considerarán cuidadosamente estos datos y cualquier implicancia para los pacientes en tratamiento".

Por lo tanto, el estudio JUPITER demostró que la rosuvastatina 20 mg reduce significativamente los eventos cardiovasculares mayores en un alto porcentaje. Para esta investigación, se entiende por eventos cardiovasculares mayores el riesgo combinado de infarto agudo de miocardio (IAM o ataque al corazón), evento vascular cerebral (ACV o infarto cerebral), necesidad de revascularización arterial, hospitalización por angina

inestable o muerte por causas cardiovasculares.

Los resultados del estudio fueron presentados el pasado 9 de noviembre, en las Sesiones Científicas de la Asociación Americana del Corazón (AHA) y publicados simultáneamente online por el New England Journal of Medicine.

Cabe destacar que AstraZeneca espera completar la presentación regulatoria, incluyendo los datos de JUPITER durante el año 2009.

Actualmente, la rosuvastatina no está indicada para la prevención de eventos CV. El medicamento debe ser utilizado de acuerdo con la información para prescribir aprobada por la Agencia Regulatoria local (ANMAT).

Otros resultados del estudio JUPITER

El estudio también demostró que para pacientes tratados con rosuvastatina:

* La mortalidad total se redujo significativamente en 20% (p=0,02);
* El riesgo combinado de IAM, ACV o muerte cardiovascular se redujo en casi la mitad (47%, p<0,001);
* El riesgo de un IAM se redujo en más de la mitad (54%, p<0,001);
* El riesgo de un ACV se redujo en casi la mitad (48%, p=0,002);

Estos resultados fueron acompañados por una reducción en la media del Colesterol LDL (C-LDL, conocido también como colesterol "malo") de un 50% (p<0,001), resultando en un valor medio de C-LDL en tratamiento de 55 ml/Dl. en pacientes qe recibieron rosuvastatina.

ACERCA DE JUPITER

JUPITER fue un estudio a largo plazo, aleatorizado, doble ciego, controlado con placebo, a gran escala con 17.802 pacientes, diseñado para determinar si la rosuvastatina 20 mg disminuye el riesgo de IAM, ACV y otros eventos cardiovasculares mayores en pacientes con C-LDL bajo o normal, pero con una elevación de riesgo CV, identificada mediante PCR de alta sensibilidad y la edad.

La mayoría de los pacientes tuvieron al menos otro factor de riesgo incluyendo hipertensión, colesterol HDL bajo, historia familiar de enfermedad coronaria previa o tabaquismo. La PCR de alta sensibilidad es un reconocido marcador de inflamación, el cual está asociado con un riesgo incrementado de eventos cardiovasculares ateroscleróticos.

JUPITER es parte del extenso programa de estudios clínicos GALAXY de AstraZeneca, diseñado para responder preguntas importantes aún no contestadas en la investigación de las estatinas. Actualmente, más de 69 mil pacientes en más de 55 países han sido reclutados alrededor del mundo para participar en el programa GALAXY.

JUPITER

ACERCA DE ASTRAZENECA

AstraZeneca es una de las compañías farmacéuticas líderes internacionalmente en el campo de la salud que se ocupa de la investigación, el desarrollo, la fabricación y la venta de productos farmacéuticos bajo receta, y de proporcionar servicios para la salud. Es una de las compañías farmacéuticas más importantes del mundo, con ventas en el campo de la salud de $ 26.47 billones de dólares y una posición de liderazgo en la comercialización de productos gastrointestinales, cardiovasculares, de neurociencia, respiratorios, oncológicos y antiinfecciosos. Las acciones de AstraZeneca se cotizan en el Índice de Sustentabilidad (Global) Dow Jones, así como en el Índice FTSE4Good.

AstraZeneca es una de las compañías farmacéuticas líderes mundialmente, dedicada al descubrimiento, desarrollo, fabricación y comercialización de medicamentos de prescripción con un alto valor añadido, para mejorar la salud y calidad de vida de los pacientes en todo el mundo. Los medicamentos de esta compañía se han desarrollado para luchar contra enfermedades importantes como el cáncer, enfermedades cardiovasculares, gastrointestinales, infecciones, respiratorias y en el campo de las neurociencias.

AstraZeneca

Las formas en que la publicidad explota la intertextualización son diversas. Un caso interesante es el de los avisos que se construyen imitando la estructuración global y el aspecto material de los artículos periodísticos. En el ejemplo 1, se propone un pastiche del género noticia. Esto se percibe —aun sin leer más que el título del texto— mediante pistas o marcadores diversos, tales como la realización de secciones propias del género simulado (título, copete, cuerpo del texto, subtítulos, etc.), la disposición en columnas, la elección de la tipografía y la construcción composicional y enunciativa del título (frase con verbo en tercera persona del plural, con valor impersonal, en tiempo presente, etc.).

Esta construcción funciona como una especie de disfraz o camuflaje que en el contexto de una publicación periodística puede llevar a confundir a los lectores. La estrategia no es inocente y, por eso mismo, en los casos de posible ambigüedad se exige la explicitación del carácter publicitario del texto. Así, en avisos de esta naturaleza encontramos rótulos del tipo *"Espacio de publicidad"*, como podemos ver en el ejemplo 1.

En otros casos —los más frecuentes— la publicidad suele jugar estratégicamente con la imitación de otros géneros, sin pretender generar confusión o ambigüedad. Esto es lo que sucede en los ejemplos 2 y 3. Veremos en estos casos el funcionamiento de los marcadores genéricos un poco más en detalle.

El texto 2 es un aviso de página entera, publicado en una revista. El objeto de la publicidad es un programa de radio. Reconocemos la identidad genérica de este texto mediante rasgos situacionales (como, por ejemplo, el soporte de circulación) y elementos semiolingüísticos tales como ciertos marcadores composicionales (imagen/fotografía, marca, logotipo, eslogan). Pero, al mismo tiempo, identificamos la presencia de mecanismos asociados a otros géneros: la receta médica y el prospecto.

En esta identificación, son fundamentales algunos mecanismos que funcionan como marcadores (inferenciales) de los géneros convocados. En primer lugar, notamos el modo como se simula el soporte característico de la receta y otros marcadores del aspecto material (un papel que presenta la forma Rp/ impresa, seguida de una sección manuscrita, una firma y un sello). Además, y como marcador composicional, vemos la estructuración del plan de texto convencional[10] de la receta que, confundiéndose en parte con la del prospecto, incluye una sección de indicación, una sección de descripción de acción terapéutica, una sección de modo de administración y una de presentación. También se observa, en el ámbito de la organización enunciativa y estratégica, que se recurre a verbos en infinitivo con valor prescriptivo o instructivo y, como evidente marcador temático, se emplean algunos términos propios del lenguaje médico (dosis, toma...).

EJEMPLO 2
Revista *Noticias*, Argentina, 23/IV/05, p. 88.

En este texto, se propone una ficcionalización de los géneros convocados. Esto es notorio, entre otras razones, porque el texto circula en un medio que no le es propio a los géneros simulados (una revista), la indicación es "escuchar" (y no

____

[10]   Sobre la noción de *plan de texto convencional*, véase Adam, 2005.

"tomar"), la firma es de un periodista (y no de un médico) y el "sello" presenta el nombre del "producto" y una indicación horaria en lugar de un número de matrícula. El proceso de intertextualización se propone aquí como un juego a partir del nombre del programa radial que es el objeto de la publicidad *(Vitamina G)*. Las vitaminas son del campo de la salud o la medicina, y la receta y el prospecto son géneros del discurso médico. Lo interesante es, además, observar el juego de sentidos que provoca el recurso a un género instructivo de esta naturaleza en un texto publicitario. Si la publicidad busca, en este caso, instar al destinatario a escuchar el programa en cuestión, la forma de receta funciona no como una imposición sino como una instrucción positiva: escuchar el programa es un beneficio para el destinatario-potencial oyente. Éste es un claro ejemplo de la argumentación indirecta propia del lenguaje publicitario.

El siguiente ejemplo (3) es, en realidad, un fragmento de un texto publicitario. Se trata de la tapa de un folleto. El género convocado es el *chat* (o la conversación digital, vía Internet). Para identificarlo nos basamos especialmente en marcadores del aspecto material (la diagramación, la presencia de iconos y otros elementos no verbales, la tipografía, etc.) y en un marcador composicional que es la estructuración en diálogo que presenta características específicas (por ejemplo, la presencia de la fórmula introductoria *nombre* + *"dice"* + *hora entre paréntesis*). Asimismo, reconocemos el género por el registro informal (marcado por rasgos enunciativos y temáticos como el tratamiento y el vocabulario empleados) y, composicionalmente, por el uso de los signos de puntuación —en particular, por la presencia de puntos suspensivos y por el uso de signos de interrogación y exclamación sólo de cierre y reiterados.

Entre las razones que justifican considerar este fragmento textual como una ficcionalización del género *chat* se encuentra, evidentemente, el soporte o medio de circulación (que no es una computadora, sino un papel). Además, hay elementos que resultan "extraños" en un texto de este género: el nombre de uno de los interlocutores (que es el de una compañía de comunicaciones) y algunos aspectos del contenido temático, por ejemplo, la instrucción final *"abrí el folleto y descubrilo"*. Vale notar que esta última frase contiene un marcador autorreferencial del hipergénero ("el folleto").

En este texto, la elección del hipogénero también se relaciona con el objeto de la publicidad. Siendo un anuncio de un plan para conexión a Internet, la opción por un género digital no sorprende. En la organización argumentativa de este anuncio, el argumento principal es que sólo este plan permite chatear todo el tiempo que se desee a un costo accesible. Al presentar el argumento en forma de un diálogo entre cibernautas, el texto juega con la posibilidad de lograr una cierta identificación entre el destinatario y el personaje "Ciberpedro".

EJEMPLO 3
Folleto Telefónica, **Argentina, mayo de 2005.**

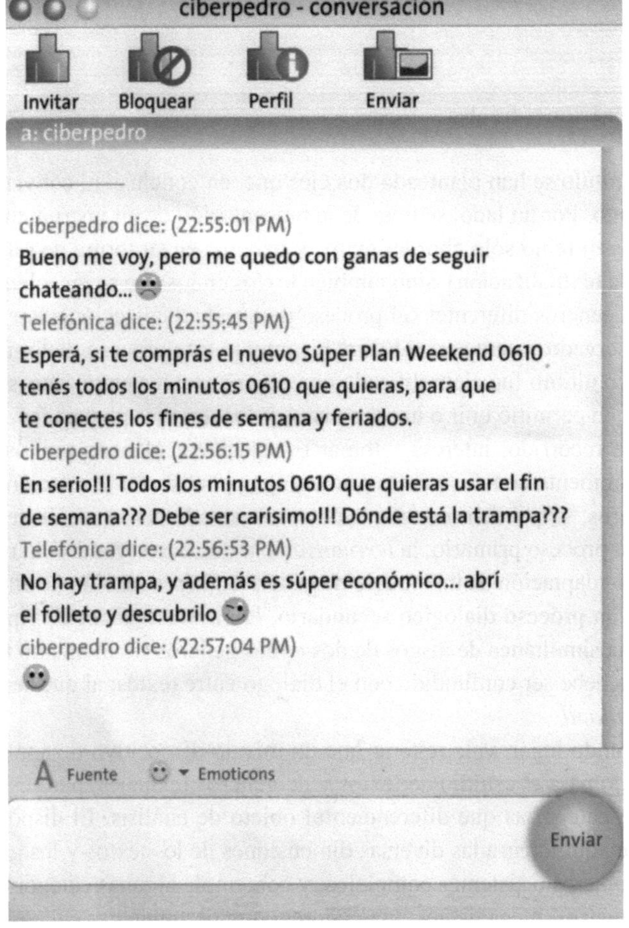

El reconocimiento de los hipogéneros en cada uno de los ejemplos se realiza mediante la interpretación de marcadores de diferentes clases (temáticos, enunciativos, composicionales, materiales, etc.). Estos marcadores funcionan de forma articulada para permitir la identificación precisa de esos géneros. Así, los géneros son textualmente "convocados" y cognitivamente "evocados".

Sin embargo, es necesario subrayar que la identificación precisa de los hipogéneros reside en el conocimiento que el interpretante posee de tales géneros. Así, el folleto de la empresa de comunicación será altamente significativo (e identificable) para el lector adolescente, por ejemplo, mientras que ese mismo lector puede desconocer completa o parcialmente los géneros convocados en el ejemplo 2.

5. Consideraciones finales

En este capítulo se han planteado dos ejes que, en conclusión, convergen en un mismo punto. Por un lado, se trata de la presentación de un instrumento de análisis que permite no sólo abordar textos y géneros en su forma de relación más primaria (la textualización), sino también textos en los que se mezclan rasgos de dos o más géneros diferentes (el proceso de intertextualización). Por otro lado, hemos observado y caracterizado sintéticamente este proceso dialógico en particular. Esto último fue ejemplificado con algunos textos empíricos, siendo esta acción la que permitió unir o hacer convergir los dos ejes planteados.

De este recorrido, interesa retomar o especificar algunos puntos centrales para este momento conclusivo. En primer lugar, al observar la relación entre textos y géneros, se pueden identificar dos procesos de construcción textual. Por un lado, un proceso primario, la *textualización,* que corresponde a la relación de adopción y adaptación de un modelo de género en la producción de un texto. Por otro lado, un proceso dialógico secundario, la *intertextualización,* que implica la presencia simultánea de rasgos de dos o más géneros en un mismo texto. Este proceso no debe ser confundido con el diálogo entre textos, al que se denomina *intertextualidad.*

En segundo lugar, vale reiterar que un mismo dispositivo de análisis puede ser utilizado para el estudio de textos y de géneros textuales, pero es necesario contar con categorías que diferencien el objeto de análisis. El dispositivo que se propone aquí integra las diversas dimensiones de los textos y los géneros, en tanto que objetos o sistemas complejos, y contempla algunas categorías de análisis (parámetros, mecanismos, marcadores) que permiten dar cuenta de los datos obtenidos en los análisis y distinguir los aspectos que pertenecen al dominio del texto singular de aquellos que pertenecen al dominio del género, y los que funcionan como marcadores del hipergénero o del hipogénero en un proceso de "mezcla" o "hibridación" (real o simulada) de géneros textuales. Esta última cuestión fue ejemplificada mediante el análisis de textos que muestran el proceso de intertextualización.

Como se vio en los ejemplos, una de las formas de este proceso es la *ficcionalización* de un género (o de algunos de sus parámetros). Importa destacar que otras modalidades de este proceso son posibles, entre ellas, la *actualización* del hipogénero. Sólo en ese caso es posible decir, eventualmente, que dos o más géneros se "mezclan". Sin embargo, las relaciones intergenéricas no deben reducirse a ese único caso.

El estudio de las diversas formas en que los géneros dialogan en los textos es una de las oportunidades más interesantes para el análisis de géneros. A pesar de esto, suelen utilizarse ejemplos de cruzamientos de géneros para argumentar a favor de la inexistencia de los géneros. En respuesta a ese argumento, elijo la simpleza de estas palabras del lingüista textual brasileño Luiz Antônio Marcuschi:

> (...) seria inadequado considerar a mistura de gêneros como "evidência da ausência de gênero". Pois, é fácil perceber que só se misturam, mesclam e unem coisas que pré-existem, isto é, a hibridação é a confluência de dois gêneros e este é o fato mais corriqueiro no dia-a-dia em que passamos de um gênero a outro ou até mesmo inserimos um no outro seja na fala ou na escrita (Marcuschi, 2005: 25).

Referencias bibliográficas

ADAM, Jean-Michel. 2001. "En finir avec les types de textes". En Michel Ballabriga (org.), *Analyse des discours. Types et genres: Communication et interprétation.* Toulouse : EUS, pp. 25-43.

—. 2005. *La linguistique textuelle. Introduction à l'analyse textuelle des discours.* Paris: Armand Colin.

ADAM, Jean-Michel y BONHOMME, Marc. 1997. *L'argumentation publicitaire. Rhétorique de l'éloge et de la persuasion.* Paris: Nathan.

BAJTÍN, Mijaíl. [1979] 2005. *Estética de la creación verbal.* Buenos Aires: Siglo XXI.

BEAUGRANDE, Robert y DRESSLER, Wolfang. [1981] 1997. *Introducción a la lingüística del texto.* Barcelona: Ariel.

BOUILLAGUET, Annick. 1996. *L'écriture imitative: pastiche, parodie, collage.* Paris: Nathan.

BRONCKART, Jean-Paul. 1997. *Activité langagière, textes et discours. Pour un interactionisme socio-discursif.* Lausanne: Delachaux et Niestlé.

—. 2008. "Genres de textes, types de discours et « degrés » de langue. Hommage à François Rastier". *Texto!,* vol. XIII, n.° 1. Disponible en http://www.revue-texto.net/.

CHARAUDEAU, Patrick. 1992. *Grammaire du sens et de l'expression.* Paris: Hachette.

Coutinho, Maria Antónia; Alves, Marisa; Gonçalves, Matilde; Miranda, Florencia; Pinto, Rosalice. 2005. "Parâmetros genéricos e mecanismos de realização textual – aspectos teóricos". Ponencia presentada en el Simposio *O interacionismo sociodiscursivo em construção: desafios e posicionamentos*, 15.º InPLA (Intercâmbio de Pesquisas em Lingüística Aplicada). PUC-SP, São Paulo, Brasil, mayo de 2005.

Coutinho, Maria Antónia y Miranda, Florencia. 2009. "To describe textual genres: Problems and strategies". En Charles Bazerman, Débora Figueiredo y Adair Bonini (orgs.), *Genre in a changing world*. Fort Collins, CO: WAC Clearinghouse-Parlor Press, pp. 35-55.

Genette, Gérard. 1982. *Palimpsestes*. Paris: Seuil.

—. 1987. *Seuils*. Paris: Seuil.

Kristeva, Julia. 1969. *Seméiotikè. Recherches pour une sémanalyse*. Paris: Seuil.

Maingueneau, Dominique. 2002. "Intertextualité". En Patrick Charaudeau y Dominique Maingueneau. *Dictionnaire d'analyse du discours*. Paris: Seuil, pp. 227-229.

Marcuschi, Luiz Antônio. 2005. "Gêneros textuais: configuração, dinamicidade e circulação". En Acir Karwoski, Beatriz Gaydeczka y Karim Brito (orgs.), *Gêneros textuais: reflexões e ensino*. União da Vitória: Kaygangue, pp. 17-33.

Miranda, Florencia. 2004. "Aspectos do cruzamento de géneros como estratégia discursiva". En Maria Aldina Marques, Maria Emília Pereira, Rui Ramos e Isabel Ermida (orgs.), *Práticas de investigação em análise linguística do discurso*. Braga: Universidade do Minho, pp. 195-211.

—. 2010. *Textos e géneros em diálogo. Uma abordagem linguística da intertextualização*. Lisboa: Fundação para a Ciência e a Tecnologia-Fundação Gulbenkian.

Miranda, Florencia y Coutinho, Maria Antónia. 2004. "Interaction textuelle et génerique: quelques aspects". En Pierre Marillaud y Robert Gauthier (orgs.), *L'intertextualité*. Toulouse: CALS/CPST, pp. 343-354.

Piégay-Gros, Nathalie. 1996. *L'intertextualité*. Paris: Nathan.

Rastier, François. 2001. *Arts et sciences du texte*. Paris: PUF.

Samoyault, Tiphaine. 2001. *L'intertextualité*. Paris: Nathan.

LA CONSTRUCCIÓN DIALÓGICA DE UN MACROGÉNERO: LA "CRISIS DIPLOMÁTICA"

Adriana Bolívar
Universidad Central de Venezuela

1. Introducción

En este trabajo nos concentramos en la construcción dialógica de una macrogénero que los medios catalogan como "crisis diplomática".[1] Sostenemos que dicho macrogénero es construido conjuntamente por líderes políticos y por los medios de comunicación. Para explicar el fenómeno adoptamos una postura teórica que denominamos *interaccional crítica,* en la cual se abordan los géneros desde una perspectiva dialógica en su sentido más amplio (Bolívar, 2005, 2007, 2008, 2010a, 2010b). El diálogo sirve como teoría y método para explicar los macrogéneros como macrodiálogos en la dinámica social y política. Por un lado, el foco del análisis está en las personas o los personajes responsables de iniciar y/o mantener los conflictos en la dinámica de la interacción política y mediática y, por otro, en las formas en que se construyen y perpetúan esquemas cognitivos que contribuyen a la interpretación de los hechos políticos. El análisis de los datos, provenientes de textos orales (transcritos) y escritos recopilados en la prensa de varios países de América Latina entre 2005 y 2008, se realiza tomando un amplio marco de referencia teórica que incluye el análisis de la conversación para explicar el diálogo micro y macro en el nivel del discurso, la pragmática para explicar actos discursivos, la lingüística sistémica funcional para explicar el

---

[1]   Un modo de constatar la fuerte presencia en los medios de la construcción "crisis diplomática" es consultar su uso en la web. Por ejemplo, una búsqueda realizada a través de Google el 2 de octubre de 2010 indicó 192.000 resultados en 0.28 segundos. Una búsqueda especializada de "crisis diplomática México-Venezuela", en la misma fecha, arrojó 429 resultados en 0.27 segundos (sin las comillas dio 258.000 en 0.35 segundos).

nivel semántico-gramatical y el análisis crítico del discurso para realizar la lectura de las ideologías que se confrontan en el diálogo. El análisis que se presenta devela un patrón de interacción que, junto con hacer visibles los problemas políticos en la región, muestra la complejidad de los géneros y de este macrogénero en particular en un contexto de cambio social.

En los últimos años se ha observado en América Latina un cambio en la forma en que se llevan a cabo las relaciones diplomáticas. Éste se manifiesta en dos niveles: por una parte, el de la polarización política en dos grandes bloques, uno más cercano al sistema capitalista que representan los Estados Unidos de Norteamérica y otro que se inclina a apoyar o a compartir la experiencia de la Cuba socialista; por otra parte, tenemos los cambios observados en el discurso de los líderes políticos, especialmente los jefes de Estado, quienes hacen uso o toleran un mayor grado de confrontación y agresividad en el lenguaje. Por ejemplo, en diversos estudios sobre el discurso político venezolano, se ha mostrado cómo este cambio se ha manifestado lingüísticamente en diferentes niveles de significación: semántico y pragmático (Molero de Cabeza y Cabeza, 2007), retórico y argumentativo (Erlich, 2007; Montero, 2003), manejo de la cortesía y descortesía (Bolívar, 2001, 2003, 2010a, 2010b; Bolívar, Erlich y Chumaceiro, 2003); el empleo de metáforas cognitivas (Chumaceiro, 2004; Molero de Cabeza, 2009), para mencionar solamente algunos ejemplos.

El diálogo entre algunos políticos de la región ha tomado características similares al "discurso de las calles" (Possenti, 2008) y la diplomacia de algunos países ha sido catalogada como "diplomacia de choque" (Chiappe, 2006). Los medios de comunicación, un componente fundamental en el discurso político (Charaudeau, 2005), han contribuido de manera eficiente a reportar y representar esta realidad, particularmente aquellos casos que han causado conmoción internacional de gran alcance (Bolívar, 2009c, 2011), con la consecuencia de que los géneros políticos y los géneros mediáticos se confunden para crear un macrodiálogo en el que participan los actores políticos, los medios y los ciudadanos, y en el que se evalúa la situación en el plano nacional e internacional. Desde diferentes perspectivas, con palabras y acciones materiales, todos contribuyen a la construcción de las "crisis".

Mi propósito en este trabajo es mostrar cómo la descripción detallada de diferentes eventos conflictivos a lo largo de varios años puede sacar a la luz prácticas discursivas, sociales, mediáticas y políticas en la conformación de un macrogénero. Al mismo tiempo, quiero llamar la atención sobre la importancia teórica de poner el foco en la gente que construye los textos (Bolívar, 2010c) porque, más que estudiar, por ejemplo, los sistemas de géneros como "géneros interrelacionados que interactúan entre sí en escenarios específicos"[2] Bazerman (1994a: 97),

---

[2]   Original en inglés: "Interrelated genres that interact with each other in specific settings".

me interesan las personas que los construyen y su rol en la construcción dialógica de los macrogéneros en la acción social y política.

2. La descripción de los macrogéneros

2.1. LA VISIÓN DESDE LA LINGÜÍSTICA Y LA LINGÜÍSTICA APLICADA

Las investigaciones llevadas a cabo en torno a los macrogéneros desde la lingüística y la lingüística aplicada, probablemente debido a la influencia de Bakhtin y la atracción que ejerce su concepto de intertextualidad (Bakhtin, 1986), se han ocupado de averiguar cómo se relacionan y concatenan los textos en diferentes contextos (Bazerman, 1988; Devitt, 1991; Martin, 1994, 1997; Christie, 1998, 2005; Räisänen, 1999; Swales *et al.,* 2000; Swales, 2004; Mayes, 2004, 2005; Muntigl, 2004), con un marcado predominio en el campo de la pedagogía (Christie, 2005), el discurso académico (Swales, 2004) y en el campo del consejo terapéutico (Muntigl, 2004), donde encontramos mayor influencia del análisis de la conversación y de la lingüística sistémica funcional.

El concepto de macrogénero en sí es constantemente sometido a revisión. Desde la perspectiva de la lingüística sistémica funcional, se han hecho intentos por buscar sistemas similares a los de la gramática que se reflejan en la búsqueda de relaciones de tipo paratáctico e hipotáctico entre los textos, como es el caso de Christie (1998, 2005), quien, al estudiar el curriculum de la enseñanza de la ciencia como un macrogénero, distingue tres géneros en secuencia: curriculum de iniciación, de colaboración y de cierre, que define tomando en cuenta la sucesión de acciones y, al mismo tiempo, describe cada una de estas etapas en sus géneros y textos constituyentes. Christie y Martin (2005) se concentran en los procesos sociales que involucran los géneros en las instituciones y en el trabajo. Christie (2005), en particular, analiza cómo en los macrogéneros se ponen en acción diversos discursos pedagógicos siguiendo la definición de género de Eggins (1994). Muntigl (2004: 112), por su parte, considera que "de la manera más simple, los macrogéneros pueden concebirse como textos que expresan múltiples géneros en secuencia".[3]

El interés por el estudio de las cadenas de géneros se ha visto en particular en el discurso académico. Por ejemplo, Räisänen (1999) describió la cadena de acciones que se presentan en un congreso *(conference)* y Swales *et al.* (2000) se concentraron en las respuestas a cartas de recomendación. Por otro lado, con

---

[3]   Original en inglés: "Simply put, macro-genres may be viewed as texts that realize multiple genres in sequence (Muntigl, 2004: 112).

foco en el español, Bolívar (2008) se ha ocupado del proceso de arbitraje de artículos de investigación para revistas latinoamericanas, considerando el informe de arbitraje como una parte de una cadena de eventos en la dinámica de la investigación y de la interacción entre pares.

Los trabajos llevados a cabo en relación con la escritura del conocimiento científico, la descripción y enseñanza de los géneros de la investigación, al igual que los géneros pedagógicos, los de orientación terapéutica e institucionales han proporcionado información valiosa sobre cómo los géneros sirven para organizar la experiencia del mundo, construir identidades, establecer relaciones interpersonales y expresar ideologías en el marco de una cultura.

2.2. LA PERSPECTIVA CRÍTICA

Desde otras perspectivas, especialmente en el campo del análisis crítico del discurso, los géneros tienen una función social que trasciende los niveles de una cultura o nación cuando se trata del manejo del poder en un plano mayor, especialmente el de la política. Como dice Fairclough cuando se refiere al papel de los géneros en los cambios sociales:

> 'Las cadenas de géneros' son particularmente significativas: ellas son géneros diferentes que de manera regular se relacionan e involucran transformaciones sistemáticas de género a género. Las cadenas de género contribuyen a la prioridad de las acciones que trascienden diferencias en el espacio y el tiempo y reúnen eventos sociales en diferentes prácticas sociales, diferentes países, y diferentes momentos, facilitando la capacidad ampliada de 'acción a la distancia', que se ha tomado como un rasgo definitorio de la 'globalización contemporánea' y facilitando, por tanto, el ejercicio del poder (Fairclough, 2003: 31).[4]

En su explicación, Fairclough (2003: 31-32) toma ejemplos de Iedema (1999), quien muestra cómo se encadenan los textos en la práctica social. Fairclough mismo habla de la "marketización" del discurso, en el sentido de que, en el nuevo capitalismo, el discurso de las universidades adopta los rasgos de comercialización de productos. Al respecto, es importante hacer notar que, desde

---

[4]   Original en inglés: "'Genre chains' are of particular significance: these are different genres which are regularly linked together, involving systematic transformations from genre to genre. Genre chains contribute to the priority of actions which transcend differences in space and time, linking together social events in different social practices, different countries, and different time, facilitating the enhanced capacity 'for action at a distance' which has been taken to be a defining feature of contemporary 'globalization', and therefore facilitating the exercise of power" (Fairclough, 2003: 31).

su perspectiva, los géneros no sólo tienen una función estructural para mantener la relación entre textos, sino que también sirven para mantener relaciones de gobernabilidad en el plano nacional, regional, global y general (Fairclough, 2003: 33). Este punto es clave para el estudio de los macrogéneros en cuanto a su papel en la acción social y política porque, como veremos más adelante, permite buscar relaciones entre grupos humanos o políticos e identificar los tipos de textos que ellos usan en las relaciones internas e internacionales.

Fairclough sostiene que los géneros tienen un importante papel en la transformación social porque: "El nuevo capitalismo puede verse como cambios en el entramado de las prácticas sociales y, por lo tanto, como cambios en las formas de las acciones y la interacción, lo que incluye cambios en los géneros (Fairclough, 2003: 38).[5]

Esta postura significa un avance en cuanto a la forma de aproximarse a los géneros desde el cambio social. Las propuestas de este autor sobre el análisis de la intertextualidad e interdiscursividad (Fairclough, 2003) derivan de los conceptos originales de Bakhtin, que ponen énfasis en el diálogo en el texto (las voces que se activan), lo que se hace evidente cuando Fairclough habla de la "dialogicidad de un texto" (Fairclough, 2003: 61). Desde nuestra perspectiva, este tipo de análisis es muy útil para entender la red de relaciones entre emisores discursivos, pero sentimos que hace falta otro nivel de análisis que permita explicar el diálogo entre las personas cuyas palabras son representadas en los textos, y que son los que finalmente dan acceso a otras voces en los textos. En consecuencia, en la interacción social y política, necesitamos dar preponderancia al análisis del papel que juegan las personas responsables de la acción social; vale decir, junto con entender cómo se mueven las ideologías como entidades abstractas, nos interesa hacer el seguimiento de las personas con funciones políticas, para registrar de qué hablan, cómo se relacionan con otros políticos, cómo este proceso es reportado y re-construido por los medios, y qué tipo de diálogo se construye. No podemos olvidar que los géneros forman parte de la acción social (Miller, 1984) y que son creaciones de las personas y no sistemas rígidos, tal como lo expresó Brent (1994):

> Así, aunque los géneros forman un componente importante del sistema por medio del cual se comunican las comunidades, **son creaciones de agentes, no un sistema cosificado**. Si resultan disfuncionales, pueden ser alterados o eliminados por la acción humana. (…) El género surge de la situación y no viceversa (Brent, 1994: 14, negritas mías).[6]

---

5   "New capitalism can be seen as changes in the networking of social practices, and so change in the forms of action and interaction, which includes change in genres" (Fairclough, 2003: 38).

6   "Thus genres, while forming an important component of the system by which discourse communities are reproduced, **are creations of agents, not of reified systems.** If they

2.3. LA PERSPECTIVA INTERACCIONAL CRÍTICA: DIÁLOGO Y EVALUACIÓN

En nuestro análisis empleamos el diálogo y la evaluación como categorías centrales. Por un lado, desde un punto de vista micro-social, el diálogo representa la búsqueda del equilibrio en la interacción entre hablantes; igualmente, desde el punto de vista macro-social, el diálogo es búsqueda y garantía de armonía y de relaciones nacionales e internacionales pacíficas. Desde el punto de vista teórico, el diálogo proporciona el contexto en el que otras categorías, como participantes, tópicos, argumentación, estrategias, y otras, tienen sentido. Por otro lado, la evaluación es la categoría que engloba todas las formas de expresión lingüística que los humanos empleamos para hacer valer nuestro posicionamiento ante los otros, nuestra subjetividad, intersubjetividad y sistemas de valores. No se manifiesta en una categoría lingüística en particular, pero puede hacer uso de todas: del modo para indicar roles, de la modalidad para indicar las actitudes ante el conocimiento y el otro, del léxico evaluativo para "colorear" el mundo, de las formas de organizar las relaciones semánticas, de la forma de organizar los textos, de la forma de encadenar los textos. En estudios anteriores sobre las relaciones entre líderes de América Latina (Bolívar, 2008, 2009b, 2009c, 2010a, 2010b) hemos mostrado como el macrodiálogo saca a la luz los problemas que inciden en las selecciones lingüísticas y no lingüísticas (sonrisas, apretones de mano) de los actores políticos. Dichos problemas implican la toma de posición moral e ideológica ante realidades como la violencia, el terrorismo y el narcotráfico, y la alineación o no con bloques de poderes hegemónicos que, en el caso de América Latina, involucran a los Estados Unidos y a quienes sean sus amigos y adversarios.

Como hemos constatado en varias investigaciones (Bolívar, 2005, 2007, 2008), el uso de estas dos grandes categorías nos permite analizar textos escritos y orales desde una perspectiva intratextual e intertextual, en la dinámica social. Esto es posible porque, así como observamos los cambios internos en los textos y entre textos, podemos leer la dinámica social a través de los textos que conjuntamente construyen los actores sociales. La clave reside en buscar las señales lingüísticas del cambio que, en el interior del texto, son generalmente cambios de modo y de modalidad en las cláusulas principales, junto con cambios de otros tipos (temáticos, semánticos, pragmáticos, estilísticos, retóricos), pero que, en la dinámica social y política, dependen de las evaluaciones hechas y sostenidas por los líderes políticos.

---

prove dysfunctional, they can be altered or eliminated by human action. (…) The genre arises from the situation, not viceversa (Brent, 1994: 14, negritas mías).

3. La *crisis* como marco cognitivo y como interacción social

Desde nuestra perspectiva, el punto central es que, aunque los géneros y los macrogéneros son concebidos a menudo como construcciones cognitivas complejas, es teóricamente importante destacar que, en su construcción, tienen prioridad la interacción, los hechos y las palabras de los actores que participan en el evento comunicativo, especialmente los que en la política tienen o asumen el rol de líderes. En el caso de las crisis diplomáticas la "crisis" se convierte en un macrogénero en virtud de la decisión de los medios, que, en algún momento del conflicto, califican la situación con la palabra *crisis* en sus titulares de noticias. Al hacerlo, ellos proporcionan el encuadre o marco para la interpretación de un evento conflictivo (Kaplan, 2007), cuya duración puede variar según la gravedad del problema. Los dirigentes políticos contribuyen con sus palabras a la profundización o mitigación del conflicto, porque en las relaciones de poder en la política, en algún momento, los jefes de Estado perturban el equilibrio diplomático y hacen fallar el discurso "políticamente correcto" en las acciones verbales y materiales que mantienen la armonía y la paz.

La "crisis" es construida, entonces, desde al menos dos discursos clave, el político y el mediático, que no pueden prescindir del discurso de los ciudadanos. Por lo tanto, es necesario abordar el macrogénero "crisis" como una interrelación de géneros producidos en una interacción que tiene actores y propósitos similares, pero no idénticos. Tanto los políticos como los medios tienen en común la necesidad de captar a una audiencia para que ésta se incline por una propuesta ideológica y un estilo particular de gobernar. Pero, mientras los primeros quieren vender su imagen y su proyecto político, los segundos quieren vender periódicos y los productos que anuncian, porque necesitan el respaldo económico para subsistir en el mercado (véase Bolívar, 2005). Para los políticos, la prensa y los medios en general constituyen el escenario más adecuado para hacerse conocer y difundir sus mensajes porque, en su afán de mantenerse en el mercado, recurren a estrategias que mantienen la atención de la audiencia por mucho tiempo. Algunas de estas estrategias corresponden a informar, reseñar y comentar eventos con carga de espectacularidad y drama (Charaudeau, 2005; Kaplan, 2007). Por lo tanto, los eventos conflictivos ejercen una gran atracción, ya que dan la oportunidad a las audiencias de seguir los acontecimientos en los que aparecen "los héroes, los villanos y las víctimas" (Kaplan, 2009) en los distintos escenarios que ofrece la política como gran espectáculo, no solamente en América Latina sino también en casi todas las democracias occidentales (Montero y Rodríguez-Mora, 1998).

En una situación compleja como la que hemos descrito, es necesario averiguar cómo circulan los textos y cómo se encadenan. Pero también es fundamental entender quiénes los producen y los ponen a circular y con qué fines. De hecho, este punto llama a muchas reflexiones, como las que se plantea Charaudeau (2004) después de presentar una propuesta semio-discursiva para el estudio de los géneros:

> Al término de esta exposición, no sabría decir en forma acabada lo que deberíamos entender por género: ¿las constantes del contrato situacional?, pero ¿dónde está la marcación formal?; ¿las constantes de la organización discursiva?, pero ¿qué podemos decir de su variación?; ¿las constantes formales?, pero ¿qué podemos decir de su circulación a través de los diferentes géneros? (Charaudeau, 2004: 36).

El mayor problema es que los géneros circulan a través de otros géneros o se mezclan, y pueden llegar a ser interdependientes. Éste es el caso de los géneros en la política, que se confunden con géneros de otro tipo (mediático, económico, religioso, etc.) y dependen mucho de los medios para su subsistencia. Por lo tanto, más que hablar de macrogéneros como sistemas (Bazerman, 1988), conjuntos y redes (Devitt, 1991), redes y cadenas (Swales, 2004; Fairclough, 2003), dominios (Charaudeau, 2003), supergéneros (Lee, 2001) o colonias (Bhatia, 1993; Hoey, 1986), nociones cuyo énfasis está en los modos de organizar la experiencia del mundo metafóricamente en ámbitos más o menos definidos, tenemos que acercarnos al problema de los macrogéneros desde una perspectiva que incluya la lucha por el poder. En este sentido, en el caso del discurso político, nos toca averiguar de qué forma los géneros crean un cierto orden en el "ever-fluid symbolic world" (Bazerman, 1988: 319) y también cómo ellos crean un conflicto o un desequilibrio en los cambios sociales porque todo cambio significa de algún modo un desequilibrio (Fairclough, 1992). Por lo tanto, junto con recurrir a la descripción del macrogénero como una construcción basada en nuestra cognición del mundo y sus expresiones lingüísticas, tenemos que buscar la forma de explicar el papel de los actores responsables de que una crisis en particular tenga tales o cuales características (ya que no es lo mismo una crisis matrimonial o de parejas que una crisis política o diplomática, aunque puedan tener ciertos rasgos en común).

3.1. LA CRISIS DIPLOMÁTICA SEGÚN LOS MEDIOS

Suponemos que la "crisis diplomática" constituye un macrogénero creado por los actores políticos y propiciado por los medios, como un marco de referencia (*frame* en el sentido de Goffman, 1974) que engloba la dinámica de un proceso que se inicia con la identificación por los medios de una situación potencialmente conflictiva, que se intensifica, que alcanza un momento álgido y que, después de una etapa de mitigación, se resuelve más o menos satisfactoriamente, aunque luego pueda reiniciarse el proceso con mayor intensidad. Este marco está asociado a otros tipos de marcos que, en el campo de la comunicación, constituyen una variedad de otros encuadres cuyo propósito es explotar la experiencia del mundo de los lectores o de sus modelos del contexto (Van Dijk, 2005, 2009).

El marco global de la experiencia también comprende reconocer las formas en que los actores políticos se relacionan entre sí. Junto con reconocer los géneros que resultan de la interacción entre políticos, los lectores de las "crisis" reconocen normas culturales y de trato, y las acciones verbales de los que participan en la producción de los textos, sus propósitos, las formas en que se definen como líderes y cómo definen a otros. Al mismo tiempo, los lectores de la prensa escrita y digitalizada se posicionan ante los acontecimientos, responden a ellos y así participan en la construcción de la "crisis" porque emiten su opinión (por ejemplo, en cartas al editor o en la sección de comentarios), convocan a manifestaciones de apoyo o rechazo (mítines en las calles), se prestan a sondeos de opinión (encuestas) y, los que tienen acceso a los medios, escriben artículos de opinión. Por lo tanto, el macrogénero puede estudiarse como un macrodiálogo en el que los participantes construyen un conjunto de géneros y textos que se relacionan y encadenan mediante un proceso en el que, simultáneamente, los participantes activan la experiencia y el conocimiento del mundo y realizan acciones verbales, con propósitos definidos. Dichos actos tienen efectos en otras personas. Los efectos producidos generan nuevos textos que, a su vez, se encadenan en diferentes direcciones, que no podemos anticipar. Por lo tanto, para que el macrogénero "crisis diplomática" tenga sentido, es necesario describirlo desde la perspectiva de los actores que inician las interacciones conflictivas, y de los que las evalúan, como veremos más adelante.

4. La acción política y mediática en las "crisis"

Como base inicial para acercarnos al discurso de las crisis diplomáticas, debemos tomar al menos como referencia las siguientes dimensiones de análisis:

a) **El posicionamiento político,** en el nivel ideológico político de afiliación/no afiliación de los jefes de Estado con ideas políticas o sistemas de gobierno.

b) **El posicionamiento discursivo,** entendido como las marcas lingüísticas del posicionamiento ideológico dejadas en las palabras pronunciadas en momentos concretos por los políticos, y reportadas por los medios, quienes también dejan la huella de su propio posicionamiento.

c) **La captación de la audiencia,** relacionada con los esfuerzos y las estrategias de los políticos para atraer la atención del mayor público posible, ganarlos hacia su posición, hacerlos parte de su grupo.

d) **Las relaciones públicas entre líderes,** especialmente el discurso "políticamente correcto" que, supuestamente, deben mantener los candidatos presidenciales y/o jefes de Estado en sus relaciones públicas; los esfuerzos para mantener el equilibrio en el diálogo.

e) **El estilo personal,** porque, junto con mantener el discurso ideológico que lo caracteriza como parte de un grupo, el líder político trata de destacar su estilo personal que le da la autonomía como líder y le permite afianzar su proyecto político.

Lo anterior significa que los géneros que conforman el macrogénero son construidos en dos momentos diferentes: 1) en el momento de la acción política conflictiva en los espacios públicos, y 2) en el momento en que los medios recogen y representan el evento en periódicos impresos y digitales. Los géneros de la acción política corresponden a los géneros que se activan en el diálogo entre los políticos en diferentes momentos de un conflicto. Los géneros mediáticos corresponden a los textos que producen los medios en sus intentos de reportar la noticia, de seguir el desarrollo de los eventos y de evaluarlos. Los géneros políticos y mediáticos se entrelazan porque los medios toman posición en el diálogo político, al igual que lo hacen los lectores.

5. Los datos y materiales

Los datos que hemos empleado para hacer nuestras afirmaciones provienen del análisis de cuatro crisis diplomáticas en las que recolectamos un total de 441 textos que incluyeron una amplia variedad de géneros: titulares, noticias, notas, artículos de opinión, editoriales, transcripción de debates, comunicados, un video de *YouTube,* extractos de alocuciones presidenciales, declaraciones a la prensa, un programa presidencial de radio y televisión. Se tomó en cuenta la prensa venezolana, latinoamericana y europea. Las "crisis" fueron estudiadas en orden cronológico, a medida que se desarrollaban los eventos:

Año 2005: el conflicto entre México y Venezuela en relación con desacuerdos en la discusión del Tratado de Libre Comercio (ALCA), en la IV Cumbre de las Américas, celebrada en Mar del Plata, Argentina, el 4 de noviembre de 2005. Los desacuerdos fueron motivados por la propuesta alterna, Alternativa Bolivariana para América (ALBA), hecha por el presidente Chávez en la III Cumbre de los Pueblos, celebrada el día anterior en la misma ciudad. El conflicto se extendió desde el 4 de noviembre de 2005 hasta el 13 de septiembre de 2007. Recogimos textos de la prensa venezolana y mexicana desde el 4 de noviembre hasta el 20 de noviembre de 2005 porque no podíamos anticipar que el conflicto iba a durar casi dos años (véase Bolívar, 2008).

Año 2006: el conflicto entre Perú y Venezuela en relación con las elecciones presidenciales en Perú. El presidente Toledo acusó al presidente Chávez de injerencia en asuntos internos de Perú porque expresó su apoyo abierto a Humala, el candidato opositor, y amenazó con no reconocer al candidato oficialista, Alan García, si resultaba ganador. Alan García insultó a Chávez en su rol de candidato electoral y también recibió los insultos de Chávez. En este caso nos encontramos con un evento conflictivo que duró desde el 14 de enero de 2006 hasta el 17 de enero de 2007, cuando se reanudaron las relaciones diplomáticas entre Perú y Venezuela. Recogimos textos durante todo el conflicto.

Año 2007: el conflicto entre España y Venezuela después de que el rey de España dijera al presidente Chávez: "¿Por qué no te callas?" en la última sesión de la XVII Cumbre Iberoamericana celebrada en Chile (10/11/07). El día anterior, y durante sus interrupciones a Zapatero, Chávez llamó varias veces "fascista" al ex presidente Aznar e insistió en este argumento. El conflicto duró desde el 10 de noviembre de 2007 hasta el 26 de julio de 2008. Se hizo el microanálisis del video que circuló por todo el mundo (véase Bolívar 2009c y 2010b) y se recogieron textos de la prensa venezolana, latinoamericana y española.

Año 2008: el conflicto entre Ecuador y Colombia debido a la violación del territorio ecuatoriano por parte del ejército colombiano para atacar a las FARC (Fuerzas Armadas Revolucionarias de Colombia). Se involucraron otros países de América Latina en apoyo a Ecuador (Venezuela, Nicaragua, Bolivia) y fue necesaria una reunión de presidentes en República Dominicana (la Cumbre de Río, 7 de marzo de 2008) para aliviar la tensión en la región. El conflicto duró desde el 30 de enero de 2008 hasta el 7 de marzo de 2008. Fue el evento más corto, pero el más intenso de los que hemos estudiado (véase Bolívar, 2010b).

5.1. PROCEDIMIENTOS

En todos los casos se emplearon los mismos procedimientos (Bolívar, 2008, 2010). Nos aseguramos de que más de dos periódicos reportaran el evento conflictivo:

a) Se pone el foco de atención en una situación potencialmente conflictiva entre políticos, que los medios reportan dando evidencia lingüística de algún tipo de transgresión verbal o material.

b) Se dirige la atención al político que inicia la acción conflictiva y se hace el seguimiento de la interacción a través de la prensa.

c) Se recogen los textos en el mismo orden cronológico en el que fueron producidos.

d) Se recogen los macro-intercambios completos.

e) En cada intercambio se asignan las funciones de iniciación, seguimiento y cierre.

f) Se hace el rastreo de tópicos y evaluaciones.

g) Se analizan las estrategias lingüísticas y discursivas. Se da prioridad a las relaciones interpersonales [modo, modalidad, (des)cortesía].

6. La crisis como representación y construcción de diálogos

La visión que hemos obtenido nos da un panorama que permite interpretar las características del diálogo conflictivo que conduce a la denominación del macrogénero "crisis diplomática". Las crisis, tal como se reportan y construyen en los medios, tienen los siguientes momentos:

a) Una situación conflictiva inicial reportada por los medios, que contiene rasgos de transgresión verbal o material por parte de jefes de Estado o gobiernos (desde una crítica no aceptada hasta un ataque aéreo).

b) Una serie de situaciones de comunicación en las que participan los jefes de Estado, quienes dan evidencia lingüística de intensificación del conflicto (uso de descalificaciones, insultos, acusaciones, reclamos, exigencia de disculpas).

c) Un momento culminante en el que la tensión alcanza un punto álgido, generalmente identificada con el rechazo a ofrecer una disculpa y la llamada a consulta de los embajadores o su retiro.

d) Una serie de situaciones caracterizadas por acciones mitigantes (explicaciones, acercamientos).

e) Un momento de resolución del conflicto (anuncio de reposición de embajadores, disculpas indirectas o directas, y acuerdos de cooperación económica).

f) Una evaluación final del conflicto (la prensa opina en titulares y noticias, los ciudadanos dan sus impresiones).

De las cuatro crisis estudiadas, tres están asociadas a problemas de transgresiones verbales y violación de normas de cortesía entre los líderes. Una de ellas (Colombia-Ecuador) está asociada a una transgresión de tipo material, la invasión territorial por la fuerza. En todas las crisis, el acto de disculpa ocupa un espacio fundamental y, de hecho, prolonga o acorta el momento de resolución del conflicto (Bolívar, 2008, 2010a, 2010b). El seguimiento del proceso de solicitar y ofrecer la disculpa revela una lucha discursiva en la que se entretejen las posiciones ideológicas, los intereses políticos y económicos, la identidad cultural y las evaluaciones de tipo moral. En ninguno de los casos, con excepción de la crisis entre Ecuador y Colombia, se logró la disculpa plena, vale decir aquella que pragmáticamente, en la cultura anglosajona, cumple con emplear una fórmula explícita de pesar como "lo siento" o arrepentimiento, "no debí hacerlo", y que dan validez a la disculpa (Bolívar, 2010a).

7. La lectura del macrogénero crisis diplomática

7.1. LOS DETONANTES VERBALES

Es interesante notar que en tres de las crisis que, de hecho, tuvieron lugar en una secuencia temporal los detonantes del conflicto fueron palabras pronunciadas por un candidato a la presidencia, dos presidentes en ejercicio y un rey. Se trata de palabras que transgredieron los límites del respeto a las ideas de otros y a las normas de cortesía esperada entre jefes de Estado. Las palabras que desataron los problemas fueron especialmente: "ALCA, al carajo", "sinvergüenza", "¿por qué no te callas?".

A) "El ALCA, al carajo": crisis desatada por el desacuerdo ideológico (capitalismo frente a socialismo) y económico (tratados comerciales con Estados Unidos).

Esta expresión, pronunciada por el presidente Chávez en la III Cumbre de los Pueblos en Argentina, justo antes de la celebración de la IV Cumbre de las Américas en la que estarían presentes los presidentes de América Latina y el presidente Bush, tuvo el efecto de contraponer dos proyectos diferentes de integración (el ALCA propuesto por los Estados Unidos y el ALBA propuesto por Hugo Chávez). La frase fue pronunciada en un estadio de fútbol (*El Nacional*, 5/XI/2005, p. A9). La foto del presidente Chávez junto al futbolista argentino Diego Maradona ocupó primeras planas de muchos diarios en los que se destacaban las palabras de Chávez. Para los que estaban en el estadio significaba un arma simbólica de resistencia ante el capitalismo que representaba la presencia de George W. Bush en ese momento. Nótese en el ejemplo (1) el reporte del acto promisorio de Chávez para "erradicar el hambre en el continente" y su exhortación para que otros se sumen a su proyecto político.

(1) En su discurso de clausura de la Cumbre de los Pueblos el presidente ofreció aportar 10 millardos de dólares durante la próxima década para erradicar el hambre en el continente. **"El ALCA, al carajo!"**, exclamó ante la multitud y llamó a "parir el socialismo del siglo XXI" (*El Nacional*, 5/XI/2005, p. 9).

El momento político referido era de particular importancia porque la Cumbre de los Pueblos se celebraba con el apoyo del presidente Kirchner y la comunicación directa con Fidel Castro vía telefónica. De ahí que para los medios era relevante reportar el acontecimiento que mostraba una confrontación y un potencial inicio de conflicto. Lo esperado era que los presidentes se reunieran y discutieran el ALCA, tal como estaba en la agenda de la Cumbre Iberoamericana. De ahí las críticas del presidente Fox en declaraciones a la prensa, recogidas por la prensa opositora a Chávez en Venezuela:

> (2) "Ese es precisamente el problema de ir a calentarse con la gente, de ir en <u>la euforia</u> y en <u>la parafernalia</u>, teniendo 40.000 almas enfrente, a hablar <u>cosas que ni fueron serias ni aseguraron un debate</u> a fondo de la reunión", afirmó Fox. Efectivamente, Chávez hizo ese compromiso <u>buscando las cámaras</u> y ahí estableció que él venía a sepultar el acuerdo de libre comercio. "Eso lo arrinconó a <u>una posición</u>", <u>indicó</u>. El mandatario mexicano <u>afirmó</u> que en el debate real con los presidentes y jefes de gobierno Chávez llegó "a extremos de <u>inconsistencia, falta de tolerancia</u> y de voluntad para llegar al acuerdo." (*El Nacional,* 8/XI/2005, p. A14.)

La respuesta desde Caracas disparó el conflicto. El presidente Chávez, desde el teatro Teresa Carreño,[7] mientras entregaba créditos para la adquisición de viviendas de clase media, comentó "el triste papel" que había jugado el presidente Fox en la Cumbre y lo insultó. Esto condujo a que la cancillería mexicana llamara al embajador venezolano en ese país. La prensa recogió la noticia:

> (3) "Salió sangrando por la herida. Da tristeza el entreguismo del presidente Fox", expresó Chávez durante el acto de entrega de 300 créditos para la adquisición de viviendas de clase media celebrado en el Teresa Carreño. La cancillería de México reaccionó de inmediato y convocó para hoy al Embajador de Venezuela en ese país, para que explique las declaraciones del mandatario nacional (*El Nacional,* 10/X/2005, primera página).

Además de llamar a Fox "entreguista", Chávez comentó: "Qué triste que el mandatario de un pueblo como el mexicano se preste a ser un <u>cachorro del imperio</u>", con lo que reforzó la diferencia con el presidente Fox y los países que están alineados con los Estados Unidos. En México, la prensa no se quedó al margen de la discusión. Algunos dieron a Chávez el epíteto de "<u>Cachorro de Fidel</u>" (*La Crónica,* 14/XI/2005, p. 2).

B) "No sea sinvergüenza": crisis desatada por el señalamiento de una inconsistencia moral e ideológica.

En el caso del conflicto entre Perú y Venezuela, el detonante que desató

7	El teatro Teresa Carreño es el más importante de Venezuela. Forma parte del complejo cultural que lleva su nombre. La capacidad de la sala Ríos Reyna es de 2.405 pesonas. El presidente Chávez la utiliza frecuentemente para actos de tipo político.

la "crisis" fue también de tipo verbal, pero desencadenó una polémica basada en cuestiones de tipo moral. Hugo Chávez criticó duramente a Colombia y Perú por haber firmado el Tratado de Libre Comercio con los Estados Unidos. Ante sus críticas, Alan García, en ese momento candidato electoral en Perú, le respondió mediante declaraciones a la prensa, que fueron reseñadas por varios periódicos en América Latina:

> (4) "No sea sinvergüenza, usted pide a los peruanos y colombianos que no negocien con los Estados Unidos y usted y el 80 por ciento de su comercio lo tiene con ese país, usted tiene un tratado de libre comercio petrolero con Estados Unidos" (…) "¡Qué catadura moral!" (www.coòperativa.cl/p4_noticias/site/artic/20060428/pags/ 20060428104635.html).

Estas declaraciones que, según muchos analistas, fueron usadas por Alan García con el propósito político de obtener votos a su favor en la campaña presidencial en Perú, apuntaban a las contradicciones del proyecto político del socialismo del siglo XXI impulsado por Hugo Chávez desde Venezuela. Esto significaba una deslegitimación que ponía en evidencia las contradicciones de un proyecto y la seriedad de los planteamientos en relación con los Estados Unidos. La reacción de Chávez se manifestó en insultos tanto a García ("ladrón", "ladrón de siete suelas", "corrupto") y al presidente Toledo ("caimanes del mismo pozo"). Igualmente, lanzó amenazas de no reconocer a García como presidente si resultaba electo, lo que manifestó públicamente en su programa *Aló presidente,* cuando reiteró su apoyo a Humala, el candidato vencido en la contienda:

> (5) Caracas (Agencias). El presidente de Venezuela, Hugo Chávez, condicionó la normalización de las relaciones diplomáticas con Perú a que el presidente electo de ese país, Alan García, pida disculpas por "las ofensas y los agravios" que emitió durante la campaña electoral (…). "El señor Alan García fue electo presidente de Perú. Bueno, lo reconoceremos sin duda, pero no lo aplaudimos" (*El Universal,* 12/VI/2006, Internacional, p. 1).

C) "¿Por qué no te callas?": crisis desatada por los reclamos por irrespeto ideológico de España y los reclamos por irrespeto al protocolo.

En el conflicto entre España y Venezuela el detonante fue lo que la mayor parte del mundo interpretó como un regaño[8] del rey Juan Carlos de Borbón a

---

[8] De hecho, la prensa mexicana identifica el acto pragmático en su titular "<u>Regaña</u> el rey a Chávez" y se refiere al "agrio pleito verbal" entre Juan Carlos de Borbón y el presidente Chávez, "quien <u>insistió</u> en tildar de fascista a José María Aznar (*El Universal.com.mx,* 11/ XI/2007).

Hugo Chávez por hablar mucho (Possenti, 2008) y por irrespetar normas de trato entre jefes de Estado (Bolívar, 2009).[9] El conflicto se inició el día antes de la celebración de la XVII Cumbre de las Américas, celebrada en Santiago de Chile el 10 de noviembre de 2007, cuando el presidente Chávez, en declaraciones a la prensa, manifestó que el expresidente Aznar era un "fascista". Posteriormente, en la sesión de la Cumbre volvió a repetir el insulto a Aznar quien, en su momento como presidente, había expresado su acuerdo con la salida temporal del poder de Chávez en los eventos de abril de 2002. La situación conflictiva, por lo tanto, recogía reclamos en dos dimensiones. Por un lado, el reclamo de Chávez a Aznar y a España por haberse alineado con sus adversarios, y el reclamo del rey a Chávez por interrumpir al presidente Zapatero de manera insistente y descortés en la sesión de la Cumbre (Bolívar, 2009). El intercambio verbal fue visto por millones de personas en todo el mundo a través de un video en el que se repetía una y otra vez la frase del rey, que tuvo un impacto "planetario" (véase "Por qué no te callas" en *Wikipedia* 2007 y Bolívar, 2009c).

Los medios resaltaron los reclamos de Chávez al rey y sus exigencias de disculpas: "El rey será rey pero <u>no me puede hacer callar</u>. <u>Reclamo respeto</u> porque soy también un jefe de estado y electo democráticamente (…) <u>Lo menos que puede hacer es ofrecer disculpas</u>, no a mí sino a Venezuela" (*El Universal.com. mx*, 25/VI/08 /http://eluniversal.com.mx/ notas/vi_460585.html).

D) *El detonante no verbal:* crisis desatada por el ataque militar de Colombia a las FARC en territorio ecuatoriano.

El 30 de enero de 2008, el ejército colombiano invadió territorio ecuatoriano para atacar a las FARC. En el ataque murió el jefe guerrillero Raúl Reyes, doce guerrilleros y otras personas que estaban en el área. Ese mismo día, el gobierno ecuatoriano acusó a aeronaves militares colombianas de violar su espacio aéreo. El presidente colombiano, Álvaro Uribe, en un discurso pronunciado en una localidad cerca de la frontera admitió el error, manifestó que la fuerza aérea violó el territorio "involuntariamente", expresó "disculpas al gobierno y al pueblo ecuatorianos" y justificó la invasión con el argumento de que había sido para evitar que el grupo terrorista continuara "desde esa hermana nación lanzando atentados para asesinar a nuestros soldados y policías" (*BBCMundo.com*, 14/IX/2008). El gobierno de Ecuador manifestó que las disculpas no serían suficientes y llevó la denuncia al Consejo de Derechos Humanos de la ONU y ante el Consejo Permanente de la OEA. Así, solicitaron una investigación por la violación de la soberanía e integridad territorial en vista de que "no será suficiente una disculpa diplomática (…) el territorio de Ecuador fue bombardeado y ultra-

---

9   Quien se encargó de hacer el llamado de atención formal fue el presidente español Rodríguez Zapatero.

jado intencionalmente" (*Página 12*, 4 de marzo de 2008, http://www.pagina12.
com.ar/ imprimir/diario/ultimas/20-1000127-2008-03-04.html).

8. La intensificación de los conflictos: los medios toman posición

En la etapa de intensificación se ponen de manifiesto las diferencias ideológicas y culturales. El discurso se convierte en un campo de batalla en torno a la
exigencia u ofrecimiento de disculpas por los agravios percibidos y, al mismo
tiempo, se develan las posiciones político-ideológicas y las alineaciones. Se
intercambian más insultos y amenazas directas o veladas. Aparecen las voces
de los cancilleres y ministros. Lo que los medios destacan en todos los casos es
la escalada en el conflicto. Por ejemplo, en el caso de México y Venezuela, la
prensa hizo prevalecer "el ultimátum" que México dio a Venezuela para que se
disculpara (el 13-XI-05), la decisión de Venezuela de retirar a su embajador por
el ultimátum (14-XI-05) y la decisión de México de retirar a su embajador (15-
XI-05). También los argumentos de cada lado fueron destacados, especialmente
sobre quién inició el conflicto, quién debía pedir disculpas y por qué. El punto
álgido en todos los casos se alcanzó con el retiro de embajadores, cuando las
relaciones quedaron en manos de encargados de negocios.

Aunque en todos los conflictos los medios y los ciudadanos toman su posición, observamos diferencias interesantes en el diálogo político de cada país, especialmente en cuanto al respeto a las instituciones. En México, la prensa se ali-
neó con la figura presidencial, no necesariamente con el presidente Fox.[10]

(6) La expresión de Hugo Chávez, presidente de Venezuela, de ser Vicente Fox un
cachorro del imperio, <u>aunque sea totalmente cierto</u>, <u>se ha tornado ofensivo para México y los mexicanos</u>, quienes ya de por sí tenemos la desgracia de tener a Fox como
nuestro representante ante el concierto de naciones donde, además de hacer siempre
el ridículo, ha hecho perder a México esa bien ganada fama internacional por nuestra
tradicional postura de apoyo a las causas justas y apoyo a los débiles (*El Excelsior*, 14-
XI-2005, página editorial, artículo de Luis de la Hidalga).

En los titulares de los medios mexicanos el día 14 de noviembre de 2005,
uno de los momentos más difíciles en el conflicto, se dio evidencia del reconocimiento de la ofensa sentida por el pueblo mexicano:

---

[10]   En la prensa venezolana no se encontraron textos de noticias o de opinión que defendieran la
figura de la presidencia como institución. La discusión se planteó en términos de la defensa
del líder de la revolución bolivariana o el ataque al presidente por su conducta transgresora.

(7) Pone México alto a Chávez *(Reforma)*
     Chávez amenaza y se burla de Fox *(Milenio)*
      No se meta conmigo, dice H. Chávez a Fox; exige México disculpa o retira al
      embajador *(La Prensa)*
     Chávez amenaza al presidente de México *(La Crónica)*
     Hugo Chávez amenaza a Fox *(uno más uno)*
     No se meta conmigo porque saldrá "espinao": Chávez a Fox *(El Sol de México)*
     Ultimátum a Venezuela *(El Sol de México Mediodía)*
     Ultimátum a Venezuela: 24 horas *(Excelsior)*
     "No se meta conmigo porque sale espinao" amenazó el venezolano a Fox. Mé-
     xico da ultimátum a Chávez para retractarse *(El Universal)*
     Disculpa hoy o su embajador deberá salir del país: SER. Ultimátum a Hugo
     Chávez *(La Jornada)*
     Chávez tunde a Fox: SER exige *(Diario Monitor)*

En Perú también se dio el apoyo a la figura presidencial, mientras que en el
caso de España, después de un apoyo total al rey, se pasó a las muestras de polarización interna en el país (véase Bolívar, 2008).

En el conflicto entre Perú y Venezuela, los medios también se alinearon con
el presidente Alan García y dieron acceso a sus partidarios y a los ciudadanos:

(8) "Al agresor no tenemos que pedir perdón", sentenció el legislador Jorge del
Castillo, secretario general del partido Aprista Peruano, al rechazar la solicitud del
presidente venezolano, Hugo Chávez, quien exigió al recién electo presidente de Perú,
Alan García, que pidiera una disculpa pública (*El Nacional,* 13-VI-2006, p. A8 Internacional y Diplomacia).

(9) 90% de limeños rechazan pedido de disculpa (título de noticia) (*El Nacional,*
19-VI-2006, p. A12).

En el conflicto entre España y Venezuela, los medios resaltaron el apoyo al
rey del pueblo español (10, 11) y también algunas críticas (12) que trajeron a la
luz la polarización política en España.

(10) El rey puso en su sitio a Chávez en nombre de los españoles (*El Mundo,* 11-
XI-2007).

(11) Juan Carlos "estuvo en su papel", puesto que el presidente venezolano cruzó
con sus descalificaciones la línea de lo tolerable en una relación entre países" (*El País,*
11-XI-2007).

(12) Por el contrario, el coordinador general de la Izquierda Unida, Gaspar Llamazares, ha comentado que la reacción del rey ha sido "excesiva" y "no muy afortu-

nada". Llamazares, además, ha defendido al presidente de Venezuela: puede discutirse la oportunidad de las formas, pero "lo que no es discutible es lo dicho por Chávez sobre la implicación y el apoyo" del gobierno de Aznar en la intentona de derrocarlo en 2002 (www.elpaís.com, 11-XI-2007).

En el conflicto entre Colombia y Ecuador la prensa destacó la solidaridad de los países amigos de Ecuador, que contribuyeron a profundizar las diferencias con Colombia. *El Tiempo* de Bogotá informó:

(13) Venezuela. El presidente <u>Chávez ordenó el</u> <u>envío de 10 batallones a la frontera</u>, el cierre de la embajada de Bogotá y la expulsión del embajador colombiano en Caracas. <u>Ordenó el cierre de la frontera</u>, pero hay paso de alimentos perecederos.

Ecuador. El presidente <u>Correa rompió relaciones diplomáticas y expulsó al embajador colombiano</u> en Quito. Buscó una condena contra Colombia en la OEA. Hay intercambio comercial en la frontera, pero con constantes requisas de la guardia de ese país.

Nicaragua. El presidente <u>Ortega anunció ayer la ruptura de las relaciones con Colombia</u>. Exportadores colombianos dicen que sus productos no se pueden comercializar con facilidad en ese país (*El Tiempo.com,* Política, 7 de marzo de 2008).

Se constata que la intensificación del conflicto es compleja; además de las marcas lingüísticas identificables en el plano léxico y gramatical, nos encontramos con actos discursivos amenazantes en el plano pragmático (por ejemplo, *ordenar, romper*) unidos a decisiones políticas y militares que afectan a las relaciones internacionales.

9. La mitigación del conflicto y la resolución

El desenlace final de las crisis diplomáticas estudiadas pasa por un período en el que se dan diálogos en varios niveles: entre cancilleres, entre mediadores internacionales y los respectivos gobiernos, y entre los jefes de Estado. Los medios resaltan la interacción entre los presidentes y, de hecho, cuando se resuelven los problemas, es casi obligatoria la foto de presidentes dándose un abrazo y apretones de mano e intercambiando sonrisas. Todos los jefes de Estado, menos Chávez y Fox, aparecieron fotografiados juntos y sonrientes. En la reconciliación entre Correa y Uribe los abrazos tomaron un valor especial una vez que se firmó el acuerdo de reconciliación. Sin embargo, la expresión de disgusto de Correa quedó registrada en las cámaras: él no miró a los ojos a Uribe cuando se acercó a darle el abrazo y, de hecho, lo recibió dándole la espalda.

Otro elemento fundamental en las reconciliaciones son las referencias a los acuerdos económicos, con excepción del caso de Ecuador y Colombia, en el que predomina el llamado al respeto y a la paz. A continuación, algunos ejemplos de las noticias sobre la reconciliación y los aspectos más destacados.

a) Fin de la crisis: Alan García y Hugo Chávez "amigos desde hoy".

(14) Amigos desde ahora.
  Los presidentes de Venezuela, Hugo Chávez, y Perú, dejaron atrás los enfrentamientos y diferencias para darse la mano, abrazarse e incluso intercambiar bromas durante la II Cumbre Suramericana de Naciones, que terminó ayer en Cochabamba, Bolivia. "Alan, amigo desde hoy", dijo Chávez durante su intervención en la reunión; mientras que García aseguró que entre ambos hay "buena química" (*El Nacional,* 10 de diciembre de 2006, primera plana).

Los acuerdos comerciales incluyeron trabajar en el campo del petróleo y en la educación. *El Nacional* de Venezuela destaca la falta de certeza de dichos proyectos, especialmente el petrolero, al citar las palabras de García: "Técnicos de PDVSA se reunirán con sus pares de la estatal peruana Petróleos del Perú para explorar cómo pueden trabajar juntos en <u>algún proyecto importante</u>" (*El Nacional,* 16 de enero de 2007, p. A8).

b) Fin de la crisis: Juan Carlos y Chávez, bromas, regalos y petróleo.

<u>(15) El rey le regaló una franela</u> con el ¿por qué no te callas?
  El presidente venezolano ofreció a Rodríguez Zapatero <u>10.000 barriles diarios de petróleo</u> a 100 dólares a cambio de <u>transferencia de tecnología</u> (*El Nacional,* 26-VII-2008, primera plana).

Posteriormente, el 11 de septiembre de 2009, Chávez visitó Madrid después de una gira que incluyó a Libia, Siria, Irán, Argelia, Rusia, Bielorrusia, Turkmenistán e Italia. En esta visita Chávez anunció un gigantesco hallazgo de gas en Venezuela, que fue confirmado por la compañía española Repsol. La frase *¿por qué no te callas?* fue recordada por los medios españoles y de Venezuela, y hubo nuevos abrazos entre el rey y Chávez, y también de Zapatero (*El Nacional,* 12 de septiembre de 2009).

c) Fin de la crisis: Colombia-Ecuador.
En cambio, la reconciliación entre Colombia y Ecuador se materializó verbalmente en la Declaración firmada por el presidente Correa y todos los presidentes que asistieron a la XX Cumbre del Grupo de Río, celebrada en República

Dominicana. La gravedad de la situación ameritaba dejar constancia por escrito, como se hizo en una declaración que circuló por todos los medios de América Latina, con lo que se dejaba claro el compromiso de no repetir actos de ataque como los efectuados por Colombia.

> (16) <u>Con el compromiso de no agredir nunca más</u> a un país hermano y el pedido de perdón, podemos <u>dar por superado</u> este <u>gravísimo incidente (…).</u>
> <u>Tomamos nota, con satisfacción, de las plenas disculpas</u> que el Presidente Álvaro Uribe ofreció al gobierno y al pueblo de Ecuador, por la violación del territorio y la soberanía de esta hermana nación, el primero de marzo de 2008, por parte de la fuerza pública de Colombia.
> <u>Registramos también</u> el compromiso del presidente Álvaro Uribe en nombre de su país de que <u>estos hechos no se repetirán en el futuro</u> bajo ninguna circunstancia, en cumplimiento de lo que imponen los artículos 19 y 21 de la carta de la OEA (*El Tiempo.com,* Política, 07-III-2008).

10. La evaluación de las crisis

Al examinar cada una de las situaciones de conflicto, vemos que las evaluaciones son variadas, complejas y simultáneas. Primero vemos que los medios ponen el foco de sus evaluaciones en el posicionamiento político y en las transgresiones verbales de los jefes de Estado, y en cómo ello influye o no en las relaciones internacionales. Al mismo tiempo, destacan el discurso de las personas con poder o en búsqueda de él y así, a lo largo de una crisis, ponen en el tapete los enfrentamientos entre grupos que favorecen sistemas políticos antagónicos. Cuando reportan y comentan las guerras verbales y materiales, revelan las prácticas políticas de los líderes, sus estilos personales y las estrategias que usan para lograr alianzas políticas y económicas. En todas las crisis se encuentra presente Hugo Chávez, asociado a una retórica amenazante. En el fondo está el problema de la guerra interna en Colombia y los problemas fronterizos.

Cuando ponemos atención en lo que se evalúa más en el momento de las reconciliaciones, salen a relucir los valores como el afecto, la amistad, los lazos históricos, el orgullo nacional (ser español / ser venezolano / ser mexicano, etc.), las democracias, los intereses económicos. El contacto corporal y el lenguaje de los gestos se convierten en un punto muy importante, al menos ante las cámaras, que podría indicar tradiciones culturales compartidas que necesitan mayor estudio.

Al final de cada crisis se presenta un conflicto entre la sinceridad de las disculpas o los acuerdos de reconciliación y la credibilidad de las acciones. Los medios tienden en general a minimizar las agresiones y/o a resaltar la falta de

credibilidad de la reconciliación. La prensa oficialista en Venezuela dice escue-
tamente:

> (17) <u>Quedó atrás</u> ¿por qué no te callas? (*VEA,* 26-07-2008).
> <u>Incidente</u> del "por qué no te callas" quedó en el pasado (*Últimas Noticias,* 26-VII-
> 2008).

La prensa española destaca la falta de credibilidad en el conflicto entre Colombia y Ecuador:

> (18) Después de intercambiar duras acusaciones que reflejaron la división política
> de América Latina, los presidentes de Colombia, Álvaro Uribe, y de Ecuador, Rafael
> Correa, <u>escenificaron ayer una reconciliación de dudosa credibilidad</u> que, aparente-
> mente, cierra <u>una crisis que salpicó a todo el continente</u> (…) Así sellaban la paz quie-
> nes minutos antes se habían lanzado gravísimas acusaciones (*El País,* edición interna-
> cional, 31/VII/2008).

Es así como los medios mitigan o refuerzan el macrogénero "crisis". Se en-
cargan de reportar el conflicto, de presentar el espectáculo y de evaluarlo. Se cie-
rra el ciclo y siguen las evaluaciones de los ciudadanos, generalmente insatisfe-
chos con la conducta de sus líderes (Bolívar, 2011).

11. Conclusiones

En la construcción dialógica de un macrogénero como crisis diplomática participan muchas voces que podemos examinar en varios niveles de análisis. En este
artículo hemos sostenido que es fundamental dar atención a los responsables de
construir el macrogénero, en este caso los políticos y los medios. Con ejemplos
tomados de trabajos anteriores sobre conflictos diplomáticos en América Latina,
hemos querido mostrar cómo se originan y desarrollan secuencias de textos en el
diálogo de los políticos, tal como éste es escenificado por los medios nacionales
e internacionales en distintos momentos de la dinámica política latinoamericana.
Hemos visto cómo los géneros que conforman el macrogénero trascienden los
límites nacionales para alcanzar la dimensión global en la escenificación de la
lucha discursiva por los espacios de poder. Los conflictos diplomáticos entre
países efectivamente existen, pero la responsabilidad de los jefes de Estado y la
responsabilidad de los medios en la construcción de los diálogos son fundamentales para hacerlos más o menos graves de lo que en realidad podrían ser. Es por
eso por lo que creemos que el estudio de los macrogéneros como macrodiálogos

nos revela la forma en que los indicadores lingüísticos tienen sentido en un contexto más amplio. Como en el caso de las crisis diplomáticas, la lectura del macrodiálogo nos ubica en una perspectiva histórica, política, económica, cultural y discursiva que tiene implicaciones para la lectura de los medios y del discurso político, lo que significa leer un aspecto fundamental de la dinámica social de la cual también formamos parte y contribuimos a construir.

Referencias bibliográficas

ASKEHAVE, Inger y Swales, John. 2001. "Genre identification and communicative purpose: a problem and a possible solution". *Applied Linguistics,* 22 (2): 195-262.

BAKHTIN, Mikhail. 1986. *Speech genres and other late essays.* Austin: University of Texas Press.

BAZERMAN, Charles. 1988. *Shaping written knowledge. The genre and activity of the experimental article in science.* Madison: University of Wisconsin Press.

—. 1994a. "Systems of genres and the enactment of social intentions". En Aviva Freedman y Peter Medway (eds.), *Genre and the new rhetoric.* London: Taylor & Francis, pp. 79-101.

—. 1994b. *Constructing experience.* Carbondale: Southern Illinois University Press.

—. 1997. "The life of genre, the life in the classroom". En Wendy Bishop y Hans Ostrum (eds.), *Genre and writing. Critical perspectives on literacy and education.* Portsmouth, NH: Boynton/Cook, pp. 19-26.

BHATIA, Vijay K. 1993. *Analysing genre.* London-New York: Longman.

BOLÍVAR, Adriana. 2001. "Changes in Venezuelan political dialogue. The role of advertising during electoral campaigns". *Discourse & Society,* 12 (1): 23-46.

—. 2003. "La descortesía como estrategia política en la democracia venezolana". En Diana Bravo (ed.), *La perspectiva no etnocentrista de la cortesía: identidad socio-cultural de las comunidades hispanohablantes. Actas del Primer Coloquio EDICE,* pp. 213-226. Waxholm (Suecia), del 6 al 8 de septiembre de 2002. CD-ROM.

—. 2005. "El análisis crítico del discurso en los ámbitos político y académico". En Luis Alfonso Ramírez Peña y Gladys Lucía Acosta Valencia (comps.), *Estudios del discurso en Colombia.* Medellín: Sello Editorial Universidad de Medellín, pp. 17- 44.

—. 2007. "El análisis interaccional del discurso: del texto a la dinámica social". En Adriana Bolívar (comp.), *Análisis del discurso. Por qué y para qué.* Caracas: Los Libros de El Nacional, pp. 249-277.

—. 2008. "'Cachorro del Imperio' versus 'cachorro de Fidel': los insultos en la política latinoamericana", en Teun A. van Dijk (ed.), *Discurso y Sociedad* [ed. electr.], 2 (1): 1-38. Disponible en <www.dissoc.org>.

—. 2009a. "'Democracia' y 'evolución' en Venezuela: un análisis crítico del discurso político desde la lingüística de corpus". *Oralia,* 12: 27-54.

—. 2009b (coord.). "El análisis del discurso político: discurso populista, discursos alternativos y accidentes discursivos". Número monográfico de *Discurso y Sociedad,* 3 (2). Disponible en <www.dissoc.org>.

—. 2009c. "'¿Por qué no te callas?' El alcance de una frase en el (des)encuentro de dos mundos". *Discurso y Sociedad,* 3 (2): 224-252. Disponible en <www.dis soc.org>.

—. 2010a. "Dialogue in the dynamics of political practice". En Dale April Koike y Lidia Rodríguez-Alfano (eds.), *Dialogue in Spanish. Studies in functions and contexts.* Amsterdam: John Benjamins, pp. 159-188.

—. 2010b. "'¿Por qué no te callas?' La función de las interrupciones en el diálogo político". En Irene Fonte y Lidia Rodríguez (eds.), *Perspectivas dialógicas en estudios del lenguaje.* Monterrey: Universidad Autónoma de Nueva León, pp. 299-336.

—. 2010c. "A change in focus: from texts in contexts to people in events". *Journal of Multicultural Discourses,* 5 (3): 213-225.

—. 2011. "Political apologies by heads of state in diplomatic conflicts: between sincerity and political cynicism". En Sibilla Cantarina y Franz Hundsnurscher (eds.), *Dialogue. Studies in memory of Sorin Stati.* Muenchen: LINCOM EUROPA.

BOLÍVAR, Adriana; ERLICH, Frances, y CHUMACEIRO, Irma. 2003. "Divergencia, confrontación y atenuación en el diálogo político". *Revista Iberoamericana de Discurso y Sociedad,* 4 (3): 121-151.

BOLÍVAR, Adriana; BEKE, Rebecca, y SHIRO, Martha. 2010. "Las marcas lingüísticas del posicionamiento en las disciplinas: estructuras, voces y perspectivas discursivas". En Giovanni Parodi (ed.), *Alfabetización académica y profesional en el siglo XXI: leer y escribir desde las disciplinas.* Santiago de Chile: Planeta, pp. 95-126.

BRENT, Doug. 1994. "Writing classes, writing genres, and writing textbooks". *Textual Studies in Canada,* 4: 5-15. Disponible en <http://people.ucalgary. ca/~dabrent/art/genre.htm>.

CHARAUDEAU, Patrick. [1997] 2003. *El discurso de la información. La construcción del espejo social.* Barcelona: Gedisa.

—. 2004. "La problemática de los géneros. De la situación a la construcción textual". *Revista Signos,* 37 (56): 23-39.

—. 2005. *Discours politique. Les masques du pouvoir*. Paris: Vuibert.

CHIAPPE, Giuliana. 2006. "Diplomacia de choque". *El Universal*, 20-XI-2006, sección Expediente, p. 1.

CHILTON, Paul y SCHÄFFNER, Christina. 2000. "Discurso y política". En Teun A. van Dijk (comp.), *El discurso como interacción social. Estudios sobre el discurso II. Una introducción miultidisciplinaria*. Barcelona: Gedisa, pp. 297-329.

—. 2002. *Political discourse as text and talk. Analytic approaches to political discourse*. Amsterdam/Philadelphia: John Benjamins.

CHRISTIE, Frances. 1998. "Science and apprenticeship. The pedagogic discourse". En James R. Martin y Robert Veel (eds.), *Reading science. Critical and functional perspectives of discourse of science*. London: Routledge, pp. 152-180.

—. 2005. "Curriculum macrogenres as forms of initiation into a culture". En Frances Christie y James R. Martin, *Genre and institutions. Social processes in the workplace and school*. London/New York: Continuum, pp. 134-160.

CHRISTIE, Frances y MARTIN, James R. 2005. *Genre and institutions. Social processes in the workplace and school*. London/New York: Continuum.

CHUMACEIRO, Irma (2004). "Las metáforas políticas en el discurso de dos líderes venezolanos: Hugo Chávez y Enrique Mendoza". *Revista Latinoamericana de Estudios del discurso*, 4 (2): 91-113.

DEVITT, Amy J. 1991. "Intertextuality in tax accounting: generic, referential and functional". En Charles Bazerman y James Paradise (eds.), *Textual dynamics of the professions*. Madison: University o Wisconsin Press, pp. 337-357.

EGGINS, Suzanne. 1994. *An introduction to systemic functional linguistics*. London: Pinter.

ERLICH, Frances D. 2007. "La retórica argumentativa del discurso político: análisis de textos orales y escritos". En Adriana Bolívar (comp.), *Análisis del discurso. Por qué y para qué*. Caracas: Los Libros de El Nacional, pp. 227-246.

GOFFMAN, Erving. 1974. *Frame analysis*. New York: Harper & Row.

HOEY, Michael. 1986. "The discourse colony: a preliminary study of a neglected discourse type". En Malcolm Coulthard (ed.), *Talking about text: Studies presented to David Brazil on his retirement. Discourse Analysis Monograph*, 14. Birmingham: University of Birmingham.

IEDEMA, Rick. 1999. "Formalising organizational meaning". *Discourse & Society*, 10 (1): 49-65.

FAIRCLOUGH, Norman. 1992. *Discourse and social change*. Cambridge: Polity Press.

—. 2003. *Analysing discourse. Textual analysis for social research*. London/New York: Routledge.

KAPLAN, Nora. 2007. "La construcción discursiva del evento conflictivo en las noticias por televisión". Tesis doctoral inédita. Caracas: Universidad Central de Venezuela.

—. 2009. "Héroes, villanos y víctimas. La construcción discursiva de personajes en las noticias televisivas sobre eventos conflictivos". En Martha Shiro, Paola Bentivoglio y Frances D. Erlich (eds.), *Haciendo discurso. Homenaje a Adriana Bolívar.* Caracas: Universidad Central de Venezuela, pp. 453-468.

LEE, David Y. W. 2001. "Genre, register, text types, domains, and styles: clarifying the concepts and navigating a path through the BNC jungle". *Language Learning and Technology,* 5 (3): 37-72.

MARTIN, James R. 1994. "Macro-genres: the ecology of the page". *Network,* 21: 29-52.

—. 1997. "Analysing genre: functional parameters". En Frances Christie y James R. Martin (eds.), *Genre and institutions.* London: Continuum, pp. 3-39.

MAYES, Patricia. 2004. "Genre as a locus of social structure and cultural ideology. A comparison of Japanese and American cooking classes". En Carol Lynn Moder y Aida Martinovic-Zic (eds.), *Discourse across languages and cultures.* Amsterdam: John Benjamins, pp. 177-194.

—. 2005. "Linking micro and macro social structure through genre analysis". *Research on Language & Social Interaction,* 38 (3): 331-370.

MILLER, Carolyn R. 1984. "Genre as social action". *Quarterly Journal of Speech,* 70: 151-167.

MOLERO DE CABEZA, Lourdes. 2009. "La metáfora en el discurso político venezolano". En Martha Shiro, Paola Bentivoglio y Frances D. Erlich (eds.), *Haciendo discurso. Homenaje a Adriana Bolívar.* Caracas: Universidad Central de Venezuela.

MOLERO DE CABEZA, Lourdes y CABEZA, Julián. 2007. "El enfoque semántico-pragmático en el análisis del discurso: teoría, método y práctica". En Adriana Bolívar (comp.), *Análisis del discurso. Por qué y para qué.* Caracas: Los Libros de El Nacional, pp. 201-226.

MONTERO, M. 2003. "Retórica amenazante y crisis de gobernabilidad en Venezuela 2002". *Revista Iberoamericana de Discurso y Sociedad,* 4 (3): 37-56.

MONTERO, Maritza y RODRÍGUEZ-MORA, Isabel. 1998. "Discourse as a stage for political actors: an analysis of Presidential addresses in Argentina, Brazil and Venezuela". En Ofer Feldman y Christ'l de Landtsheer (eds.), *Politically speaking. A worldwide examination of language used in the public sphere.* London: Praeger, pp. 91-105.

MUNTIGL, Peter 2004. *Narrative counseling: social and linguistic processes of change.* Amsterdam: John Benjamins.

PARODI, Giovanni. 2008. *Géneros académicos y géneros profesionales: accesos discursivos para saber y hacer.* Valparaíso: Ediciones Universitarias de Valparaíso-Pontificia Universidad Católica de Valparaíso.

POSSENTI, Sírio. 2008. "Um percurso: o caso 'por qué no te callas?'". *Revista Latinoamericana de Estudios del discurso* (ALED), 8 (1): 109-117.

RÄISÄNEN, Christine. 1999. *The conference forum as a system of genres.* Gothenburg, Sweden: Acta Universitatis Gothoburguensis.

SWALES, John. 2004. *Research genres. Explorations and applications.* Cambridge: Cambridge University Press.

SWALES, John; JACOBSEN, Henriette; KEJSER, Christina; KOCH, Lena; LYNCH, James, y MØLBECK, Lone. 2000. "A new link in a chain of genres?" *Hermes. Journal of Linguistics,* 25: 133-141.

VAN DIJK, Teun. A. 2005. "Contextual knowledge management in discourse production. A CDA perspective". En Ruth Wodak y Paul Chilton (eds.), *A new agenda in (critical) discourse analysis.* Amsterdam: John Benjamins, pp. 71-100.

—. 2009. *Discurso y poder.* Barcelona: Gedisa.

EL DESARROLLO DE LOS GÉNEROS EN EL HABLA INFANTIL: EL CASO DE LA NARRACIÓN

Martha Shiro
Universidad Central de Venezuela

1. Introducción

En el fascinante proceso mediante el cual los niños se convierten en hablantes diestros de la comunidad a la que pertenecen, se combinan una multiplicidad de factores de diversa índole que tienen un impacto en el desarrollo de las habilidades lingüísticas. Las investigaciones que se ocupan de entender la complejidad del proceso se concentran necesariamente en un número limitado de aspectos: algunos innatos, otros adquiridos, algunos formales, otros funcionales, algunos biológicos, otros cognitivos o socioculturales. Pero todos los estudios buscan explicar cómo un infante, que no habla al nacer, se convierte muy rápidamente en un pequeño hablante que puede comunicarse exitosamente con las personas en su entorno y, luego, en un joven hablante que es capaz de asumir activamente varios roles en la sociedad en la que se desenvuelve y usa el lenguaje apropiado para ello.

Toda situación de comunicación se define a partir de su finalidad y de la relación que se establece entre los sujetos que participan en el acto comunicativo (Charaudeau, 2006). Desde esta perspectiva, estudiar el desarrollo del lenguaje infantil implica entender cómo los niños adaptan sus enunciados al contexto y al interlocutor y, para ello, es necesario examinar los procesos vinculados a la identificación y producción temprana de los géneros discursivos.

El discurso narrativo es un tipo de discurso cuyos rasgos lo distinguen de los otros géneros, por lo que es fácilmente reconocido por los participantes en la interacción. Asimismo, su uso extensivo implica que los hablantes producen narraciones en prácticamente todas las situaciones comunicativas.

Innumerables son los relatos existentes. Hay, en primer lugar, una variedad prodigiosa de géneros, ellos mismos distribuidos entre sustancias diferentes como si toda materia le fuera buena al hombre para confiarle sus relatos: el relato puede ser soportado por el lenguaje articulado, oral o escrito, por la imagen, fija o móvil, por el gesto y por la combinación ordenada de todas estas sustancias; está presente en el mito, la leyenda, la fábula, el cuento, la novela, la epopeya, la historia, la tragedia, el drama, la comedia, la pantomima, el cuadro pintado (piénsese en la *Santa Úrsula* de Carpaccio), el vitral, el cine, las tiras cómicas, las noticias policiales, la conversación. Además, en estas formas casi infinitas, el relato está presente en todos los tiempos, en todos los lugares, en todas las sociedades; el relato comienza con la historia misma de la humanidad; no hay ni ha habido jamás en parte alguna un pueblo sin relatos (Barthes, 1977: 65).

En este capítulo, se caracterizará el discurso narrativo oral en función de algunos de sus rasgos distintivos y se hará mención de los procesos evolutivos más relevantes que atraviesan los niños hasta alcanzar las habilidades que permiten un dominio adulto de la narración oral. Se profundizará en el análisis de los rasgos centrales del discurso narrativo, como la organización discursiva que la caracteriza y los múltiples aspectos del lenguaje evaluativo para imprimirle subjetividad y permitir la construcción de una perspectiva narrativa claramente identificable. También se reflexionará acerca de los distintos tipos de narración oral que los hablantes producen en la vida cotidiana y las características lingüísticas y discursivas que los distinguen.

2. La narración como género discursivo

Cualquier interacción verbal requiere del uso apropiado de los géneros discursivos (Bakhtin, 1986). Los hablantes usan diferentes géneros discursivos bien sea en forma oral o escrita, dependiendo de la función social que le asignen a la interacción en la que participan, de modo que la selección del género depende de una combinación de factores contextuales y pragmáticos.

In effect, genres are socially invented linguistic spaces that encourage different forms of human exchange, varying in the roles they suggest for speaker and listener, the amount of revelation they permit or forbid, and the way they open up or limit the range and intensity of emotion and/or intimacy carried by the act of narrating (Wolf *et al.*, 1994: 291).[1]

---

[1] "En efecto, los géneros son espacios lingüísticos creados socialmente que fomentan diferentes formas de intercambio humano; esas formas varían de acuerdo con los roles asigna-

El género determina cuál es la organización textual requerida, qué tema es apropiado, qué selecciones léxicas y gramaticales son aceptables. Además, el contexto situacional limita el tipo de discurso que puede ser utilizado. Así, las características de los géneros reflejan las formas en las que el uso de un texto es apropiado para el contexto situacional donde se enmarca. Igualmente, el examen de los rasgos específicos del género nos permite revelar la forma en que los interlocutores ajustan su habla a las limitaciones contextuales.

El concepto de género se ha manejado desde los escritos sobre retórica y poética de Aristóteles y ha sido objeto de estudio en diversas disciplinas como la literatura, el folklore y el cine, pese a que no es fácil de definir. En las últimas décadas, ha sido utilizado en el campo de la enseñanza de lenguas (como, por ejemplo, en el área del Inglés con Fines Específicos, Swales, 1990) y de la enseñanza de la escritura (en la lengua materna, Snow *et al.*, 1998, y en una segunda lengua, The British Council, 1980). En estas prácticas didácticas, se ha enfocado el problema del género desde la perspectiva del aprendiz, vale decir que se ha emprendido la tarea de describir los usos apropiados de los rasgos genéricos, con el fin de mejorar la producción escrita. Esta perspectiva es interesante, puesto que permite entender cómo los hablantes llegan a dominar ciertos géneros discursivos y los diferentes grados de dominio que alcanzan.

Las narraciones parecen formar una categoría compleja, en cuyo marco pueden identificarse múltiples géneros narrativos con diversos propósitos comunicativos (Heath, 1986; Hicks, 1988). Lo que es importante resaltar es que su análisis debe centrarse en las convenciones que surgen de los eventos comunicativos en los que participan los hablantes, puesto que son estas convenciones las que determinan la selección del tema, la organización retórica, las decisiones léxicas y sintácticas de la producción textual. Los géneros desempeñan también un papel importante en la comprensión de textos en el marco de los eventos comunicativos. Se sabe que el reconocimiento del género es necesario para la comprensión textual y la mayor exposición a textos de un cierto género facilita el reconocimiento del mismo (Shiro, 1994, 2004). De igual manera, el dominio de un mayor número de géneros discursivos facilita el acceso de los hablantes a varios grupos sociales y comunidades discursivas, quienes, al apoderarse de los diversos usos discursivos, logran ampliar el rango de acción y pueden desarrollar más exitosamente sus potenciales.[2]

----

dos al hablante y al oyente, de acuerdo con la cantidad de información que revelan o encubren, y de acuerdo con la forma en que amplían o limitan el espectro y la intensidad de la emoción y/o intimidad implícita en el acto de narrar" (la traducción es mía).

[2]   A través del estudio del uso de los géneros se pueden explicar múltiples fenómenos vinculados con los usos de la lengua. Este enfoque es muy útil también para entender la relación

Bakhtin (1986) describe el género como una "forma estable" que abarca todos los enunciados y señala que, cada vez que se produce un enunciado, éste pertenece a un género determinado:

> We speak in definite speech genres, that is, all our utterances have definite and relatively stable typical *forms of construction of the whole* (Bakhtin, 1986: 78).[3]

Desde este punto de vista, los hablantes pueden utilizar múltiples géneros sin estar conscientes de la existencia de los mismos o del hecho de que usan un género en contraposición a los demás géneros. Bakhtin (1986: 62) distingue entre géneros primarios y secundarios: los géneros primarios corresponden a discursos usualmente orales que conducen a la comunicación "simple", cotidiana; los géneros secundarios, que en su mayor parte son escritos, corresponden a una comunicación cultural más compleja y con un alto grado de desarrollo y organización. La distinción entre géneros primarios y secundarios conduce a la interesante pregunta de cómo se relacionan entre sí los géneros discursivos en general y los tipos de narración, en particular. Las narraciones pueden pertenecer tanto a los géneros primarios como a los secundarios, ya que ellas se pueden dar en todos los eventos comunicativos: desde las narraciones orales cotidianas hasta las obras literarias valoradas culturalmente como expresiones artísticas del más alto nivel. Así, mediante el estudio del desarrollo narrativo, es posible revelar los vínculos existentes entre los géneros primarios y secundarios.[4]

Las tipologías rara vez se basan en una sola clase de criterios. No obstante, la decisión de clasificar un texto en una cierta forma depende del criterio utilizado. Para que un texto sea reconocido como una narración, se requiere la presencia de conexiones temporales que señalen la secuencia de eventos (un rasgo textual interno). Ciertamente, un texto narrativo podría usarse para persuadir, lo que lo

---

entre lengua y poder. El acceso a un determinado género discursivo se tiene sólo si se es miembro de la comunidad de habla correspondiente. De este modo, el individuo que pertenece a un mayor número de comunidades de habla (por ejemplo, el grupo familiar, uno o varios grupos sociales, profesionales, técnicos, políticos, científicos, deportivos, literarios, etc.) podrá manejar los géneros discursivos requeridos para intercambiar en o entre los diferentes grupos (Shiro, 2004).

[3]   "Nosotros hablamos en géneros de habla definidos, es decir, todos nuestros enunciados tienen formas típicas de construcción de la totalidad que son relativamente estables" (la traducción es mía).

[4]   Es interesante destacar que las narraciones pueden formar parte de un discurso que pertenece a otro género o ser usadas con propósitos comunicativos diferentes, por lo que pueden constituirse en discurso argumentativo, descriptivo, etc.

convertiría en un discurso argumentativo (un uso "secundario" o "indirecto" del texto, en términos de Virtanen, 1992). Virtanen argumenta de manera muy convincente que el discurso narrativo es un discurso básico, diferente a los demás, puesto que ningún otro tipo de texto (descriptivo, argumentativo, instructivo o expositivo) puede usarse con una función narrativa, pero las narraciones pueden usarse para otras funciones discursivas en un nivel secundario.

Son muchos los trabajos que se concentran en el estudio del discurso narrativo y su número aumenta con el paso del tiempo, lo que parece implicar que el tema no ha disminuido su atractivo o su relevancia en la actualidad. Los enfoques que se adoptan para el estudio de las narraciones también se multiplican de manera acelerada y dependen de la disciplina desde la cual se aborda el análisis: la lingüística y los estudios del discurso (Calsamiglia 1999), la psicología (Miller *et al.*, 1990; Miller *et al.*, 1992), la psicología cognitiva (Stein y Glenn, 1979), la psicología discursiva (Edwards y Potter, 1992), la sociolingüística (Labov y Waletzky, 1972), estudios etnográficos y culturales (Heath, 1983; Blum-Kulka, 1993), el discurso legal (Carranza, 2007), la historia (White, 1981), etc. No cabe duda de que el estudio de las narraciones ocupa un lugar preferencial en los ámbitos académicos y científicos, que se esfuerzan en comprender la complejidad de las características psicológicas, cognitivas, socio-culturales de los hablantes y los diversos vínculos que se establecen entre ellos.

Es evidente, entonces, que en las tipologías de géneros discursivos se suele ubicar a la narración en un grupo aparte, por tener características particulares que la distinguen de los demás géneros y por la frecuencia con la cual ocurre tanto en la interacción diaria como en los intercambios más formales, académicos, profesionales, literarios, entre otros. Hemos visto que las narraciones se usan primordialmente para transmitir nuestras experiencias, de una manera coherente, desde una perspectiva cognitiva y afectiva (Blum-Kulka, 1993). Una de las características fundamentales de las narraciones consiste en que se organizan alrededor de un eje temporal en el que se ubican los acontecimientos. De esta manera el hablante logra distanciarse del "aquí y el ahora", del momento de la enunciación (el mundo del narrador) en el que están inmersos los interlocutores, para sustraerlos al "allá y el entonces" del mundo narrado. Para ello, el hablante debe adaptarse necesariamente a ciertas condiciones de producción. En la interacción oral, los turnos se intercambian rápidamente entre los interlocutores, razón por la cual el narrador necesita tomar un turno más largo para desarrollar a cabalidad la estructura de su relato (orientación, complicación, punto culminante, desenlace, Labov, 1972). Es por eso por lo que, cuando el hablante se dispone a narrar una historia, tiene que negociar con sus interlocutores la toma de turno, de modo que pueda mantener en todo momento la atención y el interés de sus oyentes y logre así finalizar el relato. De igual manera, el narrador debe establecer una transición y vinculación apropiadas entre el mundo narrado y el del narrador, para facilitar la comprensión de lo relatado y la relación con el "aquí y el ahora". Independientemente de la distancia que existe entre ambos mundos (narrado y del narrador) y la pretensión de "realidad" o "ficción" del primero, los relatos reportan, construyen, organizan, expresan, reflejan nuestras experiencias, lo cual explica la alta frecuencia de este género discursivo en todo tipo de contexto comunicativo.[5]

3. El desarrollo de las habilidades narrativas

La presencia prolífica de las narraciones en los intercambios comunicativos ha dado pie a la hipótesis de que este género discursivo constituye un tipo básico de texto. Pese a que la posición que se adopta frente a esta hipótesis incide, sobre todo, en la visión acerca del lugar (privilegiado o no) que tienen las narraciones en el desarrollo discursivo infantil, el debate acerca de la primacía del discurso narrativo no ha concluido todavía. Algunos especialistas piensan que las narraciones son una forma primaria de discurso que da origen a otras formas discursivas. Bruner (1990: 45), por ejemplo, señala que existe cierta "disposición humana para organizar la experiencia en forma narrativa" y asigna a los géneros narrativos un papel fundamental en la construcción del significado. Este autor (Bruner, 1986: 12-13) también sugiere que existen (sólo) dos maneras de aprehender el mundo: un modo paradigmático (lógico-científico) y un modo narrativo:

> One [the paradigmatic mode] leads to a search for universal truth conditions, the other [the narrative mode] for likely particular connections between two events – mortal grief, suicide, foul play (Bruner, 1986: 12-13).[6]

Este planteamiento se refuerza con la idea de que la experiencia humana, las vivencias, los recuerdos se expresan por medio del discurso narrativo, eminen-

---

[5]   Dado que la narración es el vehículo primordial del que disponen los hablantes para poder transmitir a otros una cadena de acontecimientos experimentados en el pasado, las narraciones de experiencia personal son muy frecuentes en todo tipo de interacción (oral y escrita). Asimismo, la historia, tanto oral como escrita, adopta las formas del discurso narrativo, así como el reportaje de noticias de actualidad en los medios de comunicación.

[6]   "Uno [el modo paradigmático] conduce a la búsqueda de las condiciones universales de la verdad, el otro [el modo narrativo], a la búsqueda de conexiones particulares entre dos eventos —dolor mortal, suicidio, juego sucio—" (la traducción es mía).

temente verbal, pero a la vez multimodal (por ejemplo, una película en el cine hace uso de la palabra oral y también escrita, de las imágenes y de los sonidos). Debido a los avances tecnológicos que permiten almacenar y diferir comunicaciones audiovisuales de distinto tipo, es posible tener acceso a narraciones por múltiples canales (oral, escrito, digital, audiovisual, etc.) y examinar sus diferentes facetas.

Otros autores (Beals y Snow, 1994), en cambio, argumentan que las narraciones no son el tipo discursivo más frecuente que los niños en edad preescolar producen en las interacciones diarias y, por lo tanto, no es el primer género discursivo que se aprende. Está bien documentado en los estudios que se ocupan del desarrollo del lenguaje infantil que el primer tipo de interacción en el que participan los niños es el de la conversación, en cuyo marco se origina un gran número de habilidades lingüísticas, discursivas y comunicativas (Ninio y Snow, 1996). En este sentido, muchos investigadores dan cuenta de cómo se co-construyen diferentes géneros discursivos, incluyendo las narraciones tempranas, con la ayuda del andamiaje del adulto que participa en la interacción con el niño (Fivush *et al.*, 2006; Ochs y Capps, 2001).

La discusión en el campo de la investigación del desarrollo infantil está centrada, además de en la secuencia en que los niños comienzan a producir los géneros discursivos, en el problema de describir el camino seguido por el desarrollo del discurso narrativo. Suponiendo que las diferentes manifestaciones de este género discursivo[7] se desarrollan siguiendo cierta secuencia, ¿cuál es el tipo de narración que se desarrolla primero? Algunos investigadores (Nelson, 1986; Eisenberg, 1985) señalan que al principio el niño tiene una representación general de los eventos. Por consiguiente, las primeras producciones narrativas corresponden a un guión *(script),* una forma de narración sobre eventos que suelen ocurrir o eventos que suceden más de una vez (por ejemplo, los cumpleaños, las fiestas, ir al médico). Después, el niño desarrolla habilidades para hablar sobre eventos que ocurrieron una sola vez en forma de narraciones de experiencia personal.

Miller y Sperry (1988), en cambio, creen que las habilidades para hablar sobre los eventos pasados (es decir, narraciones de experiencia personal) se desarrollan muy temprano, ya que cumplen una función comunicativa primordial en la interacción del niño con otros. El enfoque adoptado por Hudson y Shapiro (1991: 99) plantea que, a pesar de las diferentes destrezas con que cuenta el niño

---

[7]   En la teoría de los géneros discursivos, habría que definir cómo categorizar la variabilidad de los géneros. En el caso de la narración, se ha encontrado variación entre las narraciones orales y escritas, de ficción y de experiencia personal, entre otros aspectos.

para la producción de guiones y narraciones personales, ambos géneros "emergen en sus formas incipientes aproximadamente al mismo tiempo, pero pueden desarrollarse a ritmos diferentes en la edad preescolar".[8]

Independientemente de la posición que se adopte en este debate, la conclusión que puede derivarse es que los géneros narrativos se desarrollan a un ritmo diferente y siguen caminos diferentes (Allen *et al.,* 1994). Por consiguiente, en los estudios que caracterizan el desarrollo narrativo, es necesario tomar en cuenta esta variabilidad y especificar la manera en que los múltiples factores afectan al desarrollo de la competencia narrativa. Asombra, sin embargo, el escaso número de trabajos que se propone abordar el problema de la especificidad de las habilidades narrativas. Sería deseable determinar si algunas habilidades, más básicas, aparecen primero que otras y si la secuencia en la que aparecen en el habla infantil se relaciona con las dificultades inherentes a las habilidades requeridas para la producción y/o con las exigencias de las situaciones comunicativas en las cuales el niño se desenvuelve.

Si nos limitamos a considerar el desarrollo del género narrativo que, como se ha planteado, es más bien una constelación de géneros, encontramos dos aproximaciones en los estudios sobre el tema. Una define el género de acuerdo con las fuentes de conocimiento que dan origen a la narración. Con este criterio, se determina de qué manera se organiza la experiencia para integrarse en la forma discursiva. Desde esta perspectiva (Hudson y Shapiro, 1991; Allen *et al.*, 1994; Hemphill *et al.*, 1994), se describen tres géneros narrativos: guiones, relatos personales y de ficción. Hudson y Shapiro (1991) comparan los guiones con las narraciones personales y señalan que, en los guiones, la información primordial consta de lo que usualmente sucede, mientras que en las narraciones personales, la información primordial relata lo que ha sucedido una vez y, por lo tanto, reporta acontecimientos que se desvían de lo que usualmente sucede. Los relatos de ficción, a su vez, están caracterizados por una estructura episódica más compleja, donde se destacan el estado interno y las motivaciones de los personajes. Como resultado de ello, los niños parecen tomar más tiempo para desarrollar destrezas necesarias con las que contar historias ficticias. Sin embargo, las autoras admiten que las destrezas narrativas se ven afectadas por el tipo de tarea en que se producen y por otros factores contextuales.

El segundo enfoque distingue el género narrativo desde el punto de vista de la interacción en que se realizan las narraciones (los criterios textuales externos prevalecen en esta clasificación). Por eso, los géneros narrativos propuestos

---

[8] "…emerge in their incipient forms at approximately the same time, but may develop at different rates in the preschool years" (Hudson y Shapiro, 1991: 99).

son transmisiones, relatos, recuentos e historias (*eventcasts, accounts, recasts, stories,* véanse Heath, 1986; Hicks, 1988). Heath (1986) postula estos géneros como cuatro tipos universales de narración, pero admite que su distribución y frecuencia varían significativamente de una cultura a otra. Esta autora define los *recuentos* como la verbalización de la experiencia pasada, usualmente comparti-da con el interlocutor y evocada por él o ella. Las *transmisiones*[9] son "repeticio-nes verbales o explicaciones de escenas de actividad que o bien reciben la aten-ción de quienes participan en el reporte o son planificadas para el futuro" (Heath, 1986: 88).[10] Las transmisiones son generalmente evocadas por una figura de au-toridad (por ejemplo, el padre o el profesor) y no se dan por decisión voluntaria del narrador. Sin embargo, en las muestras de habla de niños muy pequeños se encuentra algo similar cuando, a veces, ellos reportan las actividades a medida que las van realizando (por ejemplo, *subiendo escalera* mientras van subiendo). *Los relatos,* la forma de narración preferida, son producciones narrativas de ex-periencias pasadas que el narrador selecciona (voluntariamente) para compartir con la audiencia. Finalmente, *los cuentos* difieren de los otros tres géneros na-rrativos anteriores porque la audiencia los toma como irreales, puesto que tienen como base la imaginación del narrador.

En lo que respecta a la organización de las narraciones de experiencia perso-nal producidas por niños de diferentes edades, Peterson y McCabe (1983) obser-van diferentes etapas evolutivas:

a) El patrón clásico; es la narración canónica, que contiene todos los componen-tes: los obligatorios (orientación, complicación, punto culminante y resolución) y, a veces, los opcionales (resumen y coda).

b) Final en el punto culminante: incluye las narraciones que parecen truncadas puesto que les falta la resolución.

c) Eventos saltados: son narraciones donde no se pueden encontrar eventos que siguen una secuencia que gradualmente conduce al punto culminante.

d) Patrón cronológico: narraciones que siguen una simple secuencia cronológica de los eventos sin vinculación causal y sin evaluación o punto culminante.

e) Eventos mínimos: narraciones que se concentran en sólo un par de eventos que se repiten, pero que no conducen a un punto culminante.

---

[9]   *Eventcast*, el término usado por Heath, hace referencia a las transmisiones por radio o te-levisión de los comentarios deportistas durante un evento deportivo (partido de béisbol, fútbol, baloncesto, etc.).

[10]   "Eventcasts are verbal replays or explanations of activity scenes that are either in the current attention of those participating in the eventcast or being planned for the future" (Heath, 1986: 88).

vi) Eventos generales: narraciones que no presentan eventos pasados específicos, sino un guión de eventos típicos o generales.

Peterson y McCabe (1983) sugieren que los niños más pequeños siguen el patrón descrito en *f)* y gradualmente van desarrollando sus habilidades hasta que llegan a producir narraciones que siguen la organización canónica presentada en *a)*.

4. El desarrollo narrativo de niños hispanohablantes

Se ha escrito mucho sobre cómo emergen las habilidades narrativas en el habla de niños hispanohablantes. Algunos estudios examinan los procesos de desarrollo en hablantes monolingües del español (Shiro, 2003; Barriga Villanueva, 1992; Mahler, 1997; Uccelli, 2009). Otros estudios son transculturales (Berman y Slobin, 1994; Berman y Verhoeven 2002) y se plantean describir el desarrollo narrativo en varias lenguas (inclusive el español hablado en varias regiones del mundo hispanohablante). Algunos indagan acerca de los procesos evolutivos generales, sin distinguir entre niños bilingües o monolingües en alguna lengua de Iberoamérica (Serra *et al.*, 2000), mientras que otras investigaciones resaltan las particularidades de las destrezas narrativas de niños hispanohablantes, en contraste con hablantes de otras lenguas (McCabe, 1996; McCabe y Bliss, 2003). Finalmente, existen trabajos sobre niños bilingües que muestran cómo afecta al desarrollo de habilidades narrativas cuando los hablantes se manejan en dos lenguas (Bocaz, 1986; Gutiérrez-Clellen *et al.*, 1995; McCabe *et al.*, 2008).

Los estudios coinciden en que, desde muy temprana edad, aparecen fragmentos de relatos (Eisenberg, 1985). Los niños participan en interacciones en las que el adulto (la madre, el/la cuidador/a primario/a) co-construye *(scaffold)* la historia junto con el niño, pero los estilos de la co-construcción varían con el contexto socio-cultural (Caspe y Melzi, 2008). Los estudios que examinan los rasgos del habla que se dirige a los niños *(input)* parecen indicar que los estilos de andamiaje varían tanto según la edad del niño (Solé, 1997) como según el estilo de hablar del adulto. Algunas madres se concentran en relatar la historia junto con sus hijos *(storytelling style),* mientras que otras intentan elaborar el cuento junto con los pequeños, incluyendo información no necesariamente relacionada con la narración en la interacción (*storybuilding style,* Caspe y Melzi, 2008: 19).

La investigación centrada exclusivamente en la producción narrativa de niños hispanohablantes ha profundizado en diferentes aspectos, desde el estudio de unidades menores (léxico, organización de la cláusula) hasta unidades discursivas más globales (organización discursiva, cohesión, temporalidad, relación lógica entre las cláusulas, lenguaje evaluativo). En un proyecto multicultural de grandes proporciones, Berman y Slobin (1994) presentan un análisis exhaustivo de numerosos aspectos del desarrollo de las habilidades narrativas de 48 niños hispanohablantes entre 3 años, 6 meses y 10 años. Estos estudios determinaron que los niños, desde muy pequeños, incluyen cláusulas relativas con diferentes funciones discursivas y narrativas en sus relatos (Dasinger y Tupin, 1994: 476) y que los verbos usados con más frecuencia son los de movimiento (Sebastián y Slobin, 1994: 284). Encuentran también que la mayoría de los niños hispanohablantes de todas las edades producen sus relatos (basados en una secuencia de dibujos o historieta, *Frog where are you?*, Mayer, 1969) en el tiempo presente y no en pasado, como lo hacen los niños angloparlantes. Sin embargo, en un proyecto similar donde se analizaron las producciones de narraciones orales y escritas basadas en un video (Berman y Verhoeven, 2002), los niños, los adolescentes y los adultos hispanohablantes construyeron sus relatos en tiempo pasado (Ragnarsdóttir *et al.*, 2002: 108). Este hallazgo confirma que los niños (igual que los adultos) ajustan su producción discursiva a la percepción que tienen de los rasgos contextuales pertenecientes a la situación comunicativa en la cual están inmersos (Van Dijk, 2009).

En una investigación sobre las formas de codificar la temporalidad en narraciones de niños hispanohablantes en edades comprendidas entre los 2 y 3 años, Uccelli (2009) encontró que los relatos producidos a tan temprana edad en el marco de la conversación con adultos se caracterizan por incluir, de manera cada vez más sistemática, marcadores de localización de los eventos, de relaciones temporales y de significados aspectuales. De la misma manera, las líneas temporales emergen con mayor claridad en las narraciones de estructura sencilla (que incluyen pocos episodios).

Los aspectos de la cohesión narrativa fueron analizados profusamente (Kail y Sánchez, 1997; López Oros y Teberosky, 1998; Barriga Villanueva, 1992) y los resultados sugieren que, entre los 6 y los 9 años, los niños empiezan a introducir las referencias nuevas (especialmente de los personajes más nombrados) con suficiente claridad, usando sintagmas nominales plenos y recurriendo a estrategias apropiadas para orientar al interlocutor. Igualmente, los niños en esas edades ya pueden mantener y reintroducir las referencias haciendo uso del sistema pronominal español.[11]

---

[11] Cabe resaltar que el sistema pronominal en español presenta una dificultad adicional por el hecho de que ofrece dos opciones para la inserción de un pronombre cohesivo en la posición de sujeto: una opción elíptica, es decir, la forma Ø, y una opción presencial, es decir, la forma pronominal apropiada. La alternancia entre la ausencia y la presencia del pronombre en función de sujeto se debe a factores pragmáticos y discursivos (Bentivoglio, 1997).

Estudios sobre las relaciones causales en las narraciones de niños hispano-hablantes (Gutiérrez-Clellen e Iglesias, 1992; Shiro, 1999-2000; Alario, 2001) reportan que, conjuntamente con el desarrollo de otros aspectos estructurales y discursivos, las conexiones causales se van haciendo más complejas, se interconectan secuencias más largas de ideas y se eliminan los elementos que aparentemente no tienen relación con los otros aspectos del discurso narrativo.

Un estudio exploratorio sobre las narraciones de niños venezolanos en edad preescolar (Shiro, 1999-2000) reporta que las destrezas narrativas que evidencian un mayor desarrollo se relacionan con el uso del lenguaje evaluativo, con la estructura discursiva y la complejidad del relato.

5. El peligro de un relato único

Uno de los problemas más complejos que se enfrenta en la descripción de los géneros discursivos y, en mayor medida, en la descripción del desarrollo de los géneros discursivos es el de generalizar los resultados a partir del análisis de las muestras. Por una parte, el objetivo que se persigue es detectar las tendencias generales que pueden extrapolarse a otros textos que forman parte de la misma categoría. Por la otra, se corre el riesgo de ignorar rasgos que sólo caracterizan una parte de los textos o de atribuir características que no están presentes a textos que se clasifican en la misma categoría. Todo esto se vuelve más complicado cuando se trata del lenguaje infantil, debido a que los niños están justamente en el proceso de internalizar las mismas características que tipifican el género discursivo y que el analista intenta detectar en el habla de los adultos, pero que en el discurso infantil se presentan de manera diferente al del adulto.

Los estudiosos del lenguaje infantil, entonces, se concentran en describir y generalizar los rasgos que tipifican el desarrollo de los géneros discursivos, presuponiendo que la producción discursiva de un grupo de niños de cierta edad se puede extrapolar a otros niños de la misma edad y que las diferencias que se encuentran entre dos grupos de edad reflejan una secuencia típica del desarrollo (es decir, que los niños menores van a manejar habilidades muy similares a las observadas en el grupo de más edad).

Cuando se describen los rasgos característicos del acto de narrar de un individuo a partir de un solo relato, probablemente se peca de imprecisión. Se podría alegar que los efectos adversos de tal imprecisión podrían equilibrarse si se suman numerosos relatos únicos de individuos similares. Pero, ¿cómo se puede delimitar esa "similitud"? ¿Deberían ser similares en cuanto a ingresos económicos, edad, sexo, lengua que hablan, lugar que nacieron, nivel de educación, experiencias vividas, temas sobre los que narran y un largo etcetera?

Desde un punto de vista metodológico, es evidente que el tamaño de la muestra analizada afecta a la validez de los resultados. Puede que el análisis de un corpus de grandes dimensiones (que en la actualidad se puede recoger y analizar con mayor facilidad debido a los avances de la tecnología) asegure que los rasgos comunes sean más visibles que los menos comunes, pero ahí se presenta otra dificultad que tiene que ver con la naturaleza de los rasgos. Un análisis automatizado, como el que se requiere en un corpus extenso, precisa predeterminar cuidadosamente los elementos que se van a identificar, puesto que es la única manera posible para registrarlos con ese tipo de análisis. Se pierde, entonces, la opción que ofrece un análisis exhaustivo, cualitativo, mediante el cual el investigador puede identificar rasgos que no han sido especificados con anterioridad. Este balance frágil entre lo cuantioso y lo minucioso, entre lo general y lo particular, hace que la descripción de los géneros discursivos sea tan compleja y dinámica. En el caso de las narraciones, se plantea entonces si es posible incluirlas a todas en un mismo grupo o hacer distinciones entre, por ejemplo, narraciones de ficción y de experiencia personal, orales o escritas, etc.

Si nos trasladamos al ámbito del desarrollo de las habilidades narrativas, nos topamos con que existen diferencias importantes en la producción de varios tipos de relatos en un mismo niño (Shiro, 2003), por lo que no se puede hablar de un único proceso de desarrollo narrativo. Es por ello por lo que se requiere identificar el repertorio de narraciones en cada etapa del desarrollo y ver cómo varía de un contexto sociocultural al otro.

Este tipo de estudio etnográfico no es muy frecuente, puesto que es muy costoso y toma mucho tiempo. En un pequeño grupo de niños angloparlantes, se ha encontrado que la producción narrativa más frecuente en la que los niños participan de manera espontánea es la autobiográfica (Preece, 1987). Ellos narran experiencias pasadas a sus compañeritos o a los adultos. Las narraciones vicarias (relatos de experiencia personal en los que el protagonista no es el narrador) ocupan el segundo lugar en frecuencia, mientras que en tercer lugar están las narraciones de ficción que corresponden a recuentos de películas, sobre todo las transmitidas por televisión.

Tomando en cuenta los tipos de narración más frecuentes (de experiencia personal y de ficción), recogí un corpus de relatos producidos por niños venezolanos (Shiro, 2003, 2007, 2008), comparé diferentes aspectos en el desarrollo de estos tipos de narración y encontré que las habilidades que un mismo niño mostraba variaban según el tipo de relato. Las tareas diseñadas para recoger el corpus emularon, de la manera más 'natural' posible, narraciones de ficción y de experiencia personal. Los rasgos de las narraciones personales y de ficción que se reportan aquí se han derivado del análisis de estos relatos (Shiro, 2000a, 2000b, 2003, 2007, 2008).

Las narraciones de experiencia personal se produjeron como respuesta a una pregunta abierta *(Cuéntame de alguna experiencia donde hayas sentido miedo)*, por una parte, y, por la otra, como respuesta a una breve narración modelada por la entrevistadora. En las dos tareas, ciento trece (113) niños produjeron trescientas noventa y seis (396) narraciones personales, de las cuales doscientas veintinueve (229) fueron seleccionadas para el análisis (110 en la tarea estructurada y 109 en la tarea abierta).

Los niños cubrieron un amplio rango de temas en sus recuentos de experiencias: encuentros aterradores con animales, enfermedades terribles, heridas o accidentes menores. Las heridas constituyeron el tema más frecuente (forman aproximadamente el 50% de las narraciones personales producidas por los niños de la muestra). Otro tema muy común se refería a asaltos o robos, en los que el niño participaba como víctima u observador de los hechos. La selección de los temas refleja las experiencias que llegan a ser memorables para los niños y dignas de ser contadas (es cierto que la selección temática de la muestra no puede reflejar el rango completo de los temas posibles, porque el método utilizado limita la temática de las narraciones). Un análisis temático puede también ayudar a comprender cuáles son los rasgos más destacados de la realidad del niño y cómo éstos están relacionados con la problemática social.

Además de las narraciones de experiencia personal, cada niño produjo dos relatos de ficción en dos tipos de tarea narrativa: abierta y estructurada. En la abierta, el niño respondía a la consigna *cuéntame sobre tu programa o película de televisión favorito,* mientras que en la tarea estructurada se le pedía al niño que recuente un video sin diálogo (*Picnic,* Weston Woods, 1993). En estas dos tareas, ciento trece (113) niños produjeron doscientos veinticinco (225) historias de ficción (113 en la tarea estructurada y 112 en la abierta). El tema en la tarea de ficción estructurada se mantuvo constante, ya que los niños hicieron recuentos de la misma película. En la tarea abierta, ellos escogieron cualquiera de las películas o series televisivas más populares para el momento de la entrevista (*Jumanji, Los Power Rangers, Los Caballeros del Zodíaco,* fueron las películas o series de televisión más veces relatadas).

En lo que sigue, haré una síntesis de los hallazgos basados en el análisis comparativo de estos relatos de ficción y de experiencia personal producidos por niños de entre 6 y 11 años. Para entender qué habilidades se requerían para reconstruir el relato en cada tarea, es necesario examinar cada una de ellas. En las tareas narrativas de ficción, se debía convertir en palabras las historias expresadas en imágenes. En la tarea estructurada, por haberse proyectado la película justo antes de la entrevista, se puede asumir que la narración se produjo con la ayuda de la memoria a corto plazo. Además, lo más probable es que los niños contaran la historia por primera vez, dado que el video *Picnic* (1993) no ha sido distribuido comercialmente, por lo que no se conocía en la población estudiada. En la tarea de ficción abierta, el niño necesitaba recordar las imágenes y los diálogos desde la memoria a largo plazo para relatar una película vista cierto tiempo atrás. Aunque no parezca muy probable, puede haber casos en que un niño ya haya narrado la misma película a otros interlocutores, en alguna ocasión anterior a la entrevista.

En contraste, en la tarea narrativa personal, los niños dependían de su memoria a largo plazo cuando recordaban episodios del pasado. En el caso de las historias personales, la probabilidad de que el niño haya contado el mismo relato en alguna otra ocasión aumenta considerablemente. Ciertas experiencias llegan a ser parte del repertorio familiar y pueden ser contadas en distintas oportunidades. Norrick (1997) señala la importancia de volver a relatar las historias familiares para fomentar las relaciones de grupo, para expresar los valores comunes y ratificar la pertenencia al grupo. Por ello, esas historias relatadas más de una vez son una valiosa fuente para examinar formas aceptables de representar el *yo* y el *otro* en forma narrativa.

Los relatos ficticios no se producen con la misma frecuencia que las narraciones personales en las interacciones espontáneas de los niños. De acuerdo con Preece (1987), de todas las narraciones ficticias, las historias basadas en programas de televisión son las más frecuentes. Parece ser que, aun cuando los niños no cuentan historias ficticias muy frecuentemente, ellos se encuentran expuestos a estas historias, ya que pasan muchas horas diarias frente a un aparato de televisión. Además, existe un vínculo natural entre las historias y los niños, especialmente en contextos donde contar cuentos es una actividad cotidiana. Por ello, narrar relatos de ficción es una actividad muy común en las interacciones adulto-niño. Es también una actividad usada ampliamente en el salón de clases, donde se espera que los niños produzcan narraciones a solicitud del docente, de la misma manera que el cuento se usa con frecuencia en la enseñanza de la lectura y la escritura.

Es importante resaltar que en este estudio se entiende por narración ficticia hacer un recuento de una historia basada en eventos imaginarios. La presentación que hace el niño de la narración ficticia puede estar basada en una fuente escrita, oral o en algún audiovisual como una película o una tira cómica. En este estudio, no se enfocó la habilidad del niño para inventar una historia ficticia, ni para participar en un juego simbólico, en el que el niño atribuye características imaginarias a objetos reales. Vistas de esta forma, las historias ficticias, al igual que las narraciones personales, están vinculadas a algún referente de la vida real. En las narraciones de la experiencia personal, el niño hace referencia a algún episodio autobiográfico. En el relato de la historia ficticia, el niño narra una película que ha sido vista por una amplia audiencia. En ambos casos, la relación entre la narración y el referente es mediada por la interpretación del narrador. Sin embargo, en ambos casos el narrador o la narradora siente la obligación de realizar una representación "fiel" del referente para evitar que se le cuestione acerca de la "veracidad" de las narraciones. Entonces, la diferencia entre las narraciones ficticias y personales no es la verosimilitud con que el niño reporta eventos "reales", sino el grado de desplazamiento entre el mundo del niño y el mundo de lo narrado (Chafe, 1994).

La preocupación del niño por la validez de su narración apareció con más frecuencia en la tarea ficticia. La primera reacción de numerosos niños al desencadenante *Cuéntame tu película favorita* fue advertir que ellos eran incapaces de resumir su película favorita porque no podían recordar su contenido con precisión. Esta actitud nos indica que los niños parecen preocuparse más por reproducir con fidelidad la narración ficticia que los relatos de experiencias personales.

Los supuestos que sirven de base a las narraciones ficticias difieren de los supuestos asociados con las narraciones personales. Por una parte, las narraciones personales están relacionadas con la experiencia propia del niño y, por la otra, se supone que las narraciones ficticias son más distantes, en virtud del hecho mismo de no estar basadas en eventos reales. Como la experiencia se organiza de manera diferente en estos dos géneros narrativos, sus propósitos comunicativos también varían. Las narraciones personales pueden servir al propósito de dar sentido a la experiencia propia, de compartirla con alguien, de ilustrar alguna afirmación general, de entretener a una audiencia. Las historias ficticias pueden tener propósitos comunicativos similares, pero en una forma indirecta. Las narraciones ficticias, donde el mundo narrado, por definición, no sigue los eventos del mundo "real", dan mayor libertad al destinatario para crear la relación entre el mundo narrado y el mundo "real". Los relatos de la vida real también tienen una relación mediada con la realidad; el mundo narrado no puede ser una copia exacta del mundo. No obstante, los narradores construyen sus relatos como un reflejo de la realidad y los destinatarios los aceptan como tales. En las historias ficticias, el destinatario tiene mayor libertad para interpretar el propósito comunicativo y el narrador no se siente tan responsable por las interpretaciones del destinatario.

Asimismo, la frontera entre las narraciones ficticias y personales no siempre está bien definida. Las historias ficticias pueden estar incluidas en narraciones personales, especialmente en las interacciones orales:

> (1) María, 10 años y 9 meses, nivel socioeconómico alto.
> Ent.:   ¿Y cuál [película] es la que recuerdes así que te gustó más últimamente?
> María: Yo vi que mi mamá me dijo: "No, tú te vas a aburrir con esa película. Esa película es muy [...] muy larga y muy [...] muy profunda para ti". Pero que yo la vi en el cine y me gustó bastante.
> Ent.:   ¿Cuál es?

> María: *Il Postino,* con Massimo [...].
> Ent.:   ¿Me la cuentas?

En este ejemplo, María narra una anécdota de su vida antes de entrar a relatar la película y usa su relato para demostrar que la película no era demasiado complicada y que ella la ha comprendido con facilidad. De esta forma, la historia ficticia *Il Postino* está incluida en una narración personal. En este relato de experiencia personal, la niña hace hincapié en que ella ha superado las expectativas de su madre. La narración de la película *Il Postino* está supeditada a este mensaje. Cabe señalar que la inclusión de una narración en otra puede presentar una dificultad adicional cuando el niño organiza su discurso. La posibilidad de combinar géneros narrativos es un reflejo de la complejidad inherente a las producciones discursivas, en general.

El niño, mientras adquiere la habilidad para producir historias de ficción y personales como géneros narrativos, necesita desarrollar aquellas destrezas que le permitirán producir el lenguaje apropiado mediante el cual se pueda crear un mundo narrado de acuerdo con los requerimientos de cada género. La investigación acerca de las habilidades narrativas que permiten distinguir la realidad de la ficción (Aplebee, 1978; O'Reilly Landry *et al.*, 1982) sugiere la existencia de un notable cambio en el desarrollo alrededor de los nueve años, cuando los niños se hacen más sensibles a las violaciones de la realidad social y psicológica en un texto narrativo y al mismo tiempo adquieren conciencia de otros temas relacionados con la factibilidad de las narraciones (O'Reilly Landry *et al.*, 1982: 40). En los relatos de ficción, el niño como narrador, externo al mundo narrado, describe las perspectivas de los personajes, insertos en el mundo narrado, y tiende a contar las historias desde la perspectiva de un narrador omnisciente.

Los análisis de este corpus de narraciones arrojaron que el aspecto más distintivo entre los dos tipos de narración corresponde a los usos del lenguaje evaluativo (Shiro, 2003). Como era de esperarse, tanto en las narraciones de experiencia personal como en las de ficción, las maneras de marcar la secuencia de los eventos son bastante similares, pero en las narraciones de ficción se evalúa más profusamente que en los relatos personales.

En primer lugar, se encontró que los usos del lenguaje evaluativo[12] varían según el tipo de narración, la edad y el estrato socioeconómico del niño.

---

[12]   Siguiendo a Labov (1972), el lenguaje evaluativo se define como las expresiones que no hacen referencia a los 'hechos', a los 'eventos', las que no hacen avanzar la historia en el eje referencial de la secuencia temporal. En este sentido, el lenguaje evaluativo hace referencia a las emociones, las actitudes y a los estados internos, tanto de los personajes como del narrador.

GRÁFICO 1

Distribución del total de las expresiones evaluativas según tipo de narración, edad y nivel socioeconómico (n=113)

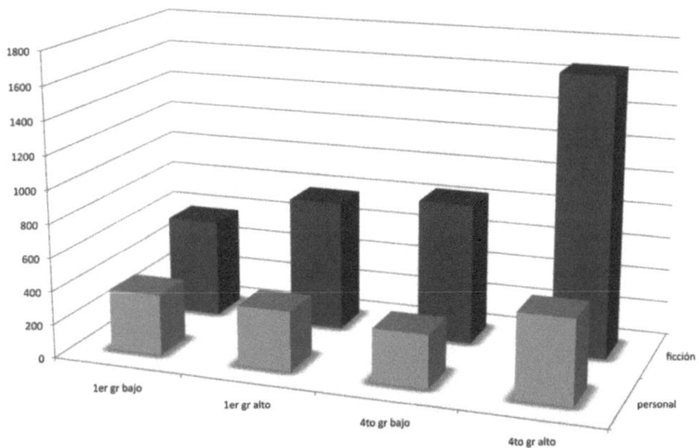

Se observa en el gráfico 1 que todos los niños usaron un mayor número de expresiones evaluativas en las narraciones de ficción. Sin embargo, entre los grupos de edad y los grupos de distinto estrato social se observan diferencias en los usos de los recursos evaluativos. El grupo de niños de 4.º grado de nivel alto se destaca con respecto a los demás grupos, puesto que la frecuencia de recursos evaluativos en sus narraciones de ficción es cuatro veces mayor que en las narraciones personales de los mismos niños. Asimismo, los grupos de nivel alto usan más del doble de expresiones evaluativas que sus pares de nivel bajo (con una diferencia más marcada en los relatos de ficción). Por tanto, las diferencias más notables, tanto desde el punto de vista evolutivo como desde la perspectiva del nivel socioeconómico de los narradores, se encuentran en los usos evaluativos en los relatos de ficción.

Hemos visto que el lenguaje evaluativo se usa para reflejar las actitudes, las emociones y los estados internos. De esta manera, se hace una distinción entre si se trata de las perspectiva del narrador o de algún personaje. Es evidente que en los relatos de experiencia personal se representan las perspectivas de los personajes que participan en la anécdota relatada y se podría suponer que la tendencia sería que la perspectiva que se reporta con mayor frecuencia sería la del narrador, quien suele ser el personaje principal en esas narraciones, particularmente en las no vicarias. Sin embargo, un análisis exhaustivo de las narraciones personales muestra que abundan los usos del lenguaje evaluativo para reportar la perspectiva de los personajes.

GRÁFICO 2

Lenguaje evaluativo en primera y tercera persona en narraciones personales

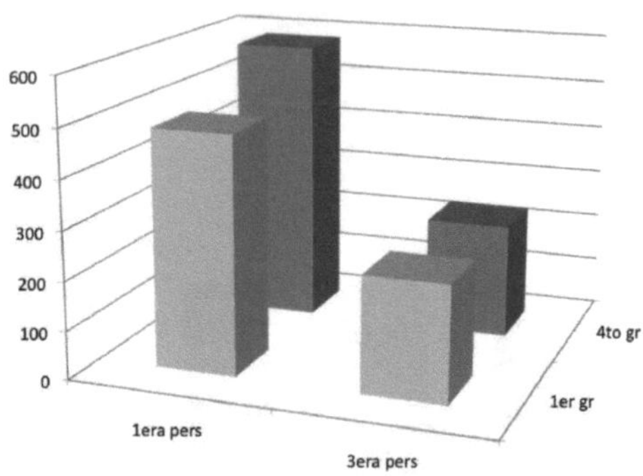

Como se puede apreciar en el gráfico 2, en las narraciones personales de los niños más pequeños, los usos evaluativos en primera persona son más frecuentes que los de tercera persona. Esa tendencia aumenta con la edad, pero la presencia de usos evaluativos en tercera persona hace pensar que mientras los niños están desarrollando sus habilidades narrativas, combinan las voces del "yo" y de los otros personajes en sus relatos de experiencia personal (Shiro, 2000a).

De manera similar, en los relatos de ficción, los niños introducen recursos evaluativos desde la perspectiva del narrador, marcando así la perspectiva de un *yo* junto a la de los personajes.

GRÁFICO 3

Recursos evaluativos en primera y tercera persona en relatos de ficción

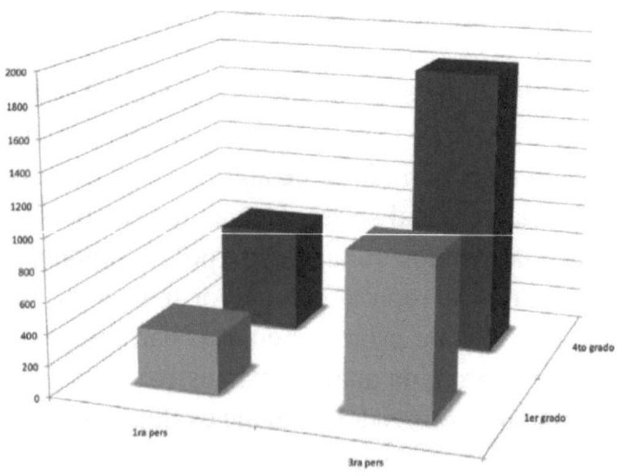

Se observa que, pese al número reducido de evaluaciones en primera persona (en comparación con las de tercera persona), las referencias a la voz del "yo" (como las que reflejan las voces de los otros) aumentan considerablemente en los relatos de ficción de niños de 4.° grado.

Otro aspecto que resultó relevante para contrastar las habilidades narrativas en desarrollo es la representación del habla en el discurso (Shiro, 2007, 2008). Se entiende por representación del habla, discurso reportado o metadiscurso la posibilidad de usar el lenguaje para hablar del lenguaje mismo, es decir, su función reflexiva (Banfield, 1982; Bakhtin, 1986; Goffman, 1974; Lucy, 1993; Shiro, 2007). Es un recurso evaluativo que se usa en abundancia en la narración. Como consta de dos partes, el verbo de reporte que introduce lo reportado y el reporte en sí, el discurso reportado sirve para identificar las voces en la narración (si pertenece a alguno de los personajes o al narrador) y se usa como un marcador del distanciamiento del hablante con respecto al mundo narrado. En este sentido, el verbo de reporte es un buen indicador de la actitud que el hablante asume frente a lo reportado, mientras que lo reportado refleja las actitudes asignadas a los personajes cuya habla se reporta. Por ejemplo:

> (2) y todos *hablando,* todos *gritando* "ven para acá"... y el ratoncito *pensando* "ay, si ésa es mi familia" (Alina, 10 años, nivel bajo).

En este ejemplo, encontramos dos casos de reporte directo (que supuestamente reproduce las palabras dichas[13]) y corresponden a las frases entre comillas. El primer caso se introduce por dos verbos de reporte *(hablando* y *gritando),* mientras que el segundo es antecedido por el verbo *pensar,* lo que implica que es posible reportar tanto lo dicho como lo no dicho (es decir, lo pensado) en un relato, sin preocuparse demasiado de cómo el narrador (omnisciente en este caso) pudo tener acceso al pensamiento del ratoncito. La niña, Alina, usa este recurso evaluativo para indicar, con el primer reporte, el entusiasmo de "todos" y, con el segundo, la reacción afectiva del ratoncito al llamado de su familia. Adicionalmente, se marca con claridad la perspectiva desde la cual se hace la evaluación: en el primer caso, se trata de un "todos" o "ellos" generalizado, mientras que en el segundo, del ratoncito (cabe señalar que, en todo esto, hay un "yo" implícito del narrador, distanciado del "todos = ellos" y del "ratoncito = él"). Es así como se van entretejiendo las voces en las narraciones.

---

[13]   Es importante señalar que este relato se basa en un video sin palabras, por lo que las palabras reportadas no corresponden a un diálogo que tuvo lugar en la película. Parece ser que el discurso directo (o indirecto) no necesariamente pretende reproducir lo dicho.

La manera de representar el habla en las narraciones infantiles es un asunto de interés por varias razones. En primer lugar, refleja habilidades sintácticas, puesto que se requiere combinar el discurso reportado con alguna construcción sintáctica que la introduce (generalmente, verbos de reporte del tipo *decir*). En segundo lugar, refleja habilidades pragmáticas, sobre todo el manejo de la deixis, puesto que dependiendo del tipo de reporte (si es directo o indirecto) las referencias deícticas de la construcción cambian, como en (3a) y (3b):

(3a) María dijo: "Yo no te ayudo más".
(3b) María dijo que ella no le ayudaría más.

Por último, el uso adecuado del discurso reportado refleja habilidades discursivas, dado que la inserción del reporte implica una intención de evaluación de los eventos por parte del narrador (véanse Labov, 1972; Shiro, 1997, 2001, 2002).

Los niños caraqueños en edad escolar usan abundantes reportes en las narraciones personales, y la frecuencia de éstos aumenta considerablemente con la edad. Los reportes que los niños insertan en sus narraciones se pueden agrupar en cuatro categorías: reportes directos (3a), indirectos (3b), libres y onomatopeyas. Los reportes libres son aquellos que reportan el propósito comunicativo, pero no el enunciado supuestamente pronunciado:

(3c) María lo contó todo. Juan la regañó.

En ambas oraciones en (3c) se hace referencia a un acto comunicativo *(contar, regañar),* pero no se especifica su contenido.

El último grupo de reporte incluye los ruidos, sonidos, gritos que los niños insertan de manera tan característica en las narraciones, como en (3d).

(3d). Y se cayó "pum".

El gráfico 4 muestra cómo todos los tipos de reporte (excepto el libre, que permanece más o menos igual) aumentan la frecuencia en las narraciones personales de los niños mayores.

Esta tendencia indica que los niños están desarrollando todavía, entre los 6 y los 11 años de edad, las habilidades relacionadas con la representación del habla en las narraciones personales. Los hallazgos sugieren que la habilidad de representar el habla no se ve afectada solamente por la edad. Cambia también según el sexo y el nivel socioeconómico del narrador. En este sentido, hemos podido determinar (Shiro, 2004) que los niños, más que las niñas, reportan el habla de los personajes de la narración, como se observa en el gráfico 5.

GRÁFICO 4
Los tipos de reporte de habla en las narraciones personales

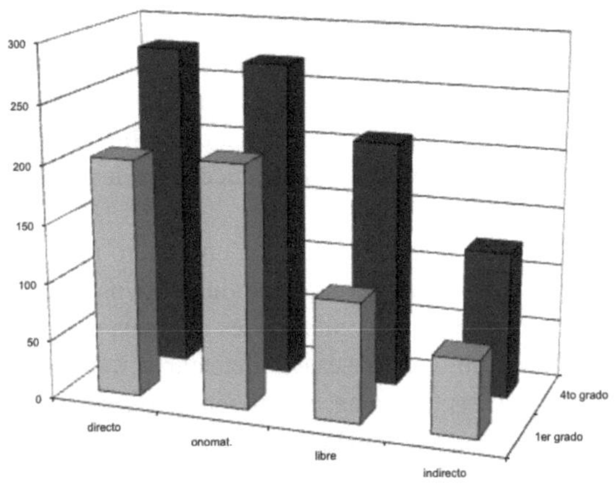

GRÁFICO 5
Los tipos de reporte en las narraciones personales según el sexo del hablante

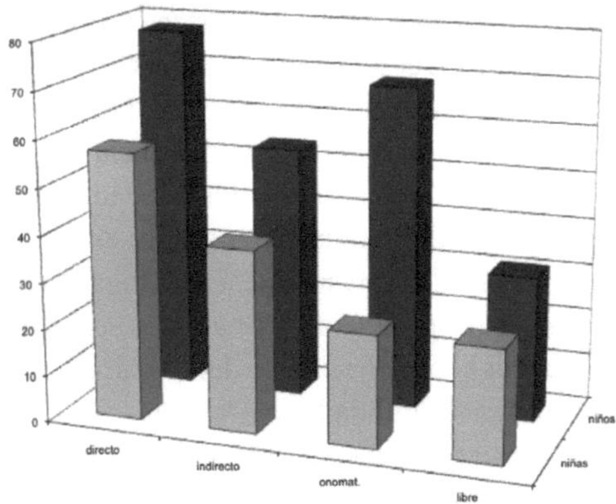

Se observa en el gráfico 5 que los niños insertan un mayor número de reportes en las narraciones personales, pero la diferencia más grande se aprecia en las onomatopeyas: las onomatopeyas en las narraciones de los niños son tres veces más frecuentes que las de las niñas. Esta diversidad en atribuir voces a los personajes de las narraciones personales indica que los niños están aprendiendo a usar este recurso como estrategia discursiva.

6. Conclusiones

¿Qué nos dicen todos estos rasgos acerca del desarrollo de las habilidades narrativas y de la caracterización del género narrativo?

En primer lugar, se puede concluir que, para caracterizar un género discursivo, no es suficiente determinar la presencia de ciertos rasgos textuales. Es necesario indagar acerca de la función discursiva de dichos rasgos y examinar si éstos caracterizan la gran mayoría de las producciones de dicho género (en este caso, del discurso narrativo).

En segundo término, la caracterización de un género requiere que se determinen los contextos, es decir, los eventos comunicativos en los cuales se usa. Asimismo, se debe esclarecer qué comunidades de habla usan ese género y con cuáles propósitos. Por último, es necesario detectar si todos los integrantes de las comunidades respectivas tienen acceso al género discursivo e identificar los procesos evolutivos mediante los cuales los miembros de la comunidad adquieren las habilidades necesarias para comprender y producir el género en cuestión.

En este estudio, se identificaron algunos de los rasgos textuales que caracterizan a dos tipos de narraciones y se determinaron los factores que hacen variar dichos rasgos. Igualmente, se encontró que, a pesar de que las narraciones aquí estudiadas tienen un uso frecuente en la vida cotidiana de cualquier hablante, el proceso evolutivo que permite el acceso a ese género no es igual para todos. Los niños de entre 6 y 11 años de nivel socioeconómico alto tienen un mejor dominio de la narración de ficción que sus pares de nivel bajo. Esta diferencia, sin embargo, no existe en la producción de relatos de experiencia personal. El desarrollo de las habilidades narrativas varía también según la edad y el sexo de los niños.

Asimismo, se encontraron diferencias importantes en los recursos utilizados en los dos tipos de narración. Le corresponde a investigaciones futuras determinar si en narraciones similares producidas por adultos se encuentran las mismas diferencias, para así decidir si la variación se debe a características del género o al proceso de desarrollo de las habilidades narrativas.

Los resultados de estos estudios sugieren también que, así como el análisis de un solo relato no refleja las habilidades narrativas de un niño, el análisis de la producción narrativa de niños de un solo estrato socioeconómico no se puede extrapolar a lo que se encontraría en otros sectores de la población. Esta limitación implica que difícilmente se puede hablar del 'estilo de narrar' de los niños hispanohablantes o de los niños latinoamericanos, sin caer en generalizaciones demasiado laxas. Habría que definir cuidadosamente las características específicas de la población estudiada y determinar si poblaciones que no comparten alguna de estas características producen narraciones similares o diferentes. Es muy probable que algunos rasgos narrativos trasciendan las barreras, aun las que se elevan entre las diferentes lenguas. Estos rasgos podrían considerarse los más distintivos del discurso narrativo. Otros rasgos, menos generalizables y, por tanto, más específicos, sólo estarían presentes en algunas comunidades discursivas o en determinados tipos de narración. En los estudios de desarrollo discursivo, habría que preguntarse si alguna de las habilidades, en este caso narrativas, tienden a aparecer antes que las otras y si es necesario manejar eficientemente algún aspecto discursivo antes de poder acceder a otro. Las respuestas a estas interrogantes, además de enriquecer la teoría de los géneros, tendrían aplicaciones educativas y facilitarían la enseñanza y el aprendizaje tanto de la lengua materna como de las lenguas extranjeras.

Referencias bibliográficas

ALARIO, Antonietta. 2001. *Las relaciones causales en la narración oral de una película: un análisis cognitivo, estructural y lingüístico*. Tesis de Maestría. Caracas: Universidad Central de Venezuela.

ALLEN, Marybeth; KERTOY, Marilyn; SHERBLOM, John, y PETTIT, John. 1994. "Children's narrative productions: A comparison of personal event and fictional stories". *Applied Psycholinguistics*, 15: 149-176.

APPLEBEE, Arthur. 1978. *The child's concept of story*. Chicago: The University of Chicago Press.

BAKHTIN, Mikhail. 1986. *Speech genres and other essays*. Austin: University of Texas Press.

BANFIELD, Ann. 1982. *Unspeakable sentences*. Boston: Routledge & Kegan Paul.

BARRIGA VILLANEVA, Rebeca. 1992. "De *Cenicienta a amor en silencio*: un estudio sobre narraciones infantiles". *Nueva Revista de Filología Hispánica*, 40 (2): 673-697.

BARTHES, Roland. 1977. "Introducción al análisis estructural del relato". Traducido por Beatriz Dorriots. En Silvia Niccolini (comp.), *El análisis estructural*. Buenos Aires: Centro Editor de América Latina, pp. 65-69.

BEALS, Diane y SNOW, Catherine. 1994. "Thunder is when the angels are upstairs bowling: Narratives and explanations at the dinner table". *Journal of Narrative and Life History*, 4 (4): 331-352.

BENTIVOGLIO, Paola. 1997. "El fluir de la información en el español hablado: referentes realmente nuevos, roles gramaticales y rasgos semánticos". En Manuel Almeida y Josefa Dortal (eds.), *Estudios lingüísticos y filológicos. Homenaje a Ramón Trujillo*, vol. 1.. Barcelona: Montesinos, pp. 121-131.

BERMAN, Ruth y VERHOEVEN, Ludo. 2002. "Cross-linguistic perspectives on the development of text-production abilities: Speech and writing". *Written Language and Literacy,* 5 (1): 1-44.

BERMAN, Ruth y SLOBIN, Dan (eds.). 1994. *Relating events in narrative. A crosslinguistic develpmental study.* Hillsdale, NJ: Lawrence Erlbaum Associates.

BLUM-KULKA, Shoshana. 1993. "You gotta know how to tell a story: Telling, tales, and tellers in American and Israeli narrative events at dinner". *Language in Society,* 22: 361-402.

BOCAZ, Aura. 1986. "Conectividad temporal y causal en la construcción de relatos en lengua materna y extranjera". *Lenguas Modernas,* 15: 79-98.

BRUNER, Jerome. 1986. *Actual minds, possible worlds.* Cambridge, MA: Harvard University Press.

—. 1990. *Acts of meaning.* Cambridge, MA: Harvard University Press.

CALSAMIGLIA, Helena. 1999. *Las cosas del decir.* Barcelona: Ariel.

CARRANZA, Isolda. 2007. "La construcción de la evidencia". En Patricia Vallejos Llobet (comp.), *Los estudios del discurso. Nuevos aportes desde la investigación en la Argentina.* Bahía Blanca, Argentina: Editorial Universidad Nacional del Sur, pp. 17-36.

CASPE, Margaret y MELZI, Gigliana. 2008. "Cultural variations in mother-child discourse style". En Allyssa McCabe, Alison Bailey y Gigliana Melzi, *Spanish language narration and literacy.* Cambridge: Cambridge University Press, pp. 6-33.

CHAFE, Wallace. 1994. *Discourse, consciousness and time.* Chicago: The University of Chicago Press.

CHARAUDEAU, Patrick. 2006. "El contrato de comunicación en una perspectiva lingüística: normas psicosociales y normas discursivas". *Opción,* 22 (49): 38-54.

DASINGER, Lisa y TOUPIN, Cecile. 1994. "The development of relative clause functions in narratives". En Ruth Berman y Dan Slobin (eds.), *Relating events in narrative. A crosslinguistic develpmental study.* Hillsdale, NJ: Lawrence Erlbaum Associates, pp. 457-514.

EDWARDS, Derek y POTTER, Jonathan. 1992. *Discursive psychology.* London: Sage.

EISENBERG, Ann. 1985. "Learning to describe past experiences in conversation". *Discourse Processes,* 8: 177-204.

FIVUSH, Robyn; HADEN, Catherine, y REESE, Elaine. 2006. "Elaborating on elaborations: Role of maternal reminiscing style in cognitive and socioemotional development". *Child Devolepment,* 77: 1568-1588.

GOFFMAN, Erving. 1974. *Frame analysis.* New York: Harper & Row.

GUTIÉRREZ-CLELLEN, Vera e IGLESIAS, Aquiles. 1992. "Causal coherence in the oral narratives of Spanish-speaking children". *Journal of Speech and Hearing Research,* 35: 363-372.

GUTIÉRREZ-CLELLEN, Vera; PEÑA, Elizabeth, y QUINN, Rosemary. 1995. "Accommodating cultural differences in narrative style: A multicultural perspective". *Topics in Language Disorders,* 15 (4): 54-67.

HEATH, Shirley Brice. 1983. *Ways with words. Language, life and work in communities and classrooms.* Cambridge: Cambridge University Press.

—. 1986. "Taking a cross-cultural look at narratives". *Topics in Language Disorders,* 7 (1): 84-94.

HEMPHILL, Lowry; FELDMAN, Heidi; CAMP, Linda; GRIFFIN, Terry; MIRANDA, Anna-Elisabeth, y WOLF, Dennie. 1994. "Developmental changes in narrative and non-narrative discourse in children with and without brain injury". *Journal of Communication Disorders,* 27: 107-133.

HICKS, Deborah. 1988. *The development of genre skills: A linguistic analysis of primary school children's stories, reports and eventcast.* Unpublished Doctoral Dissertation. Cambridge, MA: Harvard Graduate School of Education.

HUDSON, Janet y SHAPIRO, Lauren. 1991. "From knowing to telling: The development of children's scripts, stories and personal narrative". En Allyssa McCabe y Carole Peterson (eds.), *Developing narrative structure.* Hillsdale, NJ: Lawrence Erlbaum Associates, pp. 89-136.

KAIL, Michèle y SÁNCHEZ y LÓPEZ, Inés. 1997. "Referent introductions in Spanish narratives as a function of contextual constraints: A crosslinguistic perspective". *First Language,* 17: 103-130.

LABOV, William. 1972. *Language in the inner city,* Philadelphia, PA: University of Pennsylvania Press.

LABOV, William y WALETZKY, Joshua. 1967. "Narrative analysis: oral versions of personal experience". En June Helm (ed.), *Essays on the verbal and visual arts.* Seattle: American Ethnological Society, pp. 12-44.

LÓPEZ OROS, Marta y TEBEROSKY, Ana. 1998. "La evolución de la referencia en catalán en narraciones orales y escritas". *Infancia y Aprendizaje,* 83: 75-92.

LUCY, John (ed.). 1993. *Reflexive language: reported speech and metapragmatics.* Cambridge: Cambridge University Press.

MAHLER, Paula. 1997. "Discurso referido y perspectiva narrativa en narraciones orales infantiles". *Lenguas Modernas,* 24: 61-82.

MAYER, Mercer. 1969. *Frog, where are you?* New York: Dial Press.

McCABE, Allyssa. 1996. *Chameleon readers.* New York: McGraw Hill.

McCABE, Allyssa y BLISS, Lynn. 2003. *Patterns of narrative discourse.* Boston: Allyn & Bacon.

McCABE, Allyssa; BAILEY, Alison y MELZI, Gigliana. 2008. *Spanish language narration and literacy.* Cambridge: Cambridge University Press.

MILLER, Peggy y SPERRY, Linda. 1988. "Early talk about the past: The origins of conversational stories of personal experience". *Journal of Child Language,* 15: 293-315.

MILLER, Peggy; POTTS, Randolph; FUNG, Heidi; HOOGSTRA, Lisa, y MINTZ, Judy. 1990. "Narrative practices and the social construction of self in childhood". *American Ethnologist,* 17 (2): 292-311.

MILLER, Peggy; MINTZ, Judy; HOOGSTRA, Lisa; FUNG, Heidi, y POTTS, Randolph. 1992. "The narrated self: Young children's construction of self in relation to others in conversational stories of personal experience". *Merril-Palmer Quarterly,* 38 (1): 45-67.

NELSON, Keith (ed.). 1986. *Event knowledge: Structure and function in development.* Hillsdale, NJ: Lawrence Erlbaum Associates.

NINIO, Anat y SNOW, Catherine. 1996. "Pragmatic development". Boulder, CO: Westview Press.

NORRICK, Neal. 1997. "Twice-told tales: collaborative narration of familiar stories". *Language in Society,* 26: 199-220.

OCHS, Elinor y CAPPS, Lisa. 2001. *Living narrative: Creating lives in everyday storytelling.* Cambridge, MA: Harvard University Press.

O'REILLY LANDRY, Maureen; KELLY, Hope, y GARDNER, Howard. 1982. "Reality-fantasy discriminations in literature: A developmental study". *Research in the Teaching of English,* 16: 39-52.

PETERSON, Carole y MCCABE, Allyssa. 1983. *Developmental psycholinguistics.* New York: Plenum Press.

Picnic (video), Weston Wood, 1993.

PREECE, Alison. 1987. "The range of narrative forms conversationally produced by young children". *Journal of Child Language,* 14: 353-373.

RAGNARSDÓTTIR, Hrafnhildur; APARICI, Melina; CAHANA-AMITAY, Dalia; VAN HELL, Janet, y VIGUIÉ-Simon, Anne. 2002. *Written Language and Literacy,* 5 (1): 95-126.

SARTRE, Jean Paul. 1938. *La Nausée.* Paris: Gallimard (vers. esp.,. *La Náusea.* Buenos Aires: Losada, 1949).

SEBASTIÁN, Eugenia y SLOBIN, Dan. 1994. "Develpment of linguistic forms: Spanish". En Ruth Berman y Dan Slobin, *Relating events in narrative. A crosslinguistic develpmental study.* Hillsdale, NJ: Lawrence Erlbaum Associates, pp. 239-284.

SERRA, Miquel; SERRAT, Elisabet; SOLÉ, Rosa; BEL, Aurora, y APARICI, Melina. 2000. *La adquisición del lenguaje.* Barcelona: Ariel.

SHIRO, Martha. 1994. "Inferences in written discourse". En Malcolm Coulthard (ed.), *Advances in written text analysis.* London: Routledge, pp. 167-178.

—. 1997. "Labov's model of analysis as an emerging study in discourse". *Lawrence Erlbaum Associates. Journal of narrative and life history*, 7: 309-314.

—. 1999-2000. "Echar el cuento: hacia un perfil de las destrezas narrativas orales en niños caraqueños". *Lenguas Modernas,* 26-27: 135-168.

—. 2000a. "Diferencias sociales en la construcción del *yo* y del *otro*: expresiones evaluativas en la narrativa de niños caraqueños en edad escolar". En José Jesús de Bustos Tovar, Patrick Charaudeau, José Luis Girón, Silvia Iglesias y Covadonga López, *Lengua, discurso, texto,* vol 1. Madrid: Universidad Complutense-Visor Libros, pp. 1303-1318.

—. 2000b. "Los pequeños cuentacuentos caraqueños". *Cuadernos de Lengua y Habla,* 2: 319-337.

—. 2001. "Las habilidades evaluativas en dos tipos de discurso narrativo infantil". *Lingüística,* 13: 217-248.

—. 2003. "Genre and evaluation in narrative development". *Journal of Child Language,* 30 (1): 165-194.

—. 2004. "El poder de la palabra en el mundo académico". En Luisa Teresa Arenas y Yajaira Arcas (comps.), *El poder de la palabra en el mundo.* Caracas: UCV, pp. 47-57.

—. 2007. *La construcción del punto de vista en los relatos orales de niños en edad escolar: un análisis discursivo de la modalidad.* Caracas: UCV.

—. 2008. "Narrative stance in Venezuelan children's stories". En Allyssa McCabe, Alison Imbaley y Gigliana Melzi (eds.), *Spanish language narration and literacy: Culture, cognition and emotion.* Cambridge University Press, pp. 213-237.

SNOW, Catherine; BURNS, Susan, y GRIFFIN, Peg (eds.). 1998. *Preventing reading difficulties in young children.* Washington: National Academy Press.

SOLÉ, Rosa. 1997. "Child adult interaction and the emergence of narrative structures". Ponencia presentada en el *V International Congress of the International Society of Applied Psycholinguistics.* Oporto, Portugal.

STEIN, Nancy y GLENN, Christine. 1979. "An analysis of story comprehension in elementary school children". En Roy Freedle (ed.), *New directions in discourse processing,* vol. 2. Norwood, NJ: Ablex, pp. 53-120.

SWALES, John. 1990. *Genre analysis.* Cambridge: Cambridge University Press.

THE BRITISH COUNCIL. 1980. *Reading and thinking in English. Discourse in action.* Oxford: Oxford University Press.

UCCELLI, Paola. 2003. *Time and narratives: The development of temporality in young Spanish-speaking children.* Unpublished Doctoral Dissertation. Cambridge, MA: Harvard University.

—. 2009. "Emerging temporality: past tense and temporal/aspectual markers in Spanish-speaking children's intra-conversational narratives". *Journal of Child Language,* 36: 929-966.

VAN DIJK, Teun. 2009. "Critical context studies". En Martha Shiro, Paola Benti-voglio y Franca Erlich (eds.), *Haciendo discurso. Homenaje a Adriana Bolívar.* Caracas: Universidad Central de Venezuela, pp. 361-388.

VIRTANEN, Tulja. 1992. "Issues of text typology: Narrative - a 'basic' type of text?". *Text,* 12: 293-310.

WHITE, Hayden. 1981. "The value of narrativity in the representation of reality". En Thomas Mitchell (ed.), *On narrative.* Chicago: Chicago University Press, pp. 1-23.

WOLF, Dennie; MORETON, Joy, y CAMP, Linda. 1994. "Children's acquisition of dif-ferent kinds of narrative discourse: Genres y lines of talk". En Jeffrey Sokolov y Catherine Snow (eds.), *Handbook of research in language development using CHILDES.* Hillsdale, NJ: Lawrence Erlbaum Associates, pp. 286-323.

Adriana Bolívar es profesora titular de la Universidad Central de Venezuela donde actualmente dirige la Cátedra Unesco de Lectura y Escritura, sub-sede UCV. Obtuvo su Doctorado en la Universidad de Birmingham y su Maestría en la Universidad de Londres, Inglaterra. Desarrolla sus investigaciones en los campos de la lingüística sistémica funcional, la pragmática socio-cultural y el análisis crítico del discurso. Ha publicado numerosos artículos y varios libros como autora, editora o compiladora. Sus investigaciones sobre los géneros discursivos se iniciaron con el estudio de los editoriales de periódicos británicos. Luego se concentró en las campañas electorales y en el discurso de los presidentes venezolanos y otros jefes de estado. Paralelamente ha llevado a cabo investigaciones sobre los géneros de la investigación y géneros evaluativos como los informes de arbitraje por pares. Sus análisis se desarrollan en una dimensión interaccional crítica con dos grandes propósitos, por un lado, para comprender la construcción dialógica del discurso político y académico con base en la evaluación como categoría central y, por otro, para conocer mejor el discurso disciplinar y promover la autonomía en el conocimiento y la producción académica. Algunos de sus libros son: *El análisis del diálogo. Reflexiones y estudios* (2007, con Frances de Erlich, eds.), *El análisis del discurso. Por qué y para qué* (Comp. 2007, Caracas: Los libros de *El Nacional*) y *Lectura y escritura para la investigación* (2012, con Rebecca Beke, Comps., Caracas: Universidad Central de Venezuela). Es fundadora y presidenta honoraria de la *Asociación Latinoamericana de Estudios del discurso* y editora, con Martha Shiro, de la *Revista Latinoamericana de Estudios del discurso*. Ha dictado cursos y conferencias en universidades de América Latina, Europa y Estados Unidos.

Isolda E. Carranza, doctorada en Georgetown University, se desempeña como investigadora del Consejo Nacional de Investigaciones Científicas y Técnicas (CONICET) y como catedrática de Lingüística II de la Universidad Nacional de Córdoba, Argentina. Está a cargo de seminarios de posgrado sobre temas de sociolingüística en las universidades de Córdoba y Río Cuarto, y ha dictado cursos de posgrado sobre metodología de la investigación y estudios del discurso en las universidades de La Plata, Rosario, Mendoza, y Buenos Aires. También ha dictado cursos y ofrecido conferencias en el exterior: Katholieke Universiteit Leuven, Georgetown University, Benemérita Universidad Autónoma de Puebla, University of California at Davis, y Universitat de Barcelona. Desde muy temprano en su carrera, trabajó como miembro permanente de comités asesores y comités editoriales de revistas especializadas argentinas e internacionales, entre ellas, las prestigiosas *Discourse Studies,* el *TESOL Quarterly,* y *Spanish in Context.* En Washington D.C. estudió la intersección de argumentación oral y perspectiva ideológica en narrativas orales de inmigrantes. Su trabajo en géneros discursivos del campo forense ha sido publicado en las revistas *Narrative Inquiry, Discourse & Society* y volúmenes colectivos en las editoriales John Benjamins y Lawrence Erlbaun. Más recientemente, se ha ocupado de la metacomunicación en la revista *Pragmatics* y de la representación multilateral del conocimiento en *Discurso y Sociedad.* Impulsó los encuentros de la *Asociación Latinoamericana de Estudios del Discurso* de la cual fue Delegada por Argentina por dos períodos. Actualmente participa en actividades de evaluación en organismos de ciencia y técnica provinciales, nacionales y universitarios.

Patrick Charaudeau es Profesor Emérito de *l'Université de Paris XIII* e investigador en el laboratorio *Communication et Politique du CNRS.* Con sus actividades de investigación, Patrick Charaudeau se desempeñó (y sigue desempeñándose) en tres áreas paralelamente: *i)* el área del Análisis del Discurso, con propuestas acerca de los aspectos teóricos; *ii)* el área de géneros discursivos y de la comunicación (en la política y en los medios) con propuestas relacionadas con los aspectos descriptivos y *iii)* el área de identidad cultural, mediante trabajos de reflexión acerca de la identidad social, cultural y discursiva. Entre sus publicaciones resaltan: *Dictionnaire d'analyse du discours*, en colaboración con D. Maingueneau, Le Seuil, Paris, 2002; *Le discours politique. Les masques du pouvoir*, Vuibert, Paris, 2005; *Les médias et l'information. L'impossible transparence du discours*, (2° édition, revisada y aumentada), De Boeck-Ina, Bruxelles, 2005 ; "De l'argumentation entre les visées d'influence de la situation de communication", en *Argumentation, Manipulation, Persuasion*, L'Harmattan,

Paris, 2007; "Les stéréotypes, c'est bien. Les imaginaires, c'est mieux", en Boyer H. (dir.), *Stéréotypage, stéréotypes : fonctionnements ordinaires et mises en scène*, L'Harmattan, Paris; *Petit Traité de politique à l'usage du citoyen*, Vuibert, Paris, 2008; *La médiatisation de la science. Clonage, OGM, Manipulations génétiques*, De Boeck-Ina, Bruxelles, 2008; *Entre populisme et peopolisme. Comment Sarkozy a gagné*, Vuibert, Paris, 2008.

Guiomar Elena Ciapuscio, Ph. D. por la Universidad de Bielefeld (Alemania), es investigadora principal del Consejo Nacional de Investigaciones Científicas y Técnicas y profesora titular regular de *Lingüística* en la Facultad de Filosofía y Letras de la Universidad de Buenos Aires. Se desempeña además como directora alterna del Instituto de Filología y Literaturas Hispánicas "Dr. Amado Alonso" de la misma universidad y como coordinadora titular de la Comisión Asesora de Literatura, Lingüística y Semiótica del CONICET (desde febrero de 2012). Dirige desde el año 2004 la revista *RASAL Lingüística*, órgano de la Sociedad Argentina de Lingüística.

Ha publicado varios libros, entre ellos: *Wissenschaft für den Laien*, 1992, Romanistischer Verlag; *Tipos Textuales*, 1995, Eudeba; *Textos especializados y Terminologías*, 2003, IULA, Universidad Pompeu Fabra; *De la palabra al texto*, Eudeba, 2009, *Variedades del español de la Argentina: estudios textuales y de semántica léxica*, Eudeba, 2012; y numerosos capítulos de libros y artículos en revistas especializadas nacionales e internacionales. Ha sido profesora visitante en distintas universidades de Alemania, Brasil, Chile y España.

Susana Gallardo es doctora en Letras de la Universidad de Buenos Aires (UBA) y docente en la Facultad de Ciencias Exactas y Naturales de la UBA, donde dicta Comunicación Científica Pública y Especializada. También ha dictado seminarios de posgrado en las Universidades Nacionales de La Plata, Córdoba y Río Negro, entre otras. En el exterior, en la Universidad Evangélica Boliviana, de Santa Cruz de la Sierra, Bolivia, en el marco de la Maestría UEB/ UNESCO en Comunicación Periodística, así como en el Museu de Astronomia e Ciências Afins, de Río de Janeiro, Brasil, dentro de una capacitación en Divulgación Científica financiada por la OEA. Su área de investigación es el discurso especializado, y en tal sentido ha publicado numerosos artículos en revistas especializadas, y capítulos de libros. Asimismo, publicó el libro "Los médicos recomiendan: un estudio sobre las notas periodísticas de salud", en 2005. También ha publicado libros de divulgación científica, y ha obtenido premios en esta actividad, como el otorgado por el Ministerio de Ciencia y Tecnología de la Argentina, en 2011, y una mención otorgada por la UBA en 2010, entre otros.

Luisa Granato es profesora consulta de la Universidad Nacional de La Plata, Argentina y obtuvo su doctorado en la misma universidad. Como docente investigadora de dicha institución académica, su interés en los estudios del lenguaje ha estado siempre relacionado con la lengua hablada. Entre los trabajos realizados, figuran análisis de diferentes tipos de discursos orales y estudios de la entonación del español rioplatense desde una perspectiva pragmático discursiva. Desde hace unos años, se dedica a intentar una caracterización de la conversación coloquial, en sus niveles micro y macro, cuyas características léxico gramaticales y discursivas se abordan desde los principios de la lingüística sistémico funcional y desde una mirada socio pragmática respectivamente. Ha dirigido numerosos proyectos de investigación y en este momento está al frente de un grupo que indaga acerca de la cohesión y la coherencia en el tipo de texto mencionado. Ha realizado numerosas publicaciones, entre las que se incluyen un libro, artículos en actas de congresos y en revistas científicas del país y del extranjero y capítulos de libros. Ha dictado seminarios y cursos de posgrado, así como también conferencias plenarias en congresos, ambos en universidades del país y del extranjero.

Florencia Miranda es Doctora en Lingüística (especialidad en Teoría del Texto) por la *Universidade Nova de Lisboa*. Desde 2007, es investigadora postdoctoral en el Centro de Lingüística de esa universidad, con beca de la *Fundação para a Ciência e a Tecnologia* (Portugal). Allí participa en proyectos de investigación grupales en las áreas de lingüística del texto y enseñanza de lenguas y desarrolla un estudio individual sobre géneros textuales en portugués y español. En Argentina, es Coordinadora académica y profesora titular de las Carreras de Portugués (Profesorado, Licenciatura y Traductorado) de la Universidad Nacional de Rosario (UNR) y, además, es Investigadora del Centro de Estudios Comparativos de la UNR (donde dirige dos proyectos de investigación grupales sobre el análisis interlingüístico de géneros textuales: uno sobre el género "resumen de ponencia" en cuatro lenguas y otro sobre el desarrollo de modelos didácticos de géneros). Sus intereses de investigación se centran en la problemática del análisis textual y el análisis de géneros, la enseñanza de lenguas (materna y extranjeras) y la formación de profesores y traductores. El marco teórico principal de su trabajo se inscribe en la línea del Interaccionismo Sociodiscursivo.

Maite Taboada es profesora asociada en el Departamento de Lingüística de la Universidad Simon Fraser (Vancouver, Canadá). Tiene un doctorado de la Universidad Complutense de Madrid y una maestría de la Carnegie Mellon University. Trabaja en los campos del análisis del discurso, la lingüística sistémico-funcional y la lingüística computacional. Su investigación se centra en el análisis de la coherencia, la cohesión y la estructura de la información, todo ello desde el punto de vista del análisis de los géneros discursivos. En la actualidad desarrolla proyectos sobre la subjetividad y la opinión en el discurso; la coherencia en textos multimodales; y el estudio de la catáfora.

Martha Shiro es profesora titular de la Universidad Central de Venezuela. Obtuvo su doctorado en la Universidad de Harvard y la Maestría en la Universidad de Birmingham (Reino Unido). Ha sido directora del Instituto de Filología "Andrés Bello" y miembro de los comités académicos de los programas de Maestría y Doctorado del Área de Lingüística en el Postgrado de la Facultad de Humanidades y Educación. Es en este marco que desarrolló gran parte de sus actividades docentes e investigativas, enfocadas en el Análisis del Discurso, la Adquisición de Lenguas (Primera y Segunda) y la Gramática Funcional. Ha dictado cursos en pre y postgrado y ha sido invitada por la Universidad de Oviedo, la Universidad de Santiago de Compostela, Harvard University Graduate School of Education, la Benemérita Universidad Autónoma de Puebla, la Universidad de Los Andes, University of Miami y Florida Atlantic University. Forma parte del comité editorial del *Boletín de Lingüística* y es co-editora (con Adriana Bolívar) de la *Revista Latinoamericana de Estudios del Discurso (ALED)*. Forma parte también del comité asesor de otras revistas internacionales especializadas en estudios del lenguaje. Entre sus publicaciones, el libro *La construcción del punto de vista en los relatos orales de niños en edad escolar: un análisis discursivo de la modalidad* (2007, Universidad Central de Venezuela) refleja su interés investigativo actual en la adquisición de los géneros discursivos, especialmente el narrativo y el argumentativo, en el habla de niños monolingües y bilingües.